CRIMINOLOGIE GÉNÉRALE

2e édition

José Gariépy
et
Samir Rizkalla

MODULO

Le Centre collégial de développement de matériel didactique a apporté un soutien pédagogique et financier à la réalisation de cet ouvrage.

Nous reconnaissons l'aide financière du gouvernement du Canada par l'entremise du Programme d'Aide au Développement de l'Industrie de l'Édition (PADIÉ) pour nos activités d'édition.

Gouvernement du Québec – Programme de crédit d'impôt pour l'édition de livres – Gestion SODEC.

Données de catalogage avant publication (Canada)
Gariépy, José

    Criminologie générale

    2e éd.

    Comprend des réf. bibliogr. et un index.

    ISBN 2-89113-838-4

    1. Criminologie. 2. Criminologie - Méthodologie. 3. Psychologie criminelle. 4. Comportement criminel. 5. Criminalité - Prévention. 6. Criminologie - Problèmes et exercices. I. Rizkalla, Samir. II. Titre.

HV6025.G37 2002   364   C2002-941189-0

RESPONSABLE DU PROJET AU CCDMD : Paul Rompré

Chargée de projet : Renée Théorêt
Révision linguistique : Serge Paquin
Correction d'épreuves : Monelle Gélinas et Manon Lewis
Typographie et montage : Carole Deslandes et Suzanne L'Heureux

Criminologie générale, 2ᵉ édition
© Modulo Éditeur, 2002
233, avenue Dunbar
Mont-Royal (Québec)
Canada   H3P 2H4
Téléphone : 514 738-9818 / 1 888 738-9818
Télécopieur : 514 738-5838 / 1 888 273-5247
Site Internet : www.groupemodulo.com

Dépôt légal — Bibliothèque nationale du Québec, 2002
Bibliothèque nationale du Canada, 2002
ISBN 978-2-89113-838-3

Imprimé au Canada
7 8 9   12 11 10 09

Table des matières_____

7.1   La typologie de Ferri   146
       Le criminel-né   146
       Le criminel aliéné mental   147
       Le criminel passionnel   147
       Le criminel d'habitude   148
       Le criminel d'occasion   148

7.2   La typologie de Clinard et Quinney   149
       Les auteurs de crimes violents contre la personne   149
       Les auteurs occasionnels de crimes contre la propriété   150
       Les criminels occupationnels   150
       Les délinquants politiques   151
       Les délinquants contre l'ordre public   152
       Les criminels traditionnels   153
       Les membres du crime organisé   154
       Les criminels professionnels   154

7.3   Les types de délinquants en fonction de l'âge   155
       Les différents types de délinquants conventionnels   156
       Les types de délinquants judiciarisés   157

7.4   La dangerosité   158
       Les critères de dangerosité   158
       L'évaluation de la dangerosité   161
       Utilité des typologies et du diagnostic de dangerosité   163

       En bref   164

       Questions et exercices   165

Quatrième partie   La lutte contre le crime   **167**

Chapitre 8   La prévention de la criminalité   **169**

8.1   La prévention : définitions et objectifs   169

8.2   La prévention de la criminalité : classification et orientations   170
       La prévention situationnelle ou prévention par
       l'aménagement du milieu   171
       La prévention sociale   174

8.3   Le rôle de la police   176
       La police communautaire   177
       Les programmes socio-préventifs   179
       L'approche par la résolution de problèmes   179

       En bref   181

       Questions et exercices   182

Remerciements _____

Nous tenons à remercier sincèrement toutes les personnes suivantes dont le soutien a rendu possible la réalisation de cet ouvrage.

- Nadine Lanctôt, professeure à l'École de criminologie de l'Université de Montréal;
- Chantal Poitras, professeure en Technique d'intervention en délinquance au Collège Ahuntsic;
- Marie Gagnon, adjointe à la Direction des études au Collège de Maisonneuve;
- Louis Moffatt, Annick Morin, Renée Théorêt et toute l'équipe de production de Modulo;
- Paul Rompré du Centre collégial de développement de matériel didactique (CCDMD);
- nos collègues du département des Techniques auxiliaires de la justice des Collèges Ahuntsic et de Maisonneuve.

Notre reconnaissance va également à toutes les personnes qui nous ont prodigué leurs conseils éclairés et leur appui.

Introduction _____

Des crimes, des criminels et des victimes ? Il y en a depuis toujours. Et de tout temps, les collectivités ont réagi contre ceux qui portent atteinte aux personnes et aux biens, notamment par le châtiment. Pourtant, on s'entend pour dire que la *criminologie* est une jeune science. Il a en effet fallu attendre la deuxième moitié du XVIIIᵉ siècle pour voir naître une première réflexion structurée sur certaines causes du crime et les moyens de contrer la criminalité.

Cette première réflexion se situait sur le plan légal : les auteurs qui l'ont entreprise tentaient de définir les comportements considérés comme criminels par rapport à ceux qui ne le sont pas et de déterminer les châtiments les plus appropriés en fonction de leur gravité. Puis, quelques timides études sur les causes du comportement criminel ont commencé à voir le jour. Ce sont alors des médecins et des anthropologues, des sociologues et des psychologues qui, chacun dans leur domaine, s'y sont intéressés, cherchant à trouver, dans leurs théories respectives, des explications et des solutions au phénomène criminel.

Mais ce phénomène est bien complexe, tant dans ses causes et ses manifestations que dans les moyens d'y faire échec. Aussi, une approche multidisciplinaire s'imposait-elle. C'est là justement le rôle de la *criminologie* : examiner le phénomène criminel sous tous ses angles, tout en s'inspirant des apports spécifiques de chacune des sciences qui s'en sont préoccupées antérieurement; comprendre les facteurs qui favorisent le crime; en connaître les différentes manifestations; s'interroger sur les types de personnes ayant une propension à commettre des délits et leurs caractéristiques; trouver les moyens d'intervention les plus aptes à la protection de la collectivité et à l'insertion sociale des contrevenants jeunes ou adultes.

Si le XVIIIᵉ siècle a été fertile en réflexions philosophiques qui ont abordé, entre autres, la philosophie pénale, ce n'est cependant que vers la fin du XIXᵉ siècle que la recherche multidisciplinaire sur les causes du crime et le traitement des contrevenants s'est concrétisée avec la prolifération d'études scientifiques fondées sur des méthodes crédibles. Ce fut, en quelque sorte, la naissance de la criminologie moderne.

Cette deuxième édition de l'ouvrage est le résultat d'une importante mise à jour. Les auteurs ont en effet tenté de brosser un tableau aussi complet et actuel que possible des principaux concepts criminologiques les plus utiles aux étudiants des techniques auxiliaires de la justice, quelle que soit la profession à laquelle ils se destinent. Toute personne qui s'intéresse au sujet y trouvera également matière à réflexion sur le phénomène criminel, ses causes et ses conséquences pour le contrevenant et la victime.

Dans la première partie, il est question des sources de la *criminologie* comme science, de ses champs d'intérêt et de ses méthodes de recherche; s'ajoute à cela l'historique de la réaction sociale à travers les âges. La deuxième partie présente les principales théories explicatives du phénomène criminel, et la troisième partie traite des formes de crime, des types de délinquants et des moyens d'évaluer leur dangerosité. Enfin, la quatrième partie a pour sujet la prévention du crime et l'intervention auprès de ceux qui le commettent, intervention qui n'est pas seulement de nature pénale mais qui, depuis les vingt dernières années, suscite de plus en plus la participation de la collectivité.

Tout au long de l'ouvrage, les auteurs ont tenté de présenter les différentes notions de façon accessible à un large public. Le vocabulaire scientifique n'a pas été négligé pour autant; il est cependant toujours expliqué et illustré de manière à en faciliter la compréhension. Ainsi, les termes particuliers à la criminologie sont la plupart du temps définis et mis en évidence dans le texte. Par ailleurs, tous les termes en caractères gras sont repris dans le glossaire à la fin de l'ouvrage.

 Les pictogrammes placés au début de chaque partie de l'ouvrage indiquent aux lecteurs qu'une judicieuse sélection de sites pertinents en criminologie ou traitant de sujets connexes est disponible sur le site www.modulo.ca, sur la page de *Criminologie générale, 2ᵉ édition.*

La criminologie, sa nature et son évolution _____

Tout ensemble de connaissances structuré en un système conceptuel qui possède un objet déterminé et reconnu, et une méthode propre peut être considéré comme une science.

Au stade actuel de son évolution, la criminologie peut-elle se prévaloir d'un tel statut ? Comment se définit-elle ? Quel est l'objet de ses études ? Quelles sont ses racines et ses ramifications ? Quelle est l'histoire de son évolution et quelles sont les écoles de pensée qui ont alimenté sa réflexion ? Quelles sont enfin ses méthodes de recherche ? Voilà les principales questions auxquelles nous nous proposons de répondre dans la première partie du présent ouvrage.

Chapitre 1

La criminologie, son apport aux intervenants_____

Dans le présent chapitre, nous nous proposons de définir la criminologie et d'en déterminer l'origine, le champ d'action et les différentes subdivisions.

Nous tenterons aussi d'expliquer comment cette science peut fournir aux intervenants dans le domaine de la justice pénale — à quelque profession qu'ils appartiennent ou aspirent — des outils de compréhension, d'analyse et d'évaluation tant des situations problématiques ou criminogènes que des personnes contrevenantes ou à risque de le devenir. Cette connaissance sera alors la base qui permettra de mieux planifier et mettre en pratique leurs interventions.

1.1 Définition de la criminologie

Le mot *criminologie* est relativement récent. Il a été utilisé pour la première fois par un juriste italien du nom de Raffaele Garofalo[1] qui en a fait, en 1885, le titre d'un ouvrage traitant notamment de l'étude scientifique des causes de la criminalité; avant cela, on parlait d'anthropologie criminelle, de sociologie criminelle, de psychologie criminelle ou de droit criminel.

Les dictionnaires nous donnent de la criminologie des définitions qu'il est intéressant de mentionner. Selon le *Petit Larousse illustré*, la criminologie est « la science de la criminalité, fondée sur la psychologie, la sociologie et la statistique ». Dans *Le Petit Robert*, la criminologie est définie comme suit : « (du latin *criminalis*, et -*logie*). Science de la criminalité; étude des causes naturelles, individuelles et sociales, des manifestations et de la prévention du phénomène criminel. » On y précise que le mot a été admis dans la langue française en 1890. Enfin, dans un ouvrage de base de la criminologie, E. Seelig la définit comme « la science des phénomènes réels de l'accomplissement du crime et de la lutte contre le crime[2] ».

---

1. Raffaele Garofalo (1851-1934) : magistrat italien, auteur du fameux ouvrage *Criminologia* publié en 1885. La version française remonte à 1905.
2. E. Seelig, *Traité de criminologie*, Paris, PUF, 1956, 409 p.

En faisant une synthèse de ces différents énoncés, on peut définir la criminologie de la manière suivante.

> La **criminologie** est la science qui étudie le phénomène criminel, les causes de l'accomplissement du crime ainsi que les moyens d'en réduire l'ampleur, de réagir à l'égard des contrevenants et de comprendre la victimisation et ses conséquences. Éclectique à l'origine, puisqu'elle s'est largement inspirée des sciences telles que l'anthropologie, la biologie, la psychologie, la sociologie, la statistique, le droit et les sciences pénales, elle est aujourd'hui multidisciplinaire et possède néanmoins une autonomie que nul ne lui conteste.

Selon *Le Petit Robert*, est en effet considéré comme science « tout corps de connaissances ayant un objet déterminé et reconnu, et une méthode propre ». Ainsi, la criminologie a acquis son statut scientifique dès l'instant où elle a rempli les trois conditions suivantes :

— accumulation d'un ensemble structuré de données, d'informations et de connaissances qui lui sont propres (nous verrons dans les pages qui suivent les différents champs d'intérêt spécifiques à la criminologie);

— développement d'un système conceptuel, c'est-à-dire de théories et de principes généraux;

— utilisation de méthodes de recherche crédibles et probantes dans l'étude des phénomènes qui l'intéressent.

1.2 La criminologie, une science multidisciplinaire

Dans son analyse du phénomène criminel aussi bien que dans le développement de ses méthodes d'intervention à l'égard des contrevenants, la criminologie a eu et a toujours recours à des notions et concepts inspirés de diverses sciences : l'anthropologie, la biologie, la psychologie, la sociologie, la statistique, le droit criminel et les sciences pénales. Elle procure toutefois en retour à certaines d'entre elles des données spécialisées et des informations qui leur sont utiles.

L'anthropologie et la biologie

L'anthropologie s'intéresse aux caractères biologiques de l'être humain. À cette définition de certains auteurs français s'ajoute celle des Anglo-Saxons qui donnent à l'anthropologie des dimensions ethnographique (science comparative de l'être humain), paléontologique (rapports entre l'être humain actuel et ses ancêtres supposés), préhistorique, culturelle et sociale. La biologie, pour sa part, se définit comme la science qui étudie la vie.

artir du XIXᵉ siècle, des spécialistes de ces sciences ont tenté d'identifier ctéristiques des criminels. Ils se sont demandé si le comportement antisocial, c'est-à-dire non conforme aux normes sociales, pouvait avoir un rapport avec la constitution physique interne ou externe de l'individu et avec sa structure mentale. C'est ainsi qu'une des premières appellations de l'étude criminologique fut celle d'anthropologie criminelle que lui donna Cesare Lombroso[3].

La psychologie

La psychologie étudie notamment l'intelligence, le caractère, les aptitudes sociales, les attitudes morales, les processus psychiques, les comportements et la motivation. Aussi, les psychologues se sont-ils demandé si l'agir délictueux n'était pas dû à certaines anomalies ou pathologies mentales — névroses ou psychoses —, ou à des réactions psychologiques non spécifiques. De plus, leurs nombreuses recherches permettent de mieux connaître les processus qui mènent à l'accomplissement de l'acte délictueux, ce qu'on appelle le **passage à l'acte**.

La sociologie et la statistique

La sociologie est la science des phénomènes sociaux, des structures et des institutions sociales. Le crime est certes l'un de ces phénomènes et l'appareil d'administration de la justice, une de ces institutions. On comprend alors que des sociologues s'y soient intéressés. Considéré à juste titre comme l'un des fondateurs de la criminologie moderne, Enrico Ferri[4] avait intitulé son ouvrage fondamental, paru en 1881, *Sociologie criminelle.* Étant lui-même sociologue, il donna des bases sociologiques à cette science nouvelle qu'était la criminologie.

Quant à la statistique, elle fait partie des méthodes de recherche sociologique; la criminologie en a fait une utilisation considérable.

Le droit criminel et les sciences pénales

Le droit criminel et les sciences pénales s'occupent, entre autres, de l'incrimination des actes, de la détermination des peines, des modalités de détection du crime et de l'exécution des sentences. Ces sciences s'étant développées avant la criminologie, on peut facilement imaginer que certaines de leurs études aient porté sur des matières dont la criminologie s'est emparée par la suite. Par exemple, plusieurs auteurs attribuent la première pensée criminologique au juriste et économiste Cesare Beccaria, dont l'ouvrage principal, *Des délits et des peines*, a été publié en 1764.

---

3. Cesare Lombroso (1835-1909) : médecin légiste à l'Université de Turin en Italie, auteur de *L'homme criminel* paru en 1876.
4. Enrico Ferri (1856-1929) : sociologue et professeur de droit en Italie, auteur de l'ouvrage *Sociologie criminelle* paru en 1881.

L'éclectisme et la multidisciplinarité

À l'origine, la criminologie s'est donc largement inspirée des concepts élaborés par toutes ces sciences (*voir la figure 1.1*); voilà pourquoi, à la fin du XIXᵉ siècle, E. Ferri la qualifiait de **science éclectique**, une façon de dire qu'elle empruntait à d'autres sciences les thèses les plus conciliables avec son champ d'intérêt.

De nos jours, la criminologie est plutôt dite multidisciplinaire puisque, tout en se servant des concepts de ces sciences, elle a établi ses propres théories sur la criminalité en tant que phénomène, le comportement criminel et les moyens d'intervention. Ces théories sont élaborées d'une façon originale qu'aucune de ces sciences, prise individuellement, n'aurait pu concevoir.

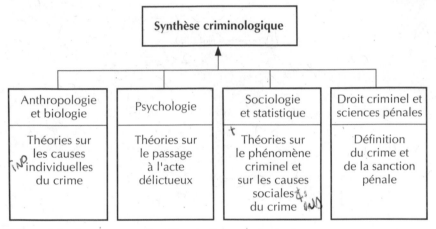

Figure 1.1 Les sources scientifiques de la criminologie.

1.3 Les domaines de l'étude et de l'action criminologiques

Coauteur d'un ouvrage fondamental dans le domaine, E.H. Sutherland[5], définit la criminologie en précisant ses principaux champs d'intérêt, soit la **sociologie du droit**, l'**étiologie criminelle** et la **pénologie**.

Si cette forme de définition nous paraît pertinente, il n'en demeure pas moins que les domaines de l'étude et de l'action criminologiques sont maintenant plus vastes. En effet, la criminologie ne s'intéresse pas seulement au crime. Deux phénomènes connexes font aussi l'objet de ses études, à savoir la déviance et la marginalité. De plus, son intérêt s'étend à la fois en amont du phénomène criminel, puisqu'elle se penche sur la

---

5. E.H. Sutherland et D.R. Cressey, *Principes de criminologie*, 6ᵉ éd., Paris, Cujas, 1966, 662 p.

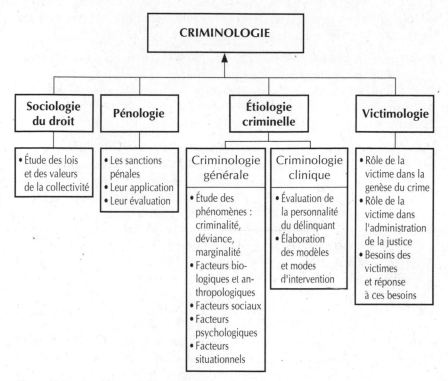

Figure 1.2 Les champs d'intérêt de la criminologie.

recherche de ses causes et sur la compréhension de l'évolution de la notion même de crime en fonction des valeurs sociales, et en aval, puisqu'elle étudie aussi les effets du crime sur les victimes, les réactions communautaires et sociales qu'il déclenche ainsi que les processus policier, judiciaire, pénologique et autres, dans lesquels peuvent s'inscrire les contrevenants.

Nous aborderons donc, de façon succincte, les principaux domaines de l'étude et de l'action criminologiques : le crime, la déviance, la marginalité, les causes de la criminalité, l'évolution de la notion de crime et la sociologie du droit, la réaction sociale au crime et, finalement, la victimologie.

La figure 1.2 présente les champs d'intérêt de la criminologie.

Le crime

Le mot *crime* n'a pas une seule acception. Le *Petit Larousse illustré* le définit comme « toute violation grave de la loi morale ou civile » ; le *Dictionnaire de la langue française* de Littré précise « punie par la loi ou réprouvée par la conscience ».

Différents auteurs donnent aussi du crime une définition qui est empreinte de l'approche propre à leur discipline respective.

Ainsi, pour les juristes, le crime correspond à tout acte ou toute omission allant à l'encontre d'une loi — le terme *loi* étant entendu ici au sens large, c'est-à-dire comme toute disposition prise par un organisme ou une personne ayant autorité de légiférer d'après le droit constitutionnel d'un pays — et dont l'auteur est passible d'une sanction légale.

Pour les sociologues, le crime revêt une acception moins légaliste, puisqu'il s'agit, disent-ils, de tout acte antisocial qui heurte les valeurs de la communauté et qui, à un certain degré de gravité, entraîne une réaction de la société qui entend se défendre et pénaliser l'auteur d'un tel acte. Le sociologue américain Edwin H. Sutherland le définit comme « une infraction aux règles en vigueur dans une culture[6] ». Pour sa part, Émile Durkheim, un éminent sociologue du XIXe siècle, ne voit dans le crime aucun caractère pathologique. Pour lui, le crime est un fait social normal qui s'observe dans toutes les sociétés, de tous les types. La criminalité change de forme, les actes qualifiés de crime ne sont pas partout ni toujours les mêmes; mais, partout et toujours, il y a eu des êtres humains qui se sont conduits de manière à attirer sur eux la répression pénale[7]. Durkheim ne considère pas seulement le crime comme normal, mais il le juge aussi comme utile et nécessaire pour la société : si tous réagissaient avec la même force contre les mêmes événements, la société se priverait d'un facteur important de sa dynamique. L'auteur ajoute : « D'après le droit athénien, Socrate était un criminel, et sa condamnation n'avait rien que de juste. Cependant, son crime, à savoir l'indépendance de sa pensée, était utile non seulement à l'humanité, mais à sa patrie. Car il servait à préparer une morale et une foi nouvelles dont les Athéniens avaient alors besoin[8]. »

Quant à la définition criminologique du crime, elle est donnée de façon fort éloquente par H. Ellenberger.

> Le **crime** est « un acte antiéthique et antisocial grave, généralement interdit par la loi, et résultant de processus complexes d'ordres sociologique, psychologique et souvent biologique[9] ».

Dans la dernière partie de cette définition, apparaît pour la première fois une référence aux causes du crime. C'est là justement l'un des objets importants qui distingue la criminologie des autres sciences. De plus, contrairement aux juristes, les criminologues ne limitent pas l'objet de leur

---

6. E.H. Sutherland et D.R. Cressey, *op. cit.*, p. 11.
7. Émile Durkheim, *Les règles de la méthode sociologique*, 16e éd., Paris, PUF, 1967, 149 p.
8. *Ibid.*, p. 71.
9. H. Ellenberger et M. Dongier, « Criminologie », dans *Encyclopédie médico-chirurgicale. Psychiatrie*, n° 37760, A-30, décembre 1958.

étude aux seuls actes reconnus comme des crimes par un texte de loi. Certes, comme le commente Ellenberger, ils sont généralement interdits par la loi, mais leur caractère essentiel est d'être antiéthiques ou anti-sociaux; en cela, la définition criminologique du crime se rapproche plus de la définition sociologique.

Mais si l'acte n'est pas spécifiquement interdit par une loi, sur quel critère s'appuiera-t-on pour dire qu'il intéresse le criminologue ? Deux concepts peuvent servir de critères complémentaires : la déviance et la marginalité.

La déviance NON-CONFORMISME ≠NORMES

La société réagit contre l'auteur d'un acte répréhensible et adopte une attitude répressive quand elle se sent menacée dans ses valeurs fonda-mentales. Il existe cependant des actes qui, sans menacer gravement les valeurs d'une société, n'en sont pas moins considérés comme contreve-nant aux normes que privilégie cette société. C'est ce qu'on appelle la déviance.

Quand on parle de déviance, on doit toujours se situer par rapport à une norme, c'est-à-dire à une règle, un état ou un comportement qu'une ma-jorité de personnes, dans une collectivité quelconque, juge habituel, avec le sentiment d'avoir l'obligation de s'y conformer. Le crime est une dé-viance par rapport aux normes légales. Mais un individu peut également dévier d'autres types de normes.

La principale forme de déviance qui intéresse la criminologie est celle qui peut être considérée comme prédictive de délinquance. Les fugues que pourraient commettre les adolescents, le décrochage scolaire, l'apparte- et nance à des groupes qui risquent de se transformer en gangs criminalisés n'en sont que quelques exemples. L'apport de la criminologie dans ce domaine consiste, d'une part, à permettre aux policiers et à tout autre intervenant de mieux connaître le phénomène et, d'autre part, à dévelop-per des moyens d'endiguer l'évolution des personnes déviantes vers un comportement plus spécifiquement délictueux.

Une autre forme de déviance est celle de membres de groupes criminels qui enfreignent les normes de leur milieu. Comme on peut le constater dans de nombreux films, romans et médias d'information, les organisa-tions criminelles ou les gangs de criminels ont leurs propres lois : les « lois du milieu ». Un fort pourcentage des meurtres perpétrés en Amérique du Nord sont des règlements de compte. Ainsi, le crime organisé veille à ce que ses propres lois soient respectées et il châtie ceux qui s'en écartent, qui dévient de leur norme criminelle.

Les personnes ne respectant pas la loi de leur milieu criminel intéressent les policiers sous deux aspects : comme délateurs, elles sont en mesure de révéler des complots et des faits, ce qui permet d'assurer une meilleure prévention et une plus grande répression de la criminalité, et, comme témoins exposés aux représailles des groupes criminels auxquels elles appartiennent, elles peuvent avoir besoin d'une protection particulière.

Ces exemples permettent de constater que déviance et criminalité ne sont pas nécessairement synonymes et que, si le crime est une déviance par rapport à la loi, de nombreux autres types de déviance peuvent exister par rapport à toutes sortes de normes ou de valeurs propres à une culture donnée.

> La **déviance** est un comportement qui s'écarte des normes qu'adopte une collectivité ou une société quelconque.

La marginalité

La marginalité se distingue de la déviance en ce qu'elle caractérise un comportement qui se situe constamment en dehors (en marge) des normes sociales. L'individu marginal vit dans son univers selon ses valeurs propres et rejette systématiquement celles des autres. L'alcoolique et le clochard sont des exemples de marginaux. Dès qu'un marginal porte préjudice à une personne ou aux biens d'autrui, c'est-à-dire aux valeurs que les normes légales ont décidé de protéger, il franchit la frontière entre la marginalité et la criminalité, et devient passible d'une sanction pénale.

> La **marginalité** est le fait de vivre délibérément et régulièrement en dehors des normes sociales, sans nécessairement poser des gestes délictueux.

Les causes de la criminalité

Nous avons vu dans la définition qu'en donne E. Seelig que la criminologie s'intéresse aux « phénomènes réels de l'accomplissement du crime »; Sutherland s'inscrit dans la même perspective quand il définit la criminologie à travers ses différents champs d'intérêt dont celui de l'étiologie criminelle; d'autres auteurs parlent de l'étude des facteurs criminogènes... autant d'expressions qui reviennent à dire que la recherche des causes de la criminalité constitue l'un des objets fondamentaux des études criminologiques. Or, l'étude des causes comporte différents volets.

- Il y a les causes générales, de nature sociologique, politique, économique, culturelle ou autre, qui influent sur le développement et les fluctuations de la criminalité dans une société donnée.

- Il y a les causes liées à des conditions prévalant dans un territoire ou une localité spécifique, comme la prostitution, les piqueries, le vagabondage, les gangs de rues, le délabrement d'un quartier, etc., et qui constituent un risque évident de développement de la criminalité.

- Il y a les causes relatives aux caractéristiques individuelles de nature physique, biologique ou psychologique tels les problèmes de santé, les déficiences ou problèmes mentaux et les troubles de la personnalité.

- Il y a enfin les facteurs situationnels qui poussent un individu, mis dans telle ou telle situation, à passer à l'acte délictueux, c'est-à-dire à poser un geste considéré comme criminel par la loi.

Le fait de connaître les causes du crime permet d'élaborer des moyens de le prévenir et d'intervenir auprès des délinquants, qu'il s'agisse des programmes de développement social, des processus de résolution de problèmes, des interventions auprès de clientèles déviantes ou marginalisées, ou des analyses stratégiques de la criminalité conduisant à la mise sur pied de projets de prévention pour résoudre les problèmes spécifiques qui ont été dépistés.

L'évolution de la notion de crime et la sociologie du droit

Nous avons déjà expliqué qu'un acte est criminalisé lorsque la société considère qu'il contrevient à une valeur jugée fondamentale, valeur qui doit être protégée sous peine de sanction.

Malgré la mondialisation et la globalisation, chaque pays, région ou communauté possède sa propre culture, ses valeurs, sa mentalité, ses convictions, ses coutumes, ses attitudes et ses traditions. Les lois pénales demeurent cependant les mêmes pour toutes les personnes qui se trouvent sur un territoire donné. Ainsi, en vertu d'un principe reconnu internationalement, celui de la territorialité des lois pénales, même un touriste — à plus forte raison un résident — a l'obligation de se conformer aux lois du pays qu'il visite quelles que soient ses propres valeurs. Nous examinerons au chapitre 4 l'importance criminologique de cet aspect.

Toutefois, même les valeurs fondamentales d'une société ne sont pas immuables : elles évoluent avec le temps. Leur évolution, tantôt lente, tantôt rapide, est le plus souvent graduelle, parfois même imperceptible à court terme. De là la nécessité que certaines lois soient réformées en raison de leur désuétude. Il y a bien sûr des groupes de pression qui plaident en faveur des changements. Mais la criminologie est dans une situation privilégiée pour étudier l'évolution des valeurs sociales et proposer des transformations législatives. En effet, les intervenants en délinquance, quelle que soit leur profession, sont régulièrement confrontés à des situations tolérées par la société mais toujours interdites par les lois ou encore, à l'inverse, à des situations intolérables sur lesquelles ils ne peuvent intervenir, faute de législation le leur permettant.

Ainsi, à titre d'exemples, il a fallu attendre la fin des années 1960 pour que l'homosexualité entre adultes consentants soit décriminalisée et l'avortement, libéralisé[10]. Depuis le début des années 1970, des criminologues sont d'avis que la **décriminalisation** de la simple utilisation de certaines drogues douces en permettrait un contrôle plus efficace. Plus récemment, des arguments ont également été avancés pour décriminaliser cet usage lorsqu'il a pour but de diminuer la souffrance de personnes gravement malades.

De son côté, la législation pour préserver l'environnement est relativement nouvelle; mais, aujourd'hui, la pollution de l'air, des eaux et des espaces verts est réprimée. Sur un autre plan, la criminalité informatique ayant pris de l'ampleur, des mesures sont préconisées afin de protéger les individus et les entreprises contre de tels méfaits. Par ailleurs, depuis quelque temps, des voix s'élevaient pour réclamer la répression de l'appartenance à un groupe criminel. Il s'agissait là d'une attitude en réaction à des guerres de gangs qui avaient fait des victimes parmi la population : un jeune enfant, un journaliste... Comme les membres de ces groupes s'enrichissent grâce à des activités illégales, tel le trafic des stupéfiants, et qu'il est fort difficile de faire la preuve de leurs agissements, on réclamait alors que les biens acquis illégalement soient confisqués. Une loi en ce sens a récemment été adoptée.

En ce qui a trait aux jeunes contrevenants, des opinions divergentes sont formulées : certains réclament une plus grande sévérité alors que d'autres souhaitent axer l'intervention sur la prévention et la rééducation.

C'est pourquoi Sutherland a considéré que la sociologie du droit, qui traite de tels sujets, fait partie des champs d'intérêt de la criminologie.

> La **sociologie du droit** se définit comme l'analyse scientifique des conditions du développement des lois pénales pour qu'elles correspondent aux besoins sociaux.

La réaction sociale au crime

On entend par réaction sociale au crime les différents types de mesures prévues par la société pour se défendre contre les actions considérées comme criminelles. Ces réactions vont de l'absolution inconditionnelle jusqu'à la plus sévère des sanctions pénales, en l'occurrence la peine de mort.

---

10. *Décriminaliser* un acte, c'est lui ôter son caractère délictueux, le rendre légalement acceptable. Concernant l'avortement, nous utilisons ici le terme *libéraliser* plutôt que *décriminaliser* en raison du flou juridique créé par le *Bill omnibus* de 1969 qui rendait légal l'avortement à certaines conditions. Cela n'a pas empêché que de nombreuses poursuites judiciaires soient entreprises, notamment contre le Dr Morgentaler, jusqu'à ce que la Cour suprême tranche la question et demande au législateur de mieux préciser ses intentions.

Il s'agit là de la notion de lutte contre le crime qu'on retrouve dans la définition de la criminologie de Seelig; quant à la notion de pénologie, elle est au cœur de celle de Sutherland. La première notion nous semble plus large puisqu'on peut y inclure aussi bien la prévention du crime que la sanction pénale ou communautaire. Quant à la seconde, elle se limite à l'étude des peines et des modalités de leur exécution.

En fait, comme nous l'avons déjà vu, la criminologie s'intéresse à la réaction sociale devant différents comportements, qu'ils soient criminels, déviants ou marginaux; elle se préoccupe de ce qui devrait être considéré comme délictueux et des indices de gravité des délits; elle aborde les phénomènes de tolérance et de stigmatisation sociale et tente, en conséquence, de proposer des politiques de prévention et d'intervention de type pénal, administratif ou communautaire que nous examinerons dans les chapitres subséquents.

La victimologie

À l'exception de quelques rares actes que la société criminalise pour préserver certaines valeurs, ce que l'on appelle les crimes sans victime, on peut considérer que, de façon générale, le délit porte préjudice à une personne, qu'il s'agisse d'une personne physique ou d'une personne morale.

Ainsi, depuis la fin des années 1940, la criminologie s'intéresse de façon scientifique aux victimes d'actes délictueux, et ce sous trois angles différents.

- Les criminologues se sont tout d'abord penchés sur l'étude de la participation de la victime à la genèse du crime; ils se sont interrogés sur la contribution de la victime à sa propre victimisation.

- Ils ont aussi étudié l'intervention des victimes dans les différentes étapes du processus judiciaire : plainte à la police, témoignage devant les tribunaux, etc.

- Ils ont plus récemment analysé les séquelles de la victimisation, les besoins des victimes et le rôle compensatoire que peuvent jouer l'État, la communauté et le contrevenant lui-même pour dédommager ou indemniser les victimes d'actes délictueux.

1.4 Les différentes approches en criminologie

En s'inspirant de plusieurs sciences, la criminologie a développé des approches variées à l'égard tant du phénomène criminel que des contrevenants. Les études criminologiques se divisent ainsi en deux grandes spécialités qui correspondent aux divers champs d'intérêt de la criminologie, soit la criminologie du passage à l'acte et la criminologie de la réaction sociale.

Criminologie du passage à l'acte

La criminologie du passage à l'acte comprend deux volets : la criminologie générale et la criminologie clinique.

- La criminologie générale, comme son nom l'indique, se consacre à des études de portée générale dont l'objet concerne les éléments suivants :

  — le phénomène criminel comme tel et les notions qui y sont apparentées, à savoir la criminalité, la déviance et la marginalité, et ce sous l'angle de la définition des concepts, de l'ampleur des phénomènes et de leurs fluctuations spatio-temporelles;

  — les différentes causes du phénomène criminel, que certains appellent étiologie criminelle, facteurs criminogènes ou criminogenèse.

- La criminologie clinique a pour centre d'intérêt l'auteur du délit. Elle s'intéresse aux composantes physiques et psychologiques de sa personnalité et tente d'expliquer son comportement, ses motivations et les processus de son passage à l'acte délictueux. Elle étudie aussi les modèles et modes d'intervention aptes à ramener l'individu à un comportement respectueux des lois.

Criminologie de la réaction sociale

L'étude de la réaction sociale face à la déviance et aux moyens de contrôle social porte sur les éléments suivants :

- L'adéquation entre les valeurs sociales et les législations criminelles et pénales (ou sociologie du droit). Les auteurs spécialisés dans ce domaine ont des positions très diverses, voire diamétralement opposées. Des positions qui peuvent aller de la criminalisation à outrance jusqu'à la tolérance extrême prônant la décriminalisation de nombreux actes ou leur qualification de « situations problématiques » ou de simples « conflits interpersonnels ».

- La réaction sociale au crime par la prévention et la répression (ou réaction pénale) de même que par le traitement des contrevenants. Certains auteurs vont jusqu'à proposer l'abolition du système pénal et sa substitution par des mesures de conciliation, de médiation, de réparation du tort causé à la victime ou une simple intervention administrative.

La figure 1.3 présente un schéma des champs de spécialisation de la criminologie moderne.

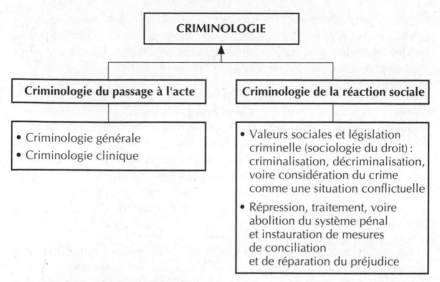

Figure 1.3 Champs de spécialisation de la criminologie.

1.5 La criminologie, un outil essentiel à l'intervenant

Les intervenants du domaine de la justice pénale ont des formations fort diverses et leurs interventions ne sont pas de même nature. Toutefois, quelle que soit leur discipline de base ou leur profession, la criminologie leur apporte un précieux complément de connaissances et d'habiletés. Voyons l'apport de la criminologie dans le travail des policiers, des juristes du système pénal et des intervenants correctionnels et sociocommunautaires.

Les policiers

Les policiers peuvent être quotidiennement confrontés à toutes sortes de clientèles : des criminels dangereux, des jeunes contrevenants, des voleurs, des groupes criminalisés, des gangs de rue, des drogués ou des alcooliques, des conducteurs agressifs, des marginaux, etc. Par ailleurs, des personnes souffrant de problèmes de santé mentale, des victimes, des familles désorganisées ou tout simplement des gens ayant besoin d'aide et ne sachant à qui s'adresser font appel à la police.

Les policiers bénéficient d'un certain pouvoir discrétionnaire et l'exercice de ce pouvoir nécessite des connaissances, du jugement et des outils d'intervention. Bien que les connaissances légales leur soient indispensables, des notions de criminologie s'avèrent tout aussi essentielles.

Faut-il avoir une attitude répressive ? L'application stricte et constante de la loi (*law enforcement*) s'impose sans doute dans certaines circonstances lorsque, dans le cas d'espèce, l'intervenant juge indispensable d'assurer le respect des normes sociales et de protéger les honnêtes citoyens.

La criminologie et les sciences policières nuancent toutefois cette approche en l'incluant dans une gamme de mesures possibles que l'on peut regrouper sous le nom de processus de résolution de problèmes. La technique de résolution de problèmes consiste à analyser les situations et à sélectionner, parmi diverses solutions possibles, celles qui, dans chaque cas, sont les plus aptes à désamorcer le conflit ou à résoudre le problème. Cette technique s'applique autant à des circonstances ponctuelles qu'à des situations répétitives ou chroniques et permet de leur trouver des issues valables à moyen et long terme[11].

Ainsi, la criminologie fournit aux policiers des définitions fort utiles sur le phénomène criminel, la déviance, la marginalité, les caractéristiques des délinquants, les facteurs ou causes de la délinquance, les personnalités délinquantes, les pathologies, de même que sur les méthodes de prévention et d'intervention scientifiquement éprouvées et évaluées. Elle développe également leur esprit critique face aux lois. Des lois que, par leur rôle, les policiers sont tenus d'appliquer, mais qu'ils peuvent aussi, en tant que citoyens et groupe de pression, aider à moderniser.

Les juristes du système pénal

Les avocats de la couronne ou de la défense, les juges et autres juristes se doivent aujourd'hui d'avoir des notions de criminologie, d'autant plus que cette science recèle des connaissances en victimologie et en pénologie. Témoignent de cette nécessité :

— les tendances marquées à l'individualisation de la sanction pénale et au développement de mesures substitutives à cette sanction pouvant aller jusqu'à la déjudiciarisation, c'est-à-dire jusqu'à référer la cause à des instances non judiciaires;

— l'inclusion dans le *Code criminel* de mesures novatrices tel le sursis qui permet à un condamné à l'emprisonnement de purger sa peine dans la communauté, sous certaines conditions, plutôt que d'être incarcéré;

— la possibilité pour le juge d'ordonner à l'agresseur de dédommager sa victime;

— la protection des victimes qui, par exemple, témoignent dans leur propre cause et les autres procédures inspirées des recherches criminologiques, pénologiques et victimologiques.

---

11. Voir à ce sujet l'ouvrage de Lionel Prévost, *Résolution de problèmes en milieu policier*, Mont-Royal, Modulo Éditeur, 1999, 181 p.

Les intervenants correctionnels et sociocommunautaires

Pour les criminologues, les techniciens d'intervention en délinquance et autres professionnels impliqués dans le *post-sentencing*, c'est-à-dire dans l'application des peines et des mesures substitutives, la nécessité d'acquérir une connaissance approfondie des concepts criminologiques est évidente : la compréhension du phénomène criminel et du passage à l'acte délictueux, les différents types de personnalité délinquante, les modes d'intervention, les rôles de contrôle, de protection de la société, les programmes d'intervention et de traitement, les outils de communication et d'établissement d'une relation d'aide avec leurs clients, etc. sont autant de connaissances et d'habiletés que seule la multidisciplinarité de la criminologie peut leur offrir.

Enfin, de nos jours, bien des intervenants communautaires font du travail de rue auprès de personnes déviantes ou marginales. Ils préconisent des modèles d'intervention empreints de tolérance et œuvrent plutôt à la réduction des méfaits dus, entre autres, à la consommation de drogues, à la prostitution, aux fugues, au vagabondage ou à l'itinérance.

C'est pourquoi, dans de nombreux pays, la criminologie fait souvent partie des programmes de formation en droit, en sociologie, en psychologie, en psychoéducation et en éducation spécialisée, et de tous les programmes d'intervention en délinquance auprès des jeunes et des adultes, que ce soit en techniques policières, en sciences juridiques, pénologiques ou correctionnelles.

En bref

→ La criminologie peut se définir comme « la science des phénomènes réels de l'accomplissement du crime et de la lutte contre le crime ».

Elle est multidisciplinaire, en ce sens qu'elle étudie les multiples facettes du phénomène criminel et utilise à cette fin des concepts puisés dans des disciplines différentes telles que le droit, la sociologie, la psychologie, l'anthropologie, la biologie et la statistique. La synthèse originale qu'elle en fait lui permet d'être une science autonome, bien qu'elle entretienne une relation d'interdépendance avec les autres sciences.

→ Le phénomène criminel est tout aussi complexe dans son étude que dans sa définition même : criminalité, déviance et marginalité sont des notions très proches les unes des autres. Le crime a plusieurs définitions selon qu'on opte pour une vue juridique, sociologique ou criminologique. Considéré comme normal par certains sociologues, le fait criminel est défini par H. Ellenberger comme « un acte antiéthique et antisocial grave,

DÉVIANCE

généralement interdit par la loi, et résultant de processus complexes d'ordres sociologique, psychologique et souvent biologique ». Quant à la déviance, elle se caractérise par un comportement qui se distingue de la norme d'une collectivité quelle qu'elle soit. On peut dévier de la norme délinquante d'un milieu criminel, tout comme on peut dévier des normes légales édictées par le pouvoir législatif. Lorsque la déviance

MARGINALITÉ

s'accompagne d'un rejet systématique des normes et des valeurs sociales sans qu'il y ait pour autant acte délictueux, elle devient marginalité.

Cette distinction entre criminalité, déviance et marginalité étant faite, la criminologie s'interroge sur les causes de l'accomplissement du crime et les moyens de le prévenir, que E. Seelig inclut dans sa définition de « lutte contre le crime ». C'est ce que E.H. Sutherland appelle l'étiologie crimi-nelle.

4 →

La criminologie a quatre champs d'intérêt qui sont définis par :

— la sociologie du droit, qui est l'étude de l'adéquation entre l'évolution des lois et celle de la société;

— l'étiologie criminelle, qui est l'étude des causes du crime;

— la pénologie, qui est l'étude des mesures à prendre à l'égard des auteurs de délits;

— la victimologie, qui est l'étude du rôle de la victime dans la genèse du crime et dans le processus judiciaire, de même que de ses besoins en tant qu'être humain ayant subi un préjudice dû au crime.

Enfin, la criminologie se divise aujourd'hui en deux grandes spécialités :

→

• La criminologie du passage à l'acte, qui étudie les causes bio-psychosociologiques et les facteurs situationnels du passage à l'acte ainsi que les modes d'intervention cliniques.

→

• La criminologie de la réaction sociale, qui analyse l'intervention pé-nale et extrapénale auprès des personnes qui se rendent coupables de délits. Elle contribue, par sa critique, à l'évolution des lois et du système. (L'évolution de cette réaction sociale fera l'objet du chapitre suivant.)

Questions et exercices _____

1. La criminologie possède-t-elle les éléments requis pour être considérée comme une science ? Pourquoi dit-on qu'elle est multidisciplinaire ?

2. Dans sa définition du crime, H. Ellenberger tient-il compte des notions de déviance et de marginalité ? En quoi ces notions se distinguent-elles de celle de criminalité ?

3. Donnez des exemples concrets qui illustrent chacun des principaux champs d'intérêt de la criminologie, à savoir : la sociologie du droit, l'étiologie criminelle, la victimologie et la pénologie.

4. Effectuez une recherche sur les approches modernes en victimologie, par exemple sur les plans de l'accompagnement à la cour, de l'aide aux victimes, du dédommagement, de l'attitude des policiers à l'égard des victimes, etc.

Chapitre 2

Historique de la réaction sociale

Comment une société réagit-elle face à des comportements qu'elle juge inacceptables ? Qu'est-ce qui motive cette réaction sociale ? Comment celle-ci a-t-elle évolué ? À quel moment peut-on situer la naissance de la criminologie ? C'est à ces questions que nous tenterons de répondre dans le présent chapitre.

> *Au cours de l'histoire de l'humanité, les sociétés organisées ont réprimé des actes qui mettaient en péril leur survie; c'est ce qu'on appelle la* **réaction sociale**.

La réaction sociale s'exprime par une sanction, une peine. La peine capitale est un exemple de réaction sociale maximale contre un acte inadmissible, le meurtre.

La réaction sociale n'est cependant pas immuable : elle est liée à l'évolution des sociétés. En effet, un acte toléré aujourd'hui pouvait être sévèrement réprimé auparavant. C'est ainsi qu'au Moyen Âge et à la Renaissance la magie était punie par la mort sur un bûcher, alors qu'aujourd'hui on en fait un spectacle.

En plus d'évoluer dans le temps, la réaction sociale varie également dans l'espace. Ainsi, l'avortement est jugé criminel dans certaines sociétés et légal dans d'autres.

L'objectif visé par toute société est la cohésion sociale : aucune ne tolère des actes qui mettent en danger ses membres et son organisation. Dans ce qui suit, nous présentons les principales étapes de l'évolution du concept de réaction sociale face à la criminalité : la vengeance privée, la justice publique, les écoles de pensée pénale et les modèles de justice contemporains.

2.1 La vengeance privée

La **vengeance privée** permet à une personne ou à son groupe de se venger d'un crime sans avoir recours au système judiciaire. D'abord très permissive lorsqu'elle était sans contrôle, on a dû la restreindre pour en réduire les excès par la loi du talion et l'indemnité.

La vengeance sans contrôle

Si l'on remonte le cours de l'histoire, on constate que la vengeance privée apparut dès que se formèrent des groupements d'individus. En effet, lors d'un conflit, chaque individu se vengeait sans intervention d'une autorité politique ou judiciaire.

■ EXEMPLE Un berger qui s'était fait voler un mouton décidait de se venger en lapidant le voleur; pour administrer cette punition, il demandait l'aide des membres de sa tribu. ■

Deux éléments sont ici à souligner :

— le berger pouvait se venger en commettant un acte plus grave que celui qu'il avait subi; sa vengeance était donc sans limites et sans contrôle; elle autorisait toute violence;

— le berger pouvait faire appel à la collaboration de membres de sa tribu; la vengeance était collective et solidaire.

Pour préciser davantage la notion de vengeance privée, prenons un exemple plus proche de notre époque : les membres du crime organisé qui règlent eux-mêmes les conflits à l'intérieur de leur groupe ou avec des adversaires, sans faire intervenir le système judiciaire.

Mentionnons que dans les sociétés primitives la principale préoccupation des membres était la survie de la collectivité; les crimes punis le plus sévèrement étaient donc ceux qui mettaient en danger l'équilibre de la tribu ou du clan et qui dilapidaient les biens rares. C'est ainsi que le vol de nourriture pouvait être puni par la mort, car il mettait en danger la survie du groupe. La peine imposée par la victime, sa famille ou sa tribu avait pour objectif primordial de rétablir l'ordre social perturbé.

■ EXEMPLE 1 Dans une tribu des Philippines, on vengeait le meurtre du chef en exécutant le premier étranger qui se présentait sur le territoire de la tribu, même s'il n'était nullement impliqué dans ce crime. ■

■ EXEMPLE 2 Dans certaines tribus amérindiennes, l'individu coupable de meurtre se voyait infliger comme sanction de prendre la place de la victime dans sa famille en assumant toutes ses obligations et en remplissant ses rôles (responsable de la famille, pourvoyeur de biens, guerrier, etc.). ■

On remarque dans ces exemples que le groupe d'appartenance de la victime devait trouver un coupable, quel qu'il soit, en vue de ramener la paix, car la survie du groupe en dépendait. De plus, dans certains cas, il était essentiel que l'agresseur assure une continuité dans le groupe en prenant en charge toutes les tâches et les responsabilités de la victime.

Signalons que ce type de vengeance contient deux éléments encore présents dans nos systèmes de justice contemporains : les notions de responsabilité individuelle et de punition. Cependant, à cette époque, la recherche d'un coupable n'était pas encadrée par la loi. La vengeance sans contrôle a donc engendré de nombreuses injustices, telles l'exécution d'innocents et l'extermination de groupes ou de tribus. La sanction, souvent disproportionnée, n'était assujettie à aucune limite. Dans ce contexte, les excès relevaient plus souvent de la règle que de l'exception. Cette absence de contrôle était source d'instabilité, d'agitation et de violence entre les tribus, et privait le groupe de certains guerriers fort utiles en cas de conflit avec une tribu rivale. C'est ce qui explique l'apparition, au cours de l'Antiquité, de certaines restrictions : la loi du talion et l'indemnité.

La loi du talion

Lorsqu'un groupe social était suffisamment organisé, il pouvait déterminer le degré de vengeance que la victime ou sa famille était en droit d'exiger. C'est ainsi qu'on instaura la loi du talion.

> La **loi du talion** exige qu'une offense soit punie par une sanction proportionnelle à l'acte commis.

Cette restriction se conformait en quelque sorte au vieil adage : *Œil pour œil, dent pour dent*. Elle apparut pour la première fois dans le *Code d'Hammourabi*, à Babylone, vers l'an 2000 avant Jésus-Christ. Par la suite, les Juifs, les Grecs et les Sumériens l'adoptèrent.

■ **EXEMPLE**   Un paysan ayant été victime d'un vol de bétail ne pouvait se venger qu'en reprenant ce que le voleur lui avait pris et pas plus. ■

Ce contrôle de la vengeance marqua un progrès important dans l'histoire de la civilisation. À cette époque, la mort, accidentelle ou non, d'un membre de la tribu devait faire l'objet d'une vengeance ou d'une punition. Dans certaines tribus, cette règle prévaut encore.

■ **EXEMPLE**   On abat et on brûle l'arbre dont l'une des branches, en tombant, a tué un membre de la tribu. De même, on exécute un animal reconnu coupable de meurtre. On doit trouver un coupable à tout prix. On observe divers rituels selon les tribus et les époques. ■

En cas de flagrant délit, la réaction est immédiate : la peine de mort est infligée. En cas de soupçon, on fait appel aux esprits qui, par des manifestations naturelles (vols d'oiseaux, foudre, arc-en-ciel, etc.), indiqueront le coupable. En l'absence de soupçon, on consulte également les divinités. Si les moyens utilisés peuvent nous sembler fantaisistes et irrationnels, ils atteignent néanmoins l'objectif primordial, qui est de trouver un coupable afin de venger la victime ou ses proches.

■ **EXEMPLE** Les membres de la tribu se placent solennellement autour de la tombe de la victime, puis le sorcier fait appel aux dieux par des chants et des incantations, et l'on attend qu'un insecte sorte de terre au-dessus de la tombe. La direction qu'il prend indique alors où se trouve le coupable. ■

L'indemnité

L'indemnité constitue la deuxième restriction à la vengeance privée. C'est parce que la vengeance donnait lieu à des excès de toutes sortes que germa l'idée d'exiger plutôt une compensation au profit de la victime.

> L'**indemnité** est une compensation pécuniaire ou matérielle que le criminel doit verser à la victime ou à sa famille et qui vise à restreindre la vengeance.

D'abord facultative, l'indemnité devint obligatoire lorsque l'État fut suffisamment fort pour l'imposer. Elle était alors appelée aussi **composition**. Par la suite, elle prendra le nom d'amende pénale.

■ **EXEMPLE** Si un agriculteur s'était fait voler une partie de ses récoltes, l'État intervenait pour obliger le voleur à indemniser la victime en lui remettant une somme d'argent ou des denrées d'une valeur équivalente à celle des biens volés. ■

Comme on peut le constater, la vengeance demeurait clairement limitée : le coupable devait dédommager la victime, et celle-ci devait accepter le dédommagement sans être autorisée à se venger au gré de son désir. De nos jours, au Québec, l'État s'acquitte d'une partie de l'indemnisation versée aux victimes de crimes contre la personne depuis l'adoption de la *Loi d'indemnisation aux victimes d'actes criminels* (LIVAC).

Ces premières limites à la vengeance annoncent l'apparition d'un système de **justice publique** dans lequel l'État prendra de plus en plus de place.

2.2 La justice publique

À partir de l'Antiquité, l'État intervient de plus en plus pour réglementer les relations entre individus et tenter de régler leurs conflits. L'État confère un caractère public à son intervention en s'appuyant sur son autorité politique. Les délits deviennent publics. L'État s'arroge aussi le droit d'imposer des peines en visant à la fois l'amendement du coupable et la dissuasion ou l'exemplarité.

Les délits publics

À la fin de la période caractérisée par la vengeance privée, l'État commença à exiger une certaine compensation en échange de son intervention. Cette pratique se répandit graduellement durant la période de la justice publique, qui constitua en quelque sorte une transition. Au cours de cette période, l'État intervenait donc à la suite de certains crimes (délits publics) en imposant une peine au coupable après l'avoir jugé, mais le **délit privé** demeurait puni par la victime ou sa famille, qui se faisait donc encore justice elle-même. Ainsi, au Ve siècle avant Jésus-Christ, le vol était considéré en Grèce comme un **délit public**, mais le meurtre exposait toujours son auteur à une vengeance privée.

Toutefois, à mesure que l'État consolidait son autorité politique, il légitimait de plus en plus son intervention en conférant un caractère public à un nombre croissant de délits pour les soustraire à la vengeance privée. L'État s'arrogea alors le droit d'imposer des peines et la justice cessa d'être privée pour devenir publique.

Nous pouvons dégager deux éléments caractéristiques de cette période : l'amendement du coupable et la dissuasion ou l'exemplarité.

L'amendement du coupable   RECONNAÎT SES TORTS

La société devait s'assurer que le coupable d'un crime ne récidive pas. C'est dans ce but que fut mis de l'avant le principe de l'**amendement du coupable**, qui revêtait un caractère moral et se fondait sur la notion d'expiation : le coupable devait réparer sa faute en subissant une punition, car il avait fait le mal. Ce principe est encore aujourd'hui associé à la prévention par l'intermédiaire du caractère dissuasif de la peine infligée (*voir le chapitre 9*).

■ **EXEMPLE**   La peine du fouet sur la place publique qu'on imposait à un individu était suffisamment douloureuse et humiliante pour l'empêcher de recommencer. ■

Le pouvoir politique qui se permettait d'intervenir ainsi proclamait son origine divine : le chef ou le roi représentait les dieux qui exprimaient leur volonté par son entremise. Devenue un instrument de domination aux mains de l'État, une telle justice incontestable et irrévocable ouvrait la porte à tous les excès. Les délits les plus sévèrement punis étaient évidemment ceux qui troublaient l'ordre social ou religieux et ceux qui portaient atteinte à l'autorité. Ainsi, l'adoption de réformes judiciaires cachait souvent la promotion d'intérêts politiques et même économiques particuliers.

■ **EXEMPLE**   Un individu reconnu coupable de blasphème, d'athéisme, de magie ou de sorcellerie subissait le supplice du feu. ■

La dissuasion ou l'exemplarité

Pour assurer une meilleure protection de la société, la peine devait être la plus exemplaire ou la plus dissuasive possible. La rigueur du châtiment et la notoriété qu'on lui accordait avaient pour but de faire comprendre les conséquences d'un crime aux témoins des exécutions. C'est pourquoi ces exécutions se déroulaient sur la place publique et devenaient souvent l'objet de fêtes ou de foires attirant des visiteurs venant de plusieurs kilomètres à la ronde. Ainsi, lors d'une exécution survenue en 1807 à Londres, une foule de 40 000 spectateurs en délire provoqua une émeute pendant laquelle plus d'une centaine de personnes périrent piétinées.

Caractéristiques de la justice publique

Que le but visé soit l'amendement du coupable ou la dissuasion de futurs criminels, quatre caractéristiques se dégagent de cette période : l'arbitraire, la cruauté, la culpabilité par association et l'inégalité.

L'arbitraire

L'**arbitraire** était le fait du roi ou du chef qui avait le loisir de proclamer unilatéralement qu'un acte permis devenait illégal. De plus, il pouvait imposer la sanction qui lui plaisait, sans égard à la gravité de cet acte. Fondant son autorité sur l'inspiration divine, le chef de l'État pouvait renverser des décisions prises par des tribunaux légalement constitués. C'était la période de l'absolutisme.

▓ **EXEMPLE**   Le roi pouvait éliminer des adversaires politiques ou religieux gênants en les condamnant à mort pour manque de respect envers sa personne ou pour trahison. ▪

La cruauté

La **cruauté** se manifestait par des châtiments dont l'ampleur était souvent démesurée par rapport à la gravité de la faute. En effet, les lois étaient assorties d'une variété infinie de supplices, de mutilations ou de tortures plus ou moins raffinés, selon les époques et les sociétés, pour sanctionner des délits quelquefois mineurs : blasphèmes, propos mensongers, vols de nourriture, querelles, association avec des gitans. C'est ainsi que, jusqu'au XIXe siècle, des mutilations étaient encore imposées aux criminels de tous les pays dits civilisés : on arrachait les yeux, les oreilles, on coupait les mains, les membres, etc. Les flétrissures étaient des marques faites au fer rouge sur la peau du condamné pour qu'il puisse être facilement repéré, ce qui assurait alors à la société une protection efficace.

La culpabilité par association

La **culpabilité par association** consistait à châtier des personnes innocentes uniquement parce qu'elles avaient un lien avec le coupable.

■■ **EXEMPLE** En 1610, le meurtrier du roi Henri IV, un dénommé Ravaillac, fut exécuté de manière cruelle. De plus, son père et sa mère furent expulsés du royaume sous peine d'être pendus s'ils revenaient; et ses oncles et tantes durent changer de nom, car celui de Ravaillac devait disparaître à jamais. ■

L'inégalité

Enfin, l'**inégalité** régnait : l'application des lois et des peines variait selon la classe sociale ou la fortune du criminel et de la victime. Le noble et le riche étaient évidemment beaucoup plus susceptibles d'être innocentés que le paysan ou le roturier; c'est ce qu'on appelle encore de nos jours la justice de classe.

■■ **EXEMPLE** Un riche commerçant qui était dans les bonnes grâces du roi pouvait frauder ses clients et s'en tirer sans peine, alors que le pauvre qui volait de la nourriture pour subsister s'exposait aux rigueurs de la loi. ■

L'époque que nous venons de franchir s'étend sur une longue période de l'histoire de l'humanité. Il faudra attendre l'influence des humanistes du XVIIIᵉ siècle pour que s'amorce une réforme pénale fondamentale pour combler toutes ces lacunes. Cette réforme se réalisera par l'intermédiaire des écoles de pensée pénale.

2.3 Les écoles de pensée pénale

Le philosophe grec Platon (428-348 av. J.-C.) énonça certains principes qui seront repris plus de deux mille ans plus tard par les écoles de pensée pénale. Selon lui, l'imposition d'une peine ne devait pas servir à venger une injustice, puisque rien ne pouvait changer ce qui s'était passé, mais plutôt à prévenir d'autres crimes.

Sous l'influence des philosophes humanistes (Rousseau, Montesquieu, Voltaire), Cesare Beccaria et l'École classique ont proposé une approche originale permettant de lutter contre les excès qui avaient caractérisé la période de la justice publique. À l'École classique succédèrent, au XIXᵉ siècle, l'École positiviste et, au XXᵉ siècle, l'École de défense sociale.

L'École classique de droit pénal

Selon le philosophe britannique Jeremy Bentham (1748-1832), la société devrait viser le plus grand bonheur du plus grand nombre[1]. C'est la théorie de l'**utilitarisme moral**. Puisque le crime amoindrit le bonheur dans la

---

1. Jeremy Bentham, *An introduction to the Principles of Morals and Legislation*, 1789.

société, on doit dissuader le criminel en lui imposant une peine. Celle-ci ne doit cependant pas lui causer plus de souffrance que celle qu'il a infligée à la victime.

Dans son ouvrage *Des délits et des peines*, le juriste italien Cesare Beccaria (1738-1794) a proposé, tout comme Bentham, de classifier les crimes selon les dommages qu'ils causent à la société. Pour Beccaria, seule comptait la gravité de l'acte; la personnalité du criminel n'était pas un facteur à considérer. La peine devait donc être proportionnelle à la faute commise et causer le moins de douleur possible; elle devait être suffisante pour dissuader le criminel de récidiver, mais pas davantage. Ainsi, il dénonça la torture et la peine de mort. Beccaria fut un précurseur; il mit de l'avant le principe de l'égalité de tous les hommes devant la loi, qui fit ressortir encore davantage les lacunes de la période précédente où régnaient l'arbitraire et l'inégalité. Il opposa à la corruption et aux excès des institutions le droit à une défense juste et entière.

Les principes de l'École classique étaient les suivants :

- L'homme étant naturellement bon, il doit ressentir du remords et se sentir coupable lorsqu'il enfreint les règles naturelles; ce principe a été proposé par le philosophe et écrivain Jean-Jacques Rousseau (1712-1778).

- L'homme étant raisonnable, il est complètement responsable de ses actes et doit donc en assumer les conséquences; c'est le principe du **libre arbitre**.

- Il existe, dans la société, un consensus en faveur du respect de la propriété privée et du bien-être des individus.

- Pour éviter les conflits sociaux et préserver la paix, l'individu accepte un contrat social avec l'État.

- La punition a pour but d'empêcher les individus d'agir contre les intérêts de la majorité.

- Les crimes, et les peines qui leur sont rattachées, doivent être inscrits dans un code, selon le principe de la **légalité des délits et des peines**; ce principe eut deux conséquences importantes : la **non-rétroactivité des lois pénales** (interdiction de sanctionner un acte commis avant l'adoption d'une loi) et l'abolition du principe de l'**analogie** (impossibilité de punir un acte uniquement parce qu'il ressemble à un autre acte qualifié de crime).

- Le criminel a des droits sur lesquels la peine ne peut empiéter.

- La peine ne doit pas permettre à l'État de s'enrichir.

En somme, l'École classique proposa une **théorie du contrôle social** : elle détermina la réaction de l'État face à la criminalité, classa ensuite les actes qualifiés de crimes et posa enfin les assises sociales du droit criminel.

L'application de ces principes marqua un point tournant : les peines ne relevèrent plus de l'arbitraire, mais furent déterminées suivant la gravité de l'acte et dorénavant inscrites dans un code. Le *Code pénal* français de 1791, qui définissait des peines fixes, concrétisa plusieurs concepts mis de l'avant par cette école. On visait avant tout à assurer aux criminels un traitement digne et juste en imposant un **tarif légal** qui précisait exactement la peine imposée selon l'acte commis.

L'École classique se distingua donc de la période de la justice publique : l'arbitraire fit place à la légalité des délits et des peines, la cruauté fut remplacée par la proportionnalité des peines (selon la gravité du crime commis), l'inégalité par l'égalité de tous devant la loi, et la responsabilité collective (la famille est autant punie que le coupable) par la responsabilité individuelle.

Malgré l'évolution importante qu'avaient amorcée l'École classique et Beccaria, un élément essentiel du passage à l'acte était encore négligé : la personnalité du criminel. C'est cette lacune que tentera de combler l'École positiviste italienne.

L'École positiviste italienne

C'est avec Cesare Lombroso, Raffaele Garofalo, Enrico Ferri et l'École positiviste italienne que naît la criminologie à la fin du XIXᵉ siècle. Cette école estime que le crime résulte de facteurs qu'on doit étudier de façon scientifique : l'hérédité, le caractère et le milieu social du criminel. Elle conteste la notion selon laquelle l'homme est naturellement bon et libre de choisir entre le bien et le mal. Au contraire, elle considère qu'il est influencé par certains facteurs, et que ce sont précisément ces facteurs qu'il faut étudier ; il ne suffit pas de s'arrêter à l'acte uniquement. Dans une telle optique, le rôle de la justice n'est pas de punir et de réprimer, mais bien de protéger la société contre la criminalité. La nouvelle justice proposée par cette école devait donc s'inspirer des découvertes des sciences humaines (parmi elles, celles de la criminologie naissante) afin de mieux classer les criminels et de proposer des traitements appropriés.

Jetons un regard sur les principaux porte-parole de cette école. Cesare Lombroso (1835-1909), médecin italien, est considéré comme le père de la criminologie : son œuvre principale, *L'homme criminel* (1875), marqua les débuts de l'étude scientifique du phénomène criminel. Selon lui, la criminalité s'explique par la présence d'un **atavisme**, c'est-à-dire par la réapparition accidentelle de traits ancestraux qui avaient disparu au cours de l'évolution. Il a décrit deux catégories de criminels : les criminels-nés, considérés comme aliénés (lesquels, d'après Lombroso, devaient être isolés ou éliminés pour protéger la société), et les criminels par passion (occasionnels).

Enrico Ferri (1856-1929), disciple de Lombroso, a été le premier à proposer une synthèse de facteurs pour expliquer la criminalité. Parmi ceux-ci figurent des facteurs biologiques, météorologiques, sociologiques, politiques, etc. Ils agiraient de façon quasi mathématique en s'ajoutant les uns aux autres; c'est la loi de la saturation criminelle : « De même qu'un volume donné d'eau, à une température donnée, dissout une quantité maximale rigoureusement fixe d'une certaine substance, de même dans un entourage social donné, un certain nombre d'individus dans une certaine condition physique, commettront un nombre fixe de crimes[2]. » L'approche scientifique permettait dorénavant d'expliquer la criminalité en lui donnant un nouvel éclairage.

Raffaele Garofalo (1852-1934), autre disciple de Lombroso, a défini le délit naturel. Il en a reconnu quatre types :
— les crimes contre la pitié (par exemple l'assassinat);
— les crimes contre la probité (par exemple le vol);
— les actes de violence;
— les délits sexuels.

Par opposition au délit naturel, il proposa le **délit positif** qu'il décrivit comme suit : c'est le délit défini en vertu d'une loi particulière, laquelle varie selon les pays et les époques (par exemple l'indécence, la prostitution, l'avortement). Il défendit aussi une notion fort avancée pour l'époque : l'indemnisation de la victime.

L'École positiviste a rejeté la notion d'expiation : elle jugeait inutile de faire la morale au criminel car, selon elle, son comportement était conditionné par une série de facteurs (l'hérédité, par exemple). Elle a donc proposé de remplacer la notion de responsabilité, chère à l'École classique, par celle de dangerosité ou de témibilité.

> La notion de **dangerosité** implique que la mesure imposée doit être proportionnelle au danger que représente l'individu pour la société.

Selon l'expression de Ferri, on devait mettre les individus dangereux « hors d'état de nuire ». Mais sur quoi devait-on se fonder pour évaluer la dangerosité d'un criminel ? L'École positiviste proposa d'évaluer le criminel selon son type de personnalité.

■ **EXEMPLE**   Si un individu est reconnu coupable du meurtre de l'amant de sa femme, il a commis un délit impulsif, irraisonné. Selon Ferri, la personnalité d'un tel criminel ne présente pas de danger grave pour la société, car les circonstances ayant conduit au crime ne se reproduiront probablement plus. La mesure ne devrait pas être punitive dans ce cas. ■

---

2. Enrico Ferri, *Criminal Sociology*, New York, Appleton Co., 1898, p. 76. (Voir la traduction de Szabo et Fattah, « Criminologie », *Encyclopédie médico-chirurgicale*, p. 8-11.)

De la notion de dangerosité découle une autre notion très importante : l'**individualisation**. L'École positiviste proposa de classer les criminels plutôt que les crimes; ainsi, on pourrait assurer une meilleure protection à la société, car la peine correspondrait à la personnalité de chaque criminel. Reportons-nous à l'exemple précédent : il ne serait pas nécessaire d'imposer une sentence sévère, car elle serait disproportionnée par rapport à la personnalité de l'individu et à sa dangerosité pour la société.

L'École positiviste proposa enfin une politique sociale axée sur la prévention du crime qui se traduirait par des mesures de sûreté. Mentionnons, à titre d'exemples, la peine capitale, le travail forcé, la réparation offerte à la victime.

En définissant le crime comme un acte nuisible à la société et en remplaçant le châtiment par une mesure de défense sociale, l'École positiviste a posé les jalons de la criminologie moderne. En effet, les porte-parole de cette école ont inspiré de nombreuses études réalisées au xxe siècle dans le domaine de l'étiologie criminelle, c'est-à-dire l'étude des facteurs criminogènes.

L'École de défense sociale

L'École de défense sociale prit naissance en Italie à la fin de la Seconde Guerre mondiale. Marc Ancel (*La défense sociale nouvelle*, 1954) s'en fit le promoteur en France. Cette école insiste surtout sur le respect de la dignité de la personne humaine et néglige l'aspect pénal. Elle propose également de remplacer l'expression « état dangereux » par « antisocialité », en s'appuyant sur l'hypothèse que l'acte reproché a été commis par un être conscient, capable de tirer profit des mesures de protection que la société lui imposera.

Selon Marc Ancel, les moyens dont dispose une société pour se défendre contre la criminalité doivent être individualisés et appliqués à chacun selon ses besoins, car le criminel a droit au traitement de son antisocialité. La question alors posée était la suivante : de quelle façon peut-on améliorer la protection de la société ? Par l'adoption d'une politique pénale qui vise la prévention du crime et le traitement du criminel, on doit tendre vers la resocialisation. La Défense sociale innovait : plutôt que de punir, on tentait de prévenir la répétition des crimes (récidive) en faisant appel aux ressources de l'individu et de la société, dans des programmes de rééducation et de traitement.

L'École de défense sociale s'inscrit dans une perspective criminologique, puisqu'elle préconise elle aussi la connaissance scientifique de l'acte criminel et de la personnalité de son auteur. Plusieurs des théories sur la déviance présentées au chapitre 5 (notamment celles de Durkheim et de Merton) se sont fortement inspirées de ce courant de pensée.

Rappelons ici que l'École classique invoquait le libre arbitre pour ne considérer que l'acte criminel et la responsabilité de son auteur, tandis que l'École positiviste proposait que l'imposition des peines tienne compte à la fois des motifs à l'origine des comportements criminels (les facteurs criminogènes) et de la personnalité du criminel. Héritière de ces deux écoles, l'École de défense sociale a donc reconnu non seulement la prépondérance de la responsabilité individuelle dans les comportements antisociaux punis par la sanction pénale, mais aussi la nécessité pour toute société de se défendre contre ces comportements tant par une prévention du crime visant les facteurs criminogènes en cause que par un traitement des contrevenants préconisant l'individualisation des mesures.

2.4 Les modèles de justice contemporains

Vue à travers le prisme des diverses écoles pénales qui ont contribué à sa naissance, la criminologie traditionnelle tend à se détacher de la sociologie et des autres sciences humaines pour proposer une explication distinctive de la criminalité et de nouveaux modes d'interaction. Elle comporte deux volets, soit la criminologie de la réaction sociale (*revoir le tableau 1.3*) et la criminologie du passage à l'acte.

Parallèlement à cette conception traditionnelle de la criminalité sont apparues des approches novatrices. Au cours de la dernière partie du xxe siècle, plusieurs courants de pensée ont exercé une influence notable sur la criminologie, dont la criminologie radicale ou nouvelle criminologie, l'abolitionnisme, le mouvement féministe, la nouvelle pénologie et la justice réparatrice, sur lesquels nous allons maintenant nous pencher.

La criminologie radicale ou nouvelle criminologie

Durant les années 1970, des tenants d'une nouvelle criminologie se détachent progressivement de la criminologie traditionnelle. Dans leur esprit, l'étude de la criminalité et de la déviance perd de son importance et doit faire place à une critique globale de la société qui en est tenue responsable. Ils mettent l'accent sur l'étude des rapports entre l'homme et le pouvoir et sur ses réactions à l'égard de ce pouvoir, réactions qui revêtent une forme de déviance et de criminalité.

Si la criminologie traditionnelle tente de cerner les facteurs d'ordre individuel qui ont conduit une personne à commettre un vol ou une agression, la nouvelle criminologie met plutôt en cause le contexte social dans lequel elle vit.

Il s'agit ici d'une critique fondamentale et radicale de la pensée criminologique traditionnelle car, au lieu d'invoquer des facteurs biologiques ou psychologiques pour expliquer la criminalité, on impute celle-ci à la société tout entière. Cette dernière, par exemple, criminalise la possession de stupéfiants, même si la consommation de ces substances constitue un besoin pour certains et relève alors davantage de la médecine que du droit. Les radicaux estiment que la déviance a un caractère normal puisqu'elle exprime la diversité humaine. Ils proposent de bâtir une société où la diversité ne sera plus criminalisée.

Il n'est donc pas surprenant que l'emprisonnement soit profondément remis en question et remplacé par des mesures dites « alternatives ». Cette prise de position des radicaux conduit tout à fait logiquement au mouvement abolitionniste.

L'abolitionnisme

L'abolitionnisme est un mouvement social qui vise à réduire au minimum le rôle du système judiciaire et à supprimer les prisons. Les abolitionnistes affirment que la vie en société ne doit pas être réglée par le droit pénal et qu'il faut définir des moyens inédits et plus rationnels de résoudre les problèmes de criminalité. Ils constatent que le système judiciaire traditionnel, au lieu de régler ces problèmes, contribue au contraire à leur prolifération.

Par exemple, la hausse vertigineuse du nombre de condamnations pour possession de stupéfiants aux États-Unis a contribué directement à l'augmentation substantielle de la population carcérale sans pour autant régler les problèmes liés à la consommation.

Les abolitionnistes croient que le crime résulte d'une perturbation de l'ordre social et que le châtiment, quel qu'il soit, ne saurait constituer une solution. Il importe beaucoup plus de comprendre le processus criminel que de trouver des coupables et de les punir. La peine, surtout l'incarcération, n'a dès lors aucune utilité car, en punissant les délinquants, on ne répare pas le tort causé aux victimes. Selon Louk Hulsman, professeur de droit et de criminologie aux Pays-Bas et ardent défenseur du mouvement abolitionniste, le système pénal accapare les conflits entre victimes et délinquants et ne tient nullement compte des personnes concernées, surtout pas des victimes. Il faut au contraire, ajoute Hulsman, favoriser la réparation ou la conciliation entre victimes et délinquants[3].

La prison comme moyen d'exprimer la désapprobation sociale ne constitue pas une solution à long terme. Ainsi, aux États-Unis, l'augmentation

---

3. Louk Hulsman et J. Bernat de Celis, *Peines perdues*, Paris, Le Centurion, 1982, 182 p.

du taux d'incarcération (649 par 100 000 habitants en 1997) n'a entraîné aucune baisse du taux de criminalité. Pour les abolitionnistes, l'emprisonnement se révèle un échec total. Aussi faut-il que la société trouve de nouvelles façons de signifier sa réprobation aux individus qui enfreignent les normes.

Le mouvement féministe

Amorcé aussi dans les années 1970, le mouvement féministe prend son essor à partir de 1980 en participant activement à la remise en question et au renouvellement des connaissances en criminologie. Ignorées par les écoles de pensée pénale, les analyses féministes de la criminalité des femmes font ressortir la nécessité de comparer d'abord entre elles les femmes qui sont en contact avec le système judiciaire, plutôt que d'établir une comparaison avec les hommes comme on l'avait toujours fait, puisque la criminologie traditionnelle était pensée par des hommes et pour des hommes.

Les études féministes sur la criminalisation des femmes mettent donc l'accent sur les besoins et les intérêts particuliers des femmes. Ainsi, le Service correctionnel du Canada adopte une stratégie d'intervention intensive auprès des délinquantes aux besoins élevés, en transférant des prisons pour hommes aux pénitenciers régionaux pour femmes (à Joliette, au Québec) celles qui sont incarcérées dans un établissement à sécurité maximale ou qui éprouvent des problèmes de santé mentale. L'objectif de cette décision est de réunir toutes les détenues relevant de la juridiction fédérale dans un même établissement d'une région du Canada afin de leur offrir un milieu mieux adapté à leurs besoins. Par ailleurs, le mouvement féministe dénonce l'exploitation des femmes dans la pornographie et, de manière plus large, souligne l'existence d'un lien entre la représentation des femmes dans les médias et la violence dont elles sont victimes.

La nouvelle pénologie

Appliquée depuis une dizaine d'années, la nouvelle pénologie s'intéresse davantage à l'encadrement du délinquant qu'à la modification de son comportement. Ce qui importe avant tout, c'est d'évaluer le risque (faible, moyen ou élevé) qu'il représente et de l'encadrer en conséquence. Ici, la responsabilisation individuelle du délinquant cède la place au tort qu'il a causé ou qu'il est susceptible de causer. C'est ce qu'on appelle la gestion du risque. Dans cette optique, on ne reconnaît pas que tout individu a la capacité de changer de comportement durant son incarcération. La nouvelle pénologie vise donc prioritairement l'encadrement et la neutralisation des délinquants.

Le Service correctionnel du Canada applique certains éléments de cette approche en matière de gestion du risque et évalue le degré de dangerosité d'un individu selon des critères objectifs et quantifiables. Il analyse en outre les facteurs criminogènes (facteurs dynamiques) en cause, ce qui lui permet de proposer des programmes ou des traitements pour combler les lacunes observées. On constate en effet que, lorsque les besoins d'un délinquant sont au moins en partie satisfaits, le risque pour la société diminue.

La justice réparatrice

Grâce à des réussites éloquentes en Australie et en Nouvelle-Zélande, on entend de plus en plus parler chez nous de la justice réparatrice. Façon novatrice de rendre justice, elle incite les victimes, les délinquants et la collectivité à participer activement au processus de réparation et de conciliation qui s'amorce à la suite d'un crime.

L'incarcération des délinquants ne redresse pas à elle seule tous les torts causés. En effet, les victimes se sentent souvent lésées ou exclues du processus judiciaire et il est difficile de responsabiliser le contrevenant. Or, la justice réparatrice remplace la punition par la guérison, le pardon et la recherche de solutions acceptables pour tous. La collectivité y joue un rôle essentiel en soutenant la victime, en faisant prendre conscience au délinquant de la gravité de son acte et en lui offrant l'occasion de se racheter.

Les exemples suivants permettent de mieux saisir la philosophie qui sous-tend cette approche novatrice.

- La médiation victime-délinquant permet au délinquant de rencontrer sa victime en présence d'un médiateur. La conciliation avec la victime, prévue comme mesure de rechange dans la *Loi sur les jeunes contrevenants*, relève de cette approche. La nouvelle loi relative au système de justice pénale pour les adolescents recommande le recours à la justice réparatrice pour les jeunes ayant commis des délits.

- Le cercle de détermination de la peine permet aux membres d'une collectivité de participer, avec les autorités judiciaires, aux discussions sur la peine à imposer à un contrevenant et sur sa réintégration dans cette collectivité. Ainsi, la Commission nationale des libérations conditionnelles fait appel aux aînés lors d'audiences concernant des autochtones afin de tenir compte des valeurs propres à chaque collectivité avant de prendre sa décision.

- La conférence de famille permet de réunir la victime, le délinquant, des parents et des amis afin de déterminer une réparation correspondant au tort causé à la victime, chacun étant libre d'exprimer son opinion avant qu'une décision ne soit prise.

Le tableau 2.1 (*page 36*) établit une comparaison entre la justice traditionnelle et la justice réparatrice.

Comme on peut le constater, cette conception de la justice est originale et procède d'une réforme en profondeur du système judiciaire. Il ne s'agit pas d'être permissif envers les délinquants, mais de définir un nouveau type d'intervention associant la victime et la collectivité lorsque les circonstances le permettent.

Au Canada, cette forme de justice prend de plus en plus d'importance. De nombreuses collectivités ont mis de l'avant des initiatives de justice réparatrice, souvent en collaboration avec les divers ordres de gouvernement. À titre d'exemple, on peut mentionner la Stratégie sur la justice applicable aux autochtones, le Centre stratégique pour les victimes d'actes criminels et le Centre national de prévention du crime.

Le *Code criminel* a été modifié en 1996 de façon à ce que la reconnaissance par les délinquants des torts qu'ils ont causés aux victimes et à la

Tableau 2.1 Justice traditionnelle et justice réparatrice.

	Justice traditionnelle	Justice réparatrice
Perception du crime	Infraction aux lois, atteinte aux valeurs sociales	Tort à la victime et à la communauté
Objectifs	Reconnaissance de la culpabilité du délinquant et punition	Guérison de la victime, responsabilisation du délinquant
Procédure	Confrontation du contrevenant à son acte (basée sur la loi)	Guérison et réparation
Rôle de la victime	Passif et secondaire	Actif et indispensable
Rôle du contrevenant	Souvent passif et secondaire	Actif et indispensable
Rôle de la communauté	Absence quasi totale, témoin passif	Très actif. Soutien à la victime et aide au délinquant pour réparer le tort causé
Réparation du tort causé	Rare et complexe Ex. : la LIVAC	Objectif prioritaire
Responsabilité	L'État et des professionnels non concernés directement	La communauté sous la supervision de l'État

Source : D'après D. Farrell, *ASRSQ*, vol. X, n° 1, automne 1998, p. 4, et M. Jaccoud, *Justice réparatrice : une avenue vers la réinsertion sociale ?* Colloque sur la recherche et la réinsertion sociale, Service correctionnel du Canada, mai 2000.

collectivité soit incluse dans les critères servant à la détermination de la peine. Toutefois, il convient de mentionner que cette nouvelle conception de la justice, quoique prometteuse, doit s'appliquer avec discernement, car les victimes risquent d'éprouver à nouveau un sentiment de victimisation en rencontrant le délinquant.

En bref

Le tableau 2.2 (*page 38*) permet de suivre chronologiquement l'évolution de la réaction sociale et de situer l'éclosion de la criminologie.

Questions et exercices

1. À l'aide d'exemples originaux, expliquez comment la réaction sociale a évolué dans le temps et dans l'espace. Existe-t-il des actes pour lesquels la société a toujours réagi de la même façon ?

2. À quelle école de pensée pénale vous ralliez-vous le plus ? À quels principes adhérez-vous davantage ? Lesquels vous semblent les plus difficiles à accepter ?

3. À l'aide des mots-clés du tableau récapitulatif 2.2 (*page 38*), expliquez à un ami l'évolution de la réaction sociale jusqu'à nos jours.

4. En quoi les modèles de justice contemporains se démarquent-ils des principes défendus par les écoles de pensée pénale ?

5. Décrivez une initiative originale de justice réparatrice. Quels sont les principaux arguments en faveur de sa mise en œuvre ? Quels sont les obstacles qui peuvent la freiner ?

Tableau 2.2 Évolution de la réaction sociale. *SYNTHÈSE : DES DÉLITS ET DES PEINES*

Préhistoire	Antiquité	ÉCOLES DE PENSÉE PÉNALE			Modèles de justice contemporains
		XVIIIe siècle	XIXe siècle	XXe siècle	
VENGEANCE PRIVÉE	JUSTICE PUBLIQUE	ÉCOLE CLASSIQUE *Porte-parole : Beccaria* Élément central : le délit	ÉCOLE POSITIVISTE *Porte-parole : Ferri, Garofalo, Lombroso* Élément central : l'individu	ÉCOLE DE DÉFENSE SOCIALE *Porte-parole : Ancel* Élément central : la réaction sociale	Élément central : réaction sociale (facteurs sociopolitiques)

Principes :
• Vengeance sans contrôle
• Loi du talion
• Indemnité
	Principes :
	• Délits publics
	• Amendement du coupable
	• Dissuasion et exemplarité
	• Arbitraire
	• Cruauté
	• Injustice
	• Inégalité ou disparité des sanctions
		Pensées pénales :
		• Égalité de tous devant la loi
		• Responsabilité de l'homme (libre arbitre)
		• Bonté naturelle de l'homme
		• On ne tient compte que de l'acte
		• Les crimes sont inscrits dans un code (légalité des délits et des peines)
		• Punition
			Pensées pénales :
			• Le crime est le résultat de facteurs (déterminisme)
			• On accorde de l'importance au comportement et non seulement à l'acte
			• Neutralisation
			• Traitement
			• État dangereux
			• Individualisation
			Naissance de la criminologie
				Pensées pénales :
				Le droit pénal doit :
				• Punir par une sanction
				• Protéger la société
				• Traiter le contrevenant
				• Rééduquer le contrevenant
					Principes :
					• Remise en question de la criminologie traditionnelle
					• Approches novatrices :
					  – criminologie radicale
					  – abolitionnisme
					  – mouvement féministe
					  – nouvelle pénologie
					  – justice réparatrice

Chapitre 3

La recherche en criminologie _____

Les découvertes faites en médecine, en génie, en mathématiques, en sciences humaines ou sociales et en toute autre science sont le fruit de travaux de recherche. L'observation et l'expérimentation constituent ainsi deux méthodes parmi beaucoup d'autres, chaque science utilisant ou privilégiant les siennes.

La criminologie, comme toute discipline scientifique, possède aussi ses propres méthodes de recherche. Nous en présenterons ici quelques-unes après avoir brossé un tableau des objectifs qu'elles visent suivant les différents champs d'étude de la criminologie.

3.1 Les objectifs de la recherche

La recherche en criminologie poursuit quatre grands objectifs : contribuer à l'évolution des lois pénales, comprendre le phénomène criminel pour mieux le prévenir, comprendre les criminels pour mieux intervenir et améliorer le fonctionnement du système pénal.

DOIT-ON CRIMINALISÉ ? DÉCRIMINALISÉ OU NON ?

Contribuer à l'évolution des lois pénales

> *La sociologie du droit analyse scientifiquement les conditions d'évolution des lois pénales et établit dans quelle mesure elles répondent aux besoins sociaux.*

Dans cette optique, la recherche se propose d'analyser la réaction du public, le degré de tolérance de la collectivité envers certains comportements et son attitude à l'égard de la législation en vigueur et du système d'intervention. Ses objectifs consistent à révéler :

— si des actes non criminalisés sont considérés comme socialement nocifs et s'ils devraient, par conséquent, devenir illégaux;

— si des actes interdits par la loi sont socialement tolérés, voire acceptés, et s'ils devraient par conséquent être décriminalisés;

UNE RELATION ENTRE LES PHÉNOMÈNES SOCIAUX & L'ÉVOLUTION DU DROIT

— si certaines lois sont désuètes, inutiles ou inefficaces et si elles devraient alors être abrogées ou, du moins, amendées;

— si des failles caractérisent tel ou tel organisme du système de justice pénal, y compris la police, les tribunaux et les instances correctionnelles;

— si des mesures novatrices devraient être instaurées pour contrer certains types d'infractions ou d'individus délinquants.

La recherche s'inscrit dans une perspective critique liée à une **approche réformiste** ou à une **approche radicale**. Réformiste, elle suggère l'apport de modifications et d'améliorations au système judiciaire existant; radicale, elle prône le rejet de ce système ou l'abolition de certaines de ses structures.

Comprendre le phénomène criminel pour mieux le prévenir

NON PAS DE L'INDI → MAIS D'UNE LARGE DE LA SOCIÉTÉ.

> *L'**étiologie criminelle** désigne l'étude des causes du crime, couramment appelées facteurs criminogènes.*

Les criminologues cherchent à analyser et à comprendre les causes du crime pour pouvoir mieux prévenir la criminalité en élaborant des stratégies et des programmes de prévention, que nous examinerons en détail dans le chapitre 8.

Il importe toutefois de brosser au préalable un tableau de la criminalité qui en illustre les variations spatio-temporelles, les formes, l'intensité et la visibilité.

Les études sur la criminalité et ses causes

Voici des exemples de questions auxquelles la recherche tente d'apporter des réponses : *SUR UN TERRITOIRE : UNE ZONE OU UNE AUTRE*

- Quelles sont les variations géographiques de la criminalité ? *régions*

- Quels sont les changements observés au cours du temps et des saisons ?

- Quelles sont les causes de ces variations ?

- Des facteurs d'ordre individuel tels que l'hérédité, la maladie physique ou mentale, l'alcoolisme ou la consommation de drogues peuvent-ils être la cause de certains comportements délictueux ?

- Quelle est l'influence de la famille sur le comportement criminel de ses membres ?

- Les structures sociales ont-elles une incidence sur le taux de criminalité ?

- Les conditions économiques favorisent-elles la recrudescence ou la diminution du nombre de crimes et des divers types de criminalité ?

Les réponses à ces questions, dont nous traiterons plus en détail dans les chapitres subséquents, servent à dégager des principes généraux relatifs aux facteurs d'incitation à la criminalité. En agissant sur ces facteurs, on peut alors concevoir des stratégies de prévention susceptibles d'en réduire la prévalence. C'est du moins l'objectif que poursuivent les chercheurs en criminologie.

L'analyse stratégique

L'**analyse stratégique** en criminologie procède d'une recherche qui tient compte de plusieurs variables en même temps. Elle se propose d'atteindre certains objectifs en matière de résolution de problèmes grâce à la compréhension de ces problèmes, d'une part, et à l'élaboration de moyens d'action, d'autre part.

- Sur le plan de la compréhension, c'est l'aspect analytique qui doit primer. Il s'agit, en effet, de comprendre la nature et l'ampleur des formes particulières que revêtent les crimes, de rechercher leurs causes immédiates et de bien cerner les situations qui les favorisent.

- Sur le plan des moyens d'action, il s'agit d'abord d'inventorier les différentes hypothèses qui pourraient déboucher sur une solution à chaque problème, de tenter d'anticiper les résultats que pourrait avoir chaque solution, puis de mettre au point une stratégie de résolution de chacun des problèmes pris individuellement ou dans leur ensemble. En effet, vu la diversité des crimes et de leurs contextes, la gamme des solutions peut être très étendue et chaque phénomène pourrait exiger l'adoption d'une approche distincte.

Bien qu'elle s'apparente davantage à la théorie de la désorganisation sociale qu'à l'analyse stratégique, la théorie des **vitres brisées** *(broken windows)* de Kelling et Coles[1] souligne que l'analyse des causes des problèmes et la recherche de solutions pertinentes peuvent avoir un effet préventif appréciable. Les deux auteurs américains ont montré que plus un quartier était délabré (fenêtres brisées, rues malpropres, graffitis sur les murs, vieux meubles dans les cours, etc.), plus la recrudescence de la criminalité était probable.

Kelling et Coles ont fondé leur conclusion sur le raisonnement suivant : lorsqu'un quartier est délabré, les personnes respectueuses des lois le désertent; cette désertion réduit le contrôle social informel, le quartier se transforme alors en ghetto et il s'ensuit une prolifération des piqueries, des activités illicites des gangs de rue et d'autres manifestations délictueuses.

---

1. George L. Kelling, Catherine M. Coles, *Fixing Broken Windows:Restoring Order and Reducing Crime in our Communities*, New York, Simon & Shuster (1997), 319 pages.

La stratégie à élaborer reposera donc sur le « nettoyage » physique des lieux et sur une intervention auprès des délinquants connus, de façon préventive, si possible, ou répressive, si nécessaire. On mobilisera alors la collectivité et les ressources locales pour effacer les graffitis et retirer les meubles qui jonchent les terrains, on incitera les consommateurs de drogues à se faire désintoxiquer et l'on s'efforcera de supprimer les piqueries.

De telles techniques analytiques sont utilisées dans la majorité des villes nord-américaines. À Montréal, par exemple, le Service de police applique ainsi, depuis quelques années, un programme intitulé Action concertée en élaboration de solutions (ACES). Ce programme est destiné à des quartiers où s'observent un certain délabrement, la présence de consommateurs de drogues et de piqueries ainsi que d'autres problèmes de criminalité. Une équipe spécialisée procède à une analyse des problèmes, incite les consommateurs de drogue à se désintoxiquer, les renvoie à des organismes compétents, mobilise la collectivité et d'autres organismes afin d'établir un partenariat pour la résolution des problèmes et effectue les interventions nécessaires auprès des trafiquants. Cette initiative a en quelque sorte inspiré la création des postes de quartier, dont l'un des objectifs est de mettre l'accent sur la résolution des problèmes plutôt que sur des interventions ponctuelles non planifiées.

Comprendre les criminels pour mieux intervenir

Les études sur les criminels et ce qui motive leur comportement se rangent dans deux catégories :

— celles qui analysent l'incidence de certaines caractéristiques individuelles sur le comportement criminel des individus pour établir une **typologie**, c'est-à-dire déterminer les types de personnes à risque ou classifier les différents genres de criminels ;

— celles qui tentent de cerner les facteurs individuels qui facilitent ou déclenchent le passage à l'acte délictueux, comme la frustration, les valeurs acquises, la provocation, etc.

Ainsi, les différentes études ont permis de définir plusieurs types de délinquants :

— selon les délits qu'ils ont commis : délits contre les biens, délits contre la personne, délits sexuels ;

— selon le degré de violence de leur acte : vol qualifié, vol par effraction, vol simple ;

— selon la fréquence de leurs délits : premier délit, récidive, délits répétés, criminalité professionnelle ;

— selon leurs caractéristiques psychologiques : délinquant névrosé, psychotique, psychopathe ou caractériel.

De plus, les études en crimino-dynamique ont débouché sur plusieurs théories qui expliquent le passage à l'acte délictueux. Certaines d'entre elles mettent en évidence à la fois les facteurs innés et le milieu où vit l'individu qui, dans une certaine situation, aura une propension très forte à commettre des délits. D'autres indiquent des facteurs de prédisposition et de déclenchement. Et d'autres encore insistent plutôt sur le fait que la nature ou l'attitude de la victime peuvent faciliter le passage à l'acte, etc.

Améliorer le fonctionnement du système pénal

Trois principaux sous-systèmes composent le système de justice pénal : le sous-système policier, le sous-système judiciaire et le sous-système correctionnel.

On constate toutefois, depuis le début des années 1980, une propension marquée à réclamer de la collectivité une plus grande participation à l'accomplissement de certaines tâches auparavant dévolues à ces sous-systèmes.

L'évolution en ce sens est le fruit des études entreprises dans le domaine. Ainsi, on parle aujourd'hui de « police communautaire » parce qu'on a constaté non seulement que l'action répressive de la police ne suffisait pas à endiguer la criminalité, mais également que la participation de la collectivité et sa collaboration avec la police pouvaient assurer une meilleure protection des citoyens et une efficacité accrue des interventions.

Par ailleurs, le renvoi systématique des causes devant les tribunaux aboutissait à l'engorgement de ceux-ci. C'est alors que sont progressivement apparues des mesures de **déjudiciarisation**, c'est-à-dire des mesures qui visent à ce que certains problèmes de délinquance mineure soient résolus hors des palais de justice. Les lois sur les jeunes contrevenants qui prévoient des mesures de rechange pour régler certains cas de délinquance juvénile sont aussi un bon exemple de cette déjudiciarisation.

La **pénologie,** comme nous l'avons vu au chapitre 1, porte spécifiquement sur les peines, leur histoire, leur imposition et leur application, ainsi que sur les mesures extrapénales qui peuvent être prises contre les délinquants. Elle vise à ce que les peines et les autres mesures contribuent efficacement et au moindre coût possible à la resocialisation des délinquants, tout en protégeant adéquatement la société.

C'est ainsi que les travaux de recherche dans ce domaine ont permis de montrer les effets pervers de l'incarcération, notamment pour les **délinquants primaires**, soit ceux qui ont commis un premier délit et qui pourraient s'enraciner, par contamination, en milieu criminel. Ces travaux ont suscité la mise sur pied de mesures de rechange à l'incarcération : probation, travaux communautaires, sursis, amende ou dédommagement des victimes.

3.2 Les méthodes de recherche

Pour être scientifiquement valable, toute recherche doit :

— se baser sur des données précises et vérifiées;

— être réalisée selon des méthodes éprouvées;

— tirer ses conclusions d'une argumentation rationnelle.

Certains spécialistes en sciences humaines font une distinction entre la méthode de recherche et la technique de recherche. Mais, puisque « cette distinction cause souvent plus de confusion qu'autre chose », à l'instar de François Dépelteau, « nous ne nous en servirons pas. Pour nous, l'utilisation du terme "méthode" englobera les techniques comme l'observation ou l'entrevue[2]. »

L'information et les données de base qui permettent d'effectuer des travaux de recherche en criminologie sont obtenues par des procédés et des techniques fort divers. Nous les présenterons ici en suivant le même modèle que dans la section précédente, c'est-à-dire en décrivant :

— certains moyens qui permettent de mieux comprendre le phénomène de la criminalité et, par ricochet, celui de la victimisation;

— d'autres moyens qui favorisent plutôt une meilleure connaissance des criminels et du fonctionnement du système pénal.

Mieux connaître le phénomène de la criminalité et de la victimisation

On dispose aujourd'hui de toutes sortes de statistiques compilées par les organismes publics : statistiques sur la criminalité et la résolution des crimes commis, sur les divers types de crimes, sur les phénomènes de marginalité, sur la victimisation et les types de victimes. Des données relatives aux comparutions, aux sentences, aux condamnations, à la probation, à l'incarcération, aux libérations conditionnelles et aux taux de récidive sont également colligées. Il existe, en somme, des statistiques sur tout ce qui peut intéresser les criminologues et les intervenants du système de justice, quel que soit leur champ d'activité ou de compétence.

---

2. François Dépelteau, *La démarche d'une recherche en sciences humaines. De la question de départ à la communication des résultats*, Québec, Presses de l'Université Laval/De Boeck Université (collection « Méthodes des sciences humaines »), 2000, p. 249-250.

Ces statistiques soulèvent toutefois un problème : celui de leur fiabilité. Elles ne révèlent en effet que ce qui est déclaré aux organismes publics ou compilé par eux. Or, le phénomène criminel comporte une importante zone d'ombre qui crée une distorsion entre la criminalité ou la victimisation apparentes et la réalité. En conséquence, les résultats de travaux de recherche fondés uniquement sur ces statistiques peuvent être faussés. Aussi a-t-on élaboré des moyens d'estimer l'ampleur de cette distorsion. Il s'agit de divers types de sondages et d'entrevues qui permettent aux chercheurs de recueillir des renseignements et des témoignages auprès de victimes ou d'auteurs de délits dont la victimisation ou l'agir délictueux n'ont jamais été rapportés.

La terminologie

Avant d'examiner les moyens élaborés pour combler ces lacunes, il convient de se familiariser avec certains termes utilisés dans les statistiques criminologiques. Nous définirons les expressions suivantes : criminalité apparente, chiffre noir, criminalité réelle, taux de criminalité, taux de solution, statistiques policières, statistiques judiciaires et statistiques correctionnelles.

> La **criminalité apparente** est la portion de la criminalité réelle qui est rapportée ou découverte par la police et qui figure dans les statistiques policières.

> La **criminalité cachée** ou **chiffre noir** est cette portion de la criminalité qui n'a été ni rapportée ni découverte par les instances autorisées et qui ne peut être inventoriée qu'au moyen de divers types de sondages, que nous décrirons un peu plus loin.

En s'interrogeant sur les causes qui font grimper le chiffre noir, les différents auteurs ont apporté plusieurs réponses. En voici quelques-unes :

— l'incapacité physique ou intellectuelle de la victime à rapporter le délit : c'est le cas, par exemple, de personnes âgées ou de déficients intellectuels victimisés dans leur milieu familial ou les centres d'hébergement;

— le manque de confiance envers la justice et l'efficacité policière : en comparant les inconvénients que peut leur causer une plainte (entrevue avec les policiers, témoignage en cour, etc.) aux avantages qu'ils peuvent en retirer (récupération de leurs biens, compensation pour les pertes et préjudices subis, arrestation ou châtiment du coupable), les victimes considèrent que la probabilité d'obtenir ces avantages est trop faible pour leur rendre les inconvénients acceptables;

— la crainte des victimes d'être mal reçues par les policiers : souvent, dit-on, elles sont interrogées comme si elles étaient soupçonnées d'avoir provoqué l'agresseur;

— la peur du scandale ou la honte qu'éprouvent les victimes de certains délits, telles les agressions sexuelles, à la pensée de devoir les déclarer;

— le désir de ne pas compromettre un parent ou un ami qu'on sait ou croit être l'auteur d'un délit;

— la crainte des représailles qui assaille une personne ayant identifié un membre du crime organisé ou une femme ayant dénoncé son conjoint violent, qui s'abstiennent alors de porter plainte;

— la tolérance sociale à l'égard d'un délit, comme la possession de certaines drogues douces pour usage personnel, qui fait qu'un acte est jugé acceptable et non nocif par une portion importante de la population;

— la tolérance ou la valorisation de différents actes illégaux dans certains milieux, comme ceux que Sutherland a qualifiés de criminalité à col blanc: fraudes fiscales, publicités abusives, transactions douteuses, délits d'initié, etc.

> La **criminalité réelle** est la somme théorique de la criminalité apparente et du chiffre noir. On ne peut cependant pas prétendre la mesurer avec précision, puisqu'elle repose sur des extrapolations. Aujourd'hui, des méthodes sophistiquées permettent toutefois d'arriver à des chiffres assez proches de la réalité.

> Le **taux de criminalité** s'obtient lorsqu'on ramène les chiffres absolus de la criminalité, c'est-à-dire le nombre total des crimes recensés, à un dénominateur commun (il s'agit le plus souvent du nombre de crimes commis par 100 000 habitants) afin de pouvoir en saisir les fluctuations dans le temps et dans l'espace.

Les deux exemples du tableau 3.1 illustrent bien l'importance de ce calcul. Ils nous permettent en effet de constater que les États-Unis ont eu, en 1998, un taux d'homicides 3,5 fois plus élevé que celui du Québec (6,3 par 100 000 habitants, contre 1,8), et non 30 fois supérieur, comme l'auraient laissé croire les nombres absolus (16 974 contre 555). Par ailleurs, en comparant les taux de vols de véhicule à moteur, on remarque que le

Tableau 3.1 Comparaison entre les nombres absolus et les taux par 100 000 habitants, aux États-Unis et au Québec, dans le cas des homicides et des vols de véhicule à moteur en 1998.

ANNÉE	TYPE DE DÉLITS	ÉTATS-UNIS		QUÉBEC	
		En chiffres absolus	Taux par 100 000 habitants	En chiffres absolus	Taux par 100 000 habitants
1998	Homicide	16 974	6,3	555	1,8
1998	Vol de véhicule à moteur	1 242 781	459,8	165 799	547

Source: pour les États-Unis, *Uniform Crime Report*; pour le Québec, statistiques du ministère de la Sécurité publique du Québec.

taux du Québec est d'environ 15 % supérieur à celui de son voisin du sud (547 contre 459,8), bien que le nombre absolu aux États-Unis soit 7,5 fois plus élevé que le nôtre.

Le **taux de solution** représente le pourcentage des crimes connus des autorités qui ont donné lieu à une arrestation et à l'accumulation d'éléments de preuve suffisants pour permettre une mise en accusation devant un tribunal.

Les **statistiques policières** reflètent notamment la criminalité apparente, les taux de solution, les arrestations, etc. Elles sont généralement transmises au ministère de la Sécurité publique et à Statistique Canada, qui en font la compilation générale.

Les **statistiques judiciaires** sont compilées par les procureurs de la poursuite et les tribunaux. Elles permettent de connaître le nombre de causes portées devant un juge, les plaidoyers enregistrés, les acquittements et les condamnations, les types de sentences, etc.

Les **statistiques correctionnelles** sont tenues par les Services correctionnels du Québec et du Canada. Elles traitent du nombre de cas de surveillance en probation et de cas gérés en vertu des différents programmes (les travaux communautaires, les travaux compensatoires et autres mesures de substitution à l'incarcération) et elles comptabilisent les cas d'incarcération, les périodes de détention, les libérations conditionnelles, les taux de succès ou de récidive, etc.

Des statistiques comparables sont tenues par les organismes qui s'occupent des jeunes contrevenants, tels la Direction de la protection de la jeunesse, les Centres jeunesse, la Cour du Québec, la Chambre de la jeunesse, etc.

La fiabilité des statistiques officielles

La figure 3.1 illustre bien la fragilité des conclusions auxquelles peuvent aboutir des travaux de recherche basés uniquement sur les statistiques officielles. On y voit bien que seule une faible proportion de la criminalité, soit de 25 à 35 %, est connue des autorités. En fait, cette proportion varie selon la nature des délits commis : certains sont plus recensés en raison de leur notoriété, comme les meurtres et les vols à main armée; d'autres, bien que généralement méconnus, font maintenant l'objet de dénonciations de plus en plus fréquentes en raison des campagnes de sensibilisation à leur sujet, comme les cas de violence au sein des familles ou entre conjoints. D'autres enfin, très rarement rapportés, ne sont découverts que grâce aux initiatives policières : il en va ainsi de certaines activités du crime organisé telle que la culture du cannabis en serres ou dans des champs de maïs.

Mais les délits commis ne sont pas nécessairement tous résolus. Le taux de solution fluctue en effet entre 25 et 35 %. Ce qui ne signifie pas pour autant que 65 % des délits restent impunis, car un contrevenant arrêté et poursuivi sous un ou deux chefs d'accusation a souvent commis des

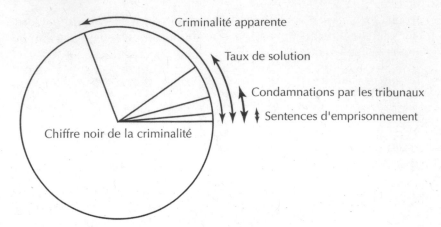

Figure 3.1 Les statistiques de la criminalité : cas parvenant aux étapes successives du processus pénal. L'ensemble du cercle représente la criminalité réelle.

dizaines d'autres délits pour lesquels la preuve est difficile à faire. Selon certaines estimations, 4 % des criminels seraient responsables de près de 50 % de la criminalité.

Par ailleurs, la présomption d'innocence, le droit à une défense pleine et entière et le respect intégral des dispositions des chartes des droits et libertés sont des valeurs fondamentales dans les sociétés démocratiques. Par conséquent, des criminels notoires peuvent quelquefois être acquittés par un tribunal en raison d'un simple doute ou d'une erreur dans les procédures judiciaires entreprises par les policiers ou la poursuite.

Les sanctions communautaires contribuent également à la diminution du nombre de délinquants qui se seraient autrement retrouvés dans les établissements carcéraux.

Ces considérations nous permettent de tirer certaines conclusions :

- Les statistiques policières ne représentent que la criminalité révélée par la plainte d'une victime ou d'un témoin, le flagrant délit, les enquêtes actives de la police et les délations. Toutes les autres activités délictueuses accroîtront le chiffre noir. Les statistiques n'en demeurent pas moins une importante source d'information, qu'il convient cependant de compléter par d'autres moyens scientifiques afin d'obtenir un portrait plus fiable de la criminalité.

- L'ensemble des accusés traduits devant les tribunaux est peu représentatif de la criminalité réelle et ne peut permettre aux chercheurs de dresser un profil réaliste des délinquants, car de nombreux cas ne parviennent pas jusqu'à cette étape judiciaire du processus d'intervention.

• Il en va de même des personnes placées sous la juridiction des services correctionnels, qu'elles soient en milieu ouvert ou fermé, puisque de nombreuses mesures de substitution à l'incarcération ou des mesures communautaires sont maintenant imposées aux contrevenants. Des études plus spécifiques, axées sur les cas non rapportés, aideront donc à mieux définir le portrait des différents types de contrevenants.

Les moyens d'estimer la criminalité cachée

Des scientifiques ont conçu plusieurs moyens d'estimer la criminalité cachée et la victimisation : les sondages de criminalité autorévélée, les sondages de victimisation et les entrevues de délinquance racontée.

Les sondages de criminalité autorévélée

Il s'agit de questionnaires qui s'adressent à des personnes n'ayant jamais eu de démêlés avec la justice ou à un échantillon représentatif de la population.

En leur garantissant l'anonymat, ces questionnaires soumettent aux répondants une liste de délits et leur demandent de pointer ceux qu'ils ont déjà commis et, le cas échéant, d'indiquer si les autorités en ont été informées.

Les Américains ont fait de nombreux sondages de ce type. Sutherland et Cressey[3] citent une étude de Wallerstein et Wyle, lesquels avaient soumis une liste de 49 délits à près de 2000 personnes n'ayant jamais eu de démêlés avec la justice. Les 1718 réponses obtenues (de 1020 hommes et 698 femmes) montraient que 91 % des répondants avaient commis au moins une des infractions mentionnées dans le questionnaire, dont la dénonciation aurait pu leur valoir une peine d'emprisonnement.

Au Québec, depuis 1967, une quinzaine d'enquêtes ont porté sur la question de la criminalité cachée des adolescents. « L'étude qui dispose de l'échantillon probabiliste le plus important et le plus solide (Fréchette, Leblanc, 1987) rapporte que 92,8 % des adolescents admettent être passés à l'acte au moins une fois au cours de la dernière année. Tous ces adolescents auraient pu être amenés devant les tribunaux de la jeunesse[4]. »

---

3. Edwin H. Sutherland et Donald R. Cressey, *Principes de criminologie,* Paris, Cujas, 1966, p. 48., citant une étude de J.S. Wallerstein et C.J. Wyle, *Our Law-Abiding Law Breakers*, publiée dans la revue *Probation* n° 25, p. 107-112, mars-avril 1947.
4. Denis Szabo et Marc Leblanc (sous la direction de) : *Traité de criminologie empirique*, Presses de l'Université de Montréal, 2e édition, 1994, p. 54, citant une étude de Marcel Fréchette et Marc Leblanc : *Délinquance et délinquants*, Chicoutimi, Gaëtan Morin, 1987.

Les sondages de victimisation

Les chercheurs constituent un échantillon représentatif de la population et interrogent les répondants pour savoir s'ils ont été victimes d'au moins un acte délictueux et si leur cas a été révélé à la police. Ils posent aussi des questions sur les motifs pour lesquels le délit à été rapporté ou non à la police.

L'enquête de Statistique Canada (1993) sur la victimisation dans les cas de violence conjugale[5] offre un exemple concret de ce type de sondages. Cette enquête a été effectuée par téléphone, par des femmes, qui donnaient un numéro de téléphone sans frais aux personnes sollicitées et leur demandaient de rappeler à leur convenance. Cette procédure a été utilisée pour rassurer les répondantes quant à leur anonymat.

Les intervieweuses ont ainsi rejoint quelque 12 300 femmes de 18 ans ou plus dans les dix provinces. Elles les ont interrogées sur la violence infligée par un partenaire depuis l'âge de 16 ans. Voici quelques-uns des résultats obtenus :

- Dans l'ensemble de l'échantillon, 29 % des répondantes qui vivent ou ont vécu avec un conjoint (de droit ou de fait) ont été victimes d'au moins une agression physique ou sexuelle.
- Parmi les victimes, plusieurs ont été agressées plus d'une fois, comme l'indique le tableau 3.2.
- Seulement 26 % des femmes ont signalé l'agression à la police, ce qui signifie que 74 % ne l'ont pas fait. Les motifs invoqués pour le signalement sont présentés au tableau 3.3.
- Celles qui n'ont pas signalé l'agression à la police (74 %) invoquent les raisons répertoriées au tableau 3.4.

Tableau 3. 2 Nombre d'agressions dont les victimes ont fait l'objet.

Nombre d'agressions	Dans unions antérieures (%)	Dans union actuelle (%)
Une agression	59	24
Deux à cinq agressions	22	22
Six à dix agressions	7	11
Onze et plus	10	41
Non déclaré	2	2

---

5. Karen Rogers, « La violence conjugale au Canada », dans *Statistique Canada, n° 11, Tendances sociales canadiennes,* automne 1994.

Tableau 3.3 Motifs de signalement à la police et action policière et judiciaire.

Motif	Proportion des répondantes (%)
Les enfants étaient présents.	46
La victime était menacée d'une arme.	42
La victime avait subi plus de 10 agressions.	49
La police a porté des accusations.	28
Parmi les 28 %, la proportion s'étant rendue jusqu'au tribunal.	79

Tableau 3.4 Principaux motifs invoqués par les victimes de violence conjugale pour ne pas porter plainte.

Motif	Proportion des répondantes* (%)
L'incident n'était pas assez important.	52
Elles ne voulaient pas ébruiter l'affaire.	10
Elles n'avaient pas besoin d'aide.	10
Elles ne voulaient pas avoir affaire avec la police et les tribunaux.	9
Elles avaient peur des représailles.	8
Elles manquaient de confiance en la police.	7
Elles éprouvaient de la honte ou de la gêne à en parler.	5
Elles ne voulaient pas que le conjoint soit arrêté.	3
Autres motifs.	3

La somme excède 100 % en raison des réponses multiples.

Les entrevues de délinquance racontée

Les entrevues de délinquance racontée se font auprès des personnes qui ont déjà été condamnées pour quelques chefs d'accusation. L'intervieweur se présente comme un chercheur indépendant n'ayant aucun lien avec les autorités. Il demande alors à l'interviewé de lui parler de ses activités criminelles non connues.

Cette méthode a été utilisée notamment par le criminologue Marcel Fréchette. Son étude a révélé que « le tiers d'un échantillon de 464 adolescents qui avaient comparu devant le juge de la jeunesse de Montréal reconnaissaient avoir commis 40 délits ou plus. En outre, 17 % des personnes de l'échantillon total avaient à leur passif 100 délits ou plus[6]. »

Cela porte à croire qu'un petit nombre de délinquants se rendent coupables d'un pourcentage élevé de délits, souvent non résolus.

L'utilité de ces moyens

Outre les données quantitatives qu'ils fournissent (estimations de la criminalité cachée et de la victimisation non rapportée), les divers types de sondages procurent parfois des données fort intéressantes sur des questions plus spécifiques, comme ce fut le cas pour le sondage de Statistique Canada sur la violence conjugale. En voici quelques exemples :

— le nombre et le type de crimes commis, c'est-à-dire une estimation de la criminalité réelle;

— le nombre réel de crimes commis contre les répondants;

— les milieux où les événements surviennent;

— les caractéristiques sociodémographiques des victimes;

— les groupes plus ou moins vulnérables;

— les raisons de rapporter ou non un crime;

— les variations spatio-temporelles de la victimisation;

— les variations concernant les types de crimes;

— la nature des relations entre le criminel et la victime;

— l'incidence de la consommation d'alcool ou de drogues sur la victimisation ou la perpétration d'un crime;

— le comportement de la victime face à la menace;

— le comportement de la victime après le crime et ses réactions;

— les démarches de la victime au sein du système judiciaire;

— le recours de la victime aux organismes sociaux;

— les conséquences de la victimisation, etc.

En somme, les statistiques recueillies par les organismes publics, auxquelles s'ajoutent différentes méthodes et techniques destinées à combler leurs lacunes, fournissent de nombreux renseignements permettant de mieux comprendre les phénomènes de la criminalité et de la victimisation.

---

6. Marcel Fréchette et Marc Leblanc, *La délinquance cachée des adolescents montréalais*. Groupe de recherche sur l'inadaptation juvénile, Université de Montréal, 1978, dans Maurice Cusson, *Délinquants pourquoi ?* Cahiers du Québec, Collection Droit et criminologie, Hurtubise HMH, 1981, p. 35.

Or, nous avons vu que les objectifs de la recherche en criminologie sont de trois ordres : connaître le phénomène criminel et ses causes, pour mieux y faire échec, connaître les criminels et leur comportement, pour pouvoir améliorer les modes d'intervention, et connaître le fonctionnement de la justice pénale afin d'en favoriser la réforme.

Voyons quels sont les moyens d'atteindre les deux derniers objectifs.

Mieux connaître les criminels et le fonctionnement du système pénal

De nombreux moyens ont été mis au point afin de mieux connaître les criminels. Nous décrirons brièvement l'étude de cas, l'entrevue, le suivi, l'observation et l'analyse de contenu.

L'étude de cas

Dans une des théories du passage à l'acte, il est question de caractéristiques innées qui prédisposent un individu à la délinquance, de conditions de vie qui influencent leur développement et de situations qui favorisent la perpétration d'un délit. Ainsi, une personne peut, comme nous le verrons dans les chapitres subséquents, avoir hérité de certaines prédispositions, les voir accentuées par un environnement familial ou scolaire criminogène, et finalement se trouver dans des situations qui déclenchent son agir délictueux.

L'**étude de cas** consiste précisément en l'analyse de tous ces facteurs, notamment dans les dossiers de délinquants, lesquels contiennent souvent les résultats de différentes investigations médicales, psychologiques et sociales. Aussi le chercheur doit-il d'abord sélectionner avec soin les dossiers pour s'assurer qu'ils offrent une représentativité optimale. Cela fait, il pourra ensuite faire ressortir les données qui se répètent d'un dossier à l'autre et en tirer des conclusions sur les facteurs criminogènes individuels, le comportement des délinquants et les motivations qui les incitent à passer à l'acte.

L'entrevue

L'**entrevue** est une autre technique permettant d'effectuer diverses études en criminologie. Elle peut se faire au moyen d'un questionnaire structuré ou d'un ordre du jour destiné à encadrer les sujets que l'on voudrait aborder avec la personne interviewée, ou encore se dérouler d'une façon tout à fait ouverte; le chercheur laisse alors son interlocuteur donner librement ses opinions.

Les enquêtes de délinquance autorévélée, de victimisation ou de délinquance racontée, que nous avons vues plus haut, en sont des exemples.

Le suivi

Comme son nom l'indique, le **suivi** porte sur l'évolution de l'individu au fil du temps. Il part de la situation actuelle d'un échantillon de délinquants et note les changements qui sont survenus dans leur comportement après un certain temps. Ainsi, après avoir interrogé un même groupe de 825 élèves de Montréal à deux ans d'intervalle, Fréchette et Leblanc ont constaté que la fréquence de la délinquance chez ces adolescents de 14 à 17 ans en 1974 était fortement en baisse deux ans plus tard[7].

Par ailleurs, ces études permettent aussi d'évaluer les effets de certaines mesures pénales ou extrapénales. Ainsi, des chercheurs de l'Université de Montréal ont tenté d'évaluer les effets de l'internat en milieu sécuritaire sur le taux de récidive des adolescents[8].

L'observation

L'**observation** consiste à se mettre en situation de voir avec précision ce qui se produit et à le noter pour pouvoir en faire une description, une analyse et, éventuellement, une critique. À titre d'exemple, des études fondées sur l'observation ont porté sur les façons dont les policiers exercent leur pouvoir discrétionnaire, pouvoir qui leur permet de prendre des décisions lors de leurs interventions auprès des citoyens ou des contrevenants. L'observation est aussi employée pour évaluer les délinquants à la lumière de leur comportement.

On peut donner ici l'exemple du Centre régional de réception, où sont incarcérées les personnes condamnées à deux ans ou plus d'emprisonnement. Pendant plusieurs semaines, on y soumet les nouveaux détenus à différents tests et à l'observation afin de les évaluer et de définir leur profil. Une fois ces étapes franchies, ils seront placés dans un pénitencier à sécurité minimale, moyenne ou maximale et se verront offrir les programmes de traitement correspondant à leur profil.

L'analyse de contenu

Enfin, l'**analyse de contenu** consiste à examiner attentivement des documents afin d'en comprendre les objectifs et la portée, de les analyser et d'y apporter des critiques. On peut ainsi analyser les lois et les projets de loi, comme le nouveau projet sur le comportement délictueux des jeunes, les programmes gouvernementaux, comme le programme d'intervention en matière de violence conjugale, ou les structures de certains organismes, comme celles de la police de quartier à Montréal. Ces études peuvent avoir une visée simplement descriptive ou une vocation évaluative et

---

7. M. Fréchette et M. Leblanc, *op. cit.*, p. 74, dans M. Cusson, p. 40-41.
8. Denis Szabo et Marc Leblanc (sous la direction de), *Traité de criminologie empirique*, Montréal, Presses de l'Université de Montréal, 2e édition, 1994, p. 313.

critique. Ainsi, un chercheur peut vouloir rédiger un mémoire pour critiquer un projet de loi, comme dans le cas de la nouvelle loi qui devrait s'appliquer aux délinquants d'âge mineur, dont certaines dispositions sont critiquées par le gouvernement du Québec et plusieurs organismes québécois.

L'analyse de contenu peut aussi traiter des médias d'information et de leur portée. Nous verrons au chapitre 5 qu'une telle analyse laisse croire que les médias pourraient avoir une influence déterminante sur la crainte de victimisation des citoyens ou sur le comportement violent de certains individus.

En bref

Ce chapitre avait pour but de sensibiliser les lecteurs aux objectifs de la recherche en criminologie et à ses méthodes et techniques. Cette recherche vise principalement :

— à contribuer à une meilleure adaptation des lois aux valeurs et aux réalités sociales;

— à mieux connaître le phénomène de la criminalité et ses causes ainsi que, par ricochet, celui de la victimisation, afin de favoriser la prévention du crime et la protection des victimes potentielles;

— à mieux comprendre la personnalité des criminels ainsi que les causes et les motivations de leur comportement, afin que les modes d'intervention soient adaptés tant à leurs besoins qu'aux impératifs de protection de la société;

— à mieux connaître le fonctionnement de toutes les composantes du système de justice pénale, afin de contribuer à son évolution et de permettre qu'il réponde aux besoins des contrevenants tout en assurant la nécessaire protection de la collectivité.

Pour ce qui est de l'étude des phénomènes, les chercheurs disposent de statistiques compilées par les organismes officiels : police, tribunaux, services correctionnels, ministère de la Sécurité publique et autres. Il faut se rappeler que, si ces statistiques révèlent un certain nombre de données quantitatives fort intéressantes, elles ne reflètent toutefois pas la totalité du phénomène criminel.

En effet, les crimes rapportés à la police ne représentent qu'une partie de la criminalité réelle; la criminalité cachée, qu'on appelle aussi chiffre noir, constitue un fort pourcentage des délits commis dans une collectivité quelconque. Différentes raisons expliquent que les victimes ne rapportent pas ces délits. À mesure que l'on avance dans le processus pénal, des cas de délinquance disparaissent encore des statistiques : pour manque de preuves, pour vice de procédure ou encore à cause de la multiplication des mesures communautaires appliquées. Il s'ensuit que les individus incarcérés ne comptent que pour une infime partie de tous ceux qui ont commis des délits.

Aussi a-t-on élaboré des moyens d'estimer la criminalité cachée et la victimisation non rapportée. Il s'agit de sondages de criminalité autorévélée, lors desquels des personnes n'ayant pas eu de démêlés avec la justice sont interrogées sur leur agir délictueux non rapporté, d'entrevues de délinquance racontée, où l'on demande à des délinquants de parler de leurs crimes qui n'ont jamais été dévoilés, et d'enquêtes de victimisation, dans lesquelles on invite des citoyens à parler des infractions dont ils ont été victimes sans jamais les déclarer aux autorités.

Quant aux méthodes et aux techniques de recherche visant une meilleure connaissance des criminels, des lois et du fonctionnement et de l'efficacité du système pénal, nous en avons dressé une liste non exhaustive en nous arrêtant à celles qui aideront plus particulièrement les étudiants en criminologie dans leurs travaux.

Questions et exercices _____

1. Effectuez un sondage de victimisation auprès d'un échantillon d'une cinquantaine de personnes et dégagez-en les motifs pour lesquels certaines d'entre elles n'ont pas rapporté le délit dont elles ont été victimes.

2. Définissez les termes suivants : criminalité réelle, chiffre noir, criminalité apparente, taux de criminalité.

3. Qu'est-ce qu'un sondage de criminalité autorévélée ? Tentez d'en faire un auprès d'un échantillon de personnes dans un milieu où vous n'êtes pas connu afin de pouvoir assurer aux répondants leur anonymat. Tirez-en des conclusions pertinentes.

4. Effectuez une comparaison quantitative entre différentes régions du Québec en ce qui concerne les délits commis contre la personne. Servez-vous des statistiques de la criminalité et comparez vos résultats en nombres absolus et en taux par 100 000 habitants.

5. Trouvez et lisez l'un des mémoires soumis en commission parlementaire, puis analysez le contenu du projet de loi sur les délinquants d'âge mineur. Expliquez comment cette analyse de contenu a permis de faire des recommandations sur les dispositions qui ne conviennent pas au Québec.

6. Allez au palais de justice de votre région et notez les comportements des différents intervenants judiciaires. À partir de vos notes, rédigez ensuite un rapport d'observation.

7. Effectuez une entrevue avec un policier ou un autre intervenant sur un sujet qui vous intéresse.

Deuxième partie
Les facteurs criminogènes ___

L'étude des facteurs criminogènes s'attache à définir et à analyser les causes du crime. Le terme *facteurs* se rapporte à des caractéristiques individuelles, à des conditions socioéconomiques ou à des éléments circonstanciels ou situationnels. On qualifie ces facteurs de criminogènes lorsqu'ils sont susceptibles d'amener un individu à commettre un acte délictueux ou de favoriser, dans une société donnée, l'éclosion et le développement de la criminalité.

Dans cette deuxième partie, nous décrirons les principaux facteurs criminogènes individuels, qui se subdivisent en deux catégories : les facteurs individuels innés et les facteurs acquis. Puis nous parlerons des facteurs sociaux et économiques. Quant aux facteurs criminogènes situationnels, nous ne les verrons qu'au chapitre 8, qui traitera de la prévention de la criminalité.

En outre, certains diront que la loi et le système de justice pénale sont eux-mêmes des facteurs criminogènes, puisque c'est la loi qui confère à certains actes le statut d'infraction ou, au contraire, qui en décriminalise d'autres, et que c'est le système de justice qui marque du sceau de la délinquance l'individu reconnu coupable d'un crime. La criminalisation d'un acte ou la condamnation d'un individu peuvent constituer le premier pas vers un enracinement dans l'activité délictueuse.

Chapitre 4

Les facteurs individuels _____

Les facteurs individuels se subdivisent en deux catégories :

— les facteurs individuels innés, qui sont inhérents à un individu et qui sont présents dès sa naissance ou dès sa conception : son sexe, son origine ethnique, son hérédité, sa constitution physiologique;

— les facteurs individuels acquis ou transitoires, qui sont également inhérents à un individu mais qui ne lui sont pas attachés à la naissance : ils peuvent surgir et disparaître, ou encore passer par différents stades d'évolution. Il en est ainsi des troubles de santé physique ou mentale, des habitudes de consommation d'alcool ou de drogue, qui interviennent parfois dans le processus criminogène, et même de l'âge, puisque la propension à la délinquance n'est pas la même chez les adolescents, les adultes et les personnes âgées.

4.1 Les facteurs individuels innés

On entend par facteurs individuels innés la constitution physique et les caractéristiques anthropologiques de la personne, son hérédité, son origine ethnique et son sexe.

La constitution physique et les caractéristiques anthropologiques

Aux XVIIIe et XIXe siècles, diverses hypothèses ont été avancées à propos de l'influence que la constitution physique et les caractéristiques anthropologiques d'un individu peuvent avoir sur son comportement. Bien que la phrénologie et la théorie du criminel-né n'aient connu qu'un succès mitigé parmi les chercheurs, elles ont longtemps influencé et influencent encore l'idée générale que la société se fait du criminel.

La phrénologie

D'après la **phrénologie**, créée par le médecin viennois Gall (1758-1828) et vulgarisée par le journaliste Spurzheim (1776-1832), la forme du cerveau serait déterminée par l'espace qu'occupent respectivement les facultés intellectuelles, les instincts et les sentiments moraux. Étant donné, par ailleurs, que le crâne embrasse la forme du cerveau, l'aspect extérieur d'un individu devrait donc, selon Gall, révéler s'il a des prédispositions pour le comportement délictueux[1].

Trois remarques peuvent être faites à propos de la phrénologie.

- Ses tenants n'ont jamais pu présenter une démonstration probante de la validité de leurs hypothèses.
- La phrénologie s'appuie sur un principe déterministe, à savoir qu'un individu serait inévitablement amené à commettre des actes criminels si son cerveau était constitué d'une certaine façon; or, le point de vue dominant chez les philosophes de l'époque se fondait sur le libre arbitre, c'est-à-dire la liberté qu'a chaque personne de choisir entre le bien et le mal.
- De telles hypothèses ont inspiré, dans les années 1940 et 1950, des travaux et des expériences à caractère neurochirurgical, telle la lobotomie, qui visaient à réduire l'agressivité ou l'exacerbation des instincts sexuels chez certains délinquants.

Le criminel-né

La théorie du **criminel-né** proposée par Cesare Lombroso a, en fait, ouvert la voie à la recherche scientifique en criminologie, avant même que le terme *criminologie* n'entre dans le vocabulaire.

Médecin légiste et professeur à l'Université de Turin, Lombroso a effectué des études sur l'anthropologie, l'anatomie pathologique et l'anthropométrie des criminels au cours desquelles il a examiné 383 crânes et 5907 criminels vivants. Ses observations l'ont conduit à conclure qu'il existait certaines caractéristiques communes aux criminels. Ces caractéristiques seraient semblables à celles de l'homme primitif; on les qualifie donc aussi de stigmates ou de marques d'atavisme.

Parmi les facteurs qu'il a mis en relief, mentionnons l'indice frontal, la hauteur de la face, l'indice nasal, la mâchoire inférieure, les anomalies du crâne, du cerveau, du squelette, du cœur et du foie, la longueur des mains, la puberté précoce, etc. Il a constaté notamment que 21 % des sujets ne présentaient qu'un seul des signes distinctifs mais que 43 % en possédaient au moins cinq. Il en a conclu qu'il existait une catégorie de personnes qui, fatalement, devaient devenir criminelles : celles chez qui on trouve cinq stigmates ou plus.

---

1. Voir Pierre Bouzat et Jean Pinatel, *Traité de droit pénal et de criminologie; Tome III, Criminologie*, *2e édition*, Paris, Dalloz, 1970, p. 222.

Lombroso ne fut toutefois pas à l'abri des critiques. On lui reprocha, du moins dans ses premières démarches, d'avoir mis de côté tous les facteurs autres qu'anthropologiques et d'avoir négligé ainsi des aspects importants de la personne et de son milieu, aspects qui pourraient expliquer le comportement criminel. De plus, il n'a pas établi de comparaison entre délinquants et non délinquants, et rien ne prouve qu'aucun de ces derniers ne porte pas les mêmes marques d'atavisme. Aussi, l'un des disciples de Lombroso, Enrico Ferri, a-t-il voulu combler cette lacune. Dans son ouvrage principal, intitulé *La sociologie criminelle*, il a repris certains des principes lombrosiens, mais il y a ajouté l'étude des facteurs sociaux de la criminalité. Rappelons que sa tentative de synthèse des facteurs criminogènes lui a valu le titre de fondateur de la criminologie moderne.

Les études sur l'anthropologie criminelle n'ont pas été abandonnées pour autant; depuis l'adoption du principe de la multiplicité des facteurs, de nombreux chercheurs poursuivent l'étude des prédispositions individuelles à la criminalité.

L'hérédité

Il y a maintenant plus d'un siècle que des chercheurs tentent de démontrer que l'hérédité pourrait avoir une influence sur le comportement.

Certaines études, dont celles de Cranz, ont porté sur l'analyse des arbres généalogiques de groupes de familles délinquantes et non délinquantes dont on a pu retracer les ancêtres communs. Elles ont montré qu'un fort pourcentage des membres de telles familles avaient eu des comportements délictueux et assortis de nombreux démêlés avec la justice, chez les unes, honnêtes et respectueux des lois, chez les autres[2].

D'autres travaux, comme ceux de Goring, ont porté sur les probabilités de ressemblance physique entre les membres d'une famille. La ressemblance étant d'autant plus prononcée que le lien de parenté est plus rapproché (la probabilité de ressemblance est plus élevée entre père et fils qu'entre deux frères, par exemple), la propension au crime serait aussi susceptible de se transmettre par l'hérédité que la ressemblance physique, les qualités mentales ou les conditions pathologiques[3].

Enfin, des travaux axés sur la comparaison entre jumeaux identiques et jumeaux non identiques ont été effectués dès la fin des années 1920 pour établir la part de l'hérédité dans le comportement délictueux. Les auteurs

---

2. R. Cranz, « Les tares héréditaires (sur les Jukes) », dans *Revue de droit pénal et de criminologie*, 1913, p. 79-93.
3. C.B. Goring, *The English Convict*, cité par Edwin D. Driver, *The Journal of Criminal Law, Criminology and Police Science*, vol. 47, n° 5, janvier-février 1957, p. 515-525.

de ces travaux partaient de l'hypothèse selon laquelle les comportements des jumeaux identiques devraient être concordants et ceux des jumeaux non identiques discordants, et c'est ce qu'ont démontré empiriquement plusieurs chercheurs, dont J. Lange en 1929, H. Kranz et F. Stumpff en 1936[4].

La crédibilité de tels travaux se heurte au fait qu'ils ne tiennent pas compte de l'influence que peuvent avoir sur l'agir délictueux les valeurs trans-mises par le milieu familial et les modèles de comportement. Cela ne signifie pas pour autant que ce type d'études ait été abandonné, au contraire.

Depuis que s'est amorcée la révolution technologique en génétique au début des années 1980, de nombreuses équipes de recherche dans le monde entier essaient d'identifier les gènes responsables tant de l'intelli-gence que du comportement humains.

Le raisonnement est pour l'essentiel le même que celui qui avait inspiré les premiers travaux. Il se résume ainsi : si deux personnes ont le même bagage génétique et qu'elles ont des comportements discordants, toutes les différences observables sur le plan de l'agir seront imputables au milieu de vie. Par contre, si un comportement est plus souvent présent chez les vrais jumeaux que chez les faux, on peut théoriquement con-clure à l'existence d'un déterminisme génétique.

L'être humain, affirment ces auteurs, est programmé génétiquement; il pourra, dans une certaine mesure, choisir de développer ou non ses capa-cités et ses tendances. Mais il reste que ses prédispositions, ses goûts et ses aptitudes constitueront une toile de fond inaltérable.

En effet, en médecine, les études de jumeaux ont permis de clarifier le rôle indéniable que joue l'hérédité dans la prédisposition à certaines maladies. Les chercheurs affirment ainsi avoir démontré l'existence d'une influence héréditaire fort variée sur des pathologies comme la schizo-phrénie, l'autisme, le trouble bipolaire appelé aussi psychose maniaco-dépressive, la maladie d'Alzheimer, et sur des traits comme l'alcoolisme, la tendance à la dépression, les troubles de l'alimentation, la personnalité « antisociale », la tendance à la névrose, l'extraversion, la délinquance, la violence, la tendance à la soumission ou à la domination, l'orientation sexuelle, la réussite scolaire, la mémoire et l'intelligence, l'amour-propre, la timidité, voire le conformisme.

Les « gènes de la colère » ont fait, en octobre 1993, l'objet de certains articles médiatisés : pour un type particulier de violence impulsive, on a

---

4. P. Bouzat et J. Pinatel, *Traité de droit pénal et de criminologie*, Paris, Dalloz, 1970, 2e éd., 660 p.; voir le tableau en p. 305.

« incriminé » un gène particulier. Il a été détecté au sein d'une famille hollandaise qui comptait un grand nombre d'hommes ayant commis des viols ou des agressions diverses et ayant allumé des incendies. Mais le rôle spécifique des gènes n'a pas été démontré hors de tout doute, et certains chercheurs ont même dû se rétracter, comme ceux qui s'intéressaient au gène de la psychose maniaco-dépressive. Des événements analogues se produisirent pour la recherche de marqueurs ou de gènes pour la schizophrénie, l'alcoolisme, la passion pathologique du jeu, la toxicomanie et les phénomènes de dépendance en général.

Quoi qu'il en soit, il se trouvera toujours des scientifiques pour poursuivre la recherche dans ce domaine. Pour les intervenants, toutefois, la plus grande prudence s'impose car, tant que subsistera un doute, jamais ils ne pourront fonder leur planification, leurs décisions et leur action sur un facteur criminogène d'ordre héréditaire.

Le facteur ethnique

La documentation criminologique traditionnelle traite des races et des groupes ethniques au chapitre des facteurs criminogènes innés. Si l'innéité de la race et de l'ethnie est incontestable, la très forte majorité des auteurs refusent aujourd'hui de qualifier ces facteurs de criminogènes.

Deux réalités sont pourtant à la base de cette approche :

• Dans les pays où se côtoient différents groupes ethniques et culturels, on constate des différences quantitatives et qualitatives dans la criminalité desdits groupes.

• Il s'est trouvé, notamment aux États-Unis dans les années où régnait la discrimination raciale, des auteurs qui soutenaient que l'infériorité génétique de certains groupes ethniques et surtout des Noirs pouvait expliquer leur comportement délictueux.

Nous traiterons ici ce sujet sous l'angle des différences quantitatives observables, tout en soulignant, d'entrée de jeu, que toutes ces différences ne peuvent être imputées qu'à des facteurs de type sociologique, dont nous ferons d'ailleurs une brève énumération. Au chapitre 5, nous reviendrons sur les groupes criminalisés et nous verrons comment ils se forment très souvent suivant des considérations ethniques.

Les différences quantitatives et qualitatives

Certaines données offrent un aperçu de ce qui distingue quantitativement et qualitativement la criminalité ethnique aux États-Unis, en France et au Canada.

Aux États-Unis, les statistiques criminelles comportent une ventilation du nombre d'arrestations et de mises en accusation selon la race des accusés.

De nombreuses études ont été effectuées à partir de ces statistiques. Elles concluent que la criminalité des groupes ethniques minoritaires se caractérise par un plus grand volume et une plus grande violence.

En France, Pinatel écrivait, à propos de la criminalité des Nord-Africains émigrés dans ce pays, qu'« elle paraît quantitativement supérieure et qualitativement placée sous le signe de la violence[5] ».

Au Canada, et plus particulièrement à Montréal, plusieurs gangs de rue et groupes liés au crime organisé se forment sur une base ethnique : mafias italienne, russe et asiatique, gangs latino-américains et jamaïcains, etc. Nous y reviendrons au chapitre 6.

Une étude de Pierre Tremblay et Lucie Léonard[6] sur l'appartenance ethnique des auteurs de délits violents commis à Montréal en 1992 et 1993 porte spécifiquement sur la fréquence relative de quatre types d'interactions ethniques : agresseur blanc et victime blanche, agresseur noir et victime noire, agresseur noir et victime blanche, agresseur blanc et victime noire.

Afin de faire une comparaison strictement entre les Noirs et les Blancs, Tremblay et Léonard ont étudié un échantillon qui excluait tous les autres groupes. Dans cet échantillon, les populations noire et blanche de Montréal (représentant ainsi 100 % de l'échantillon) se chiffrent respectivement à 4,7 % et 95,3 %.

Avant de pondérer les observations statistiques en fonction du poids démographique, Tremblay et Léonard font certaines constatations :
• Les délits violents sont majoritairement intraethniques, les protagonistes (agresseur-victime) ayant la même appartenance ethnique.
• La majorité des délits violents sont commis par des Blancs qui s'attaquent à des Blancs.
• Les incidents opposant des agresseurs noirs à des victimes blanches sont beaucoup plus nombreux que ceux qui impliquent des agresseurs blancs et des victimes noires.

Toutefois, après ladite pondération, ils arrivent aux conclusions suivantes :
• Le pourcentage de Noirs soupçonnés d'avoir commis un délit violent est particulièrement élevé par rapport à leur poids démographique qui

---

5. P. Bouzat et J. Pinatel, *Traité de droit pénal et de criminologie*, *op. cit.*, p. 187.
6. Pierre Tremblay et Lucie Léonard, « L'incidence et la direction des agressions interethniques à Montréal », sous la direction de A. Normandeau et E. Douyon, dans *Justice et communautés criminelles ?*, Laval, Méridien, collection Repère, 1995, p. 107-140.

est de 4,7 % : 13,4 % pour les agressions sexuelles, 25,1 % pour les vols qualifiés, 17,6 % pour les délits de violence conjugale et 17,8 % pour les autres voies de fait.

- Ce qui est vrai pour le taux de délinquance l'est également pour les taux de victimisation[7].

Voici ce que Morton Weinfeld dit des groupes d'immigrants dans une étude préparée pour le gouvernement canadien (1998) :

> On note aujourd'hui comme hier une variation du taux de criminalité parmi les groupes d'immigrants, de sorte que certains se trouvent statistiquement sur-représentés et d'autres sous-représentés. Il semble également que les taux de délinquance et de criminalité soient plus élevés pour les immigrants de la deuxième et la troisième génération, bien que cette tendance paraisse plus répandue dans d'autres pays que le Canada...[8]

Un autre exemple concerne les autochtones. Dans le document du gouvernement canadien intitulé *Profil des délinquants, septembre 1995*[9], on trouve les renseignements suivants à leurs sujets :

- Bien que les autochtones ne constituent que 2,5 % de la population canadienne, environ 9 % des hommes incarcérés dans des établissements fédéraux sont autochtones.
- Le taux de crimes violents chez les bandes autochtones est 3,5 fois plus élevé que le taux national.
- Les membres des Premières Nations sont six fois plus susceptibles d'aller en prison que la majorité de la population canadienne non autochtone.
- Les taux de criminalité dans les réserves et les collectivités autochtones, en particulier dans les régions nordiques du Canada, sont plus élevés que les taux dans la population en général.
- Le taux de criminalité parmi les autochtones inscrits du Canada est près de deux fois supérieur au taux de criminalité national.
- Bien que les femmes des Premières Nations constituent seulement 3 % de la population du Canada, elles représentent quelque 17 % des femmes purgeant une peine fédérale.

---

7. Pierre Tremblay et Lucie Léonard, « L'incidence et la direction des agressions interethniques à Montréal », *op. cit.*, p. 120-122.

8. Morton Weinfeld, *Synthèse d'études récentes sur l'immigration et l'intégration des immigrations au Canada dans la perspective de six disciplines* (mise à jour 24/02/1998); voir http://www.Canada.metropolis.net/researchpolicy/weinfeld/index_f.html (chapitre sur la criminologie).

9. *Profil des délinquants, septembre 1995* : http://www.crime-prevention.org/francais/publications/children/profil.html

Ces exemples illustrent donc les différences quantitatives et qualitatives observables. Mais comment expliquer ces différences ?

Les explications

Comme nous l'avons dit au début de la présente section, il y a pratiquement consensus entre les chercheurs pour expliquer ces différences par des facteurs sociaux, éducatifs, économiques et culturels.

La discrimination raciale

Aux États-Unis, la **discrimination raciale** est considérée depuis très longtemps déjà comme un facteur explicatif des différences statistiques entre la criminalité des Noirs et celle des Blancs. En 1963, Jean Gottman étayait son explication de la manière suivante : « Dans les États du Sud, où ils forment dans l'ensemble un quart de la population, les Noirs sont privés des droits même les plus élémentaires. La loi leur impose la séparation physique avec les Blancs; il leur faut voyager dans des voitures spéciales [...] ils ont leurs propres écoles, hôpitaux, cafés, etc. En dehors du Sud, la situation des Noirs passe par toute une série de transitions [...] Certains syndicats s'opposent à l'admission des Noirs, main-d'œuvre à bon marché[10]... »

Plus récemment, Weinfeld, cité plus haut, a expliqué qu'on peut trouver aux États-Unis des travaux de recherche qui ont établi des modèles explicatifs du crime comprenant d'autres variables liées aux antécédents familiaux, au contexte économique général, au racisme et à la pauvreté. Il en tire la conclusion générale suivante : « [...] la criminalité des ethnies et des immigrants pourrait s'avérer un artefact d'autres facteurs démographiques[11]. »

A. Normandeau explique pour sa part que le système de justice pénale fait souvent preuve d'un préjugé défavorable à l'égard des groupes minoritaires. Faisant la synthèse de différentes études, il explique que la discrimination s'accroît à mesure que le suspect avance dans les différents sous-systèmes — police, tribunaux, système correctionnel — et qu'elle engendre ainsi un « racisme institutionnel cumulatif[12] ».

On reprocherait plus particulièrement aux policiers les trois comportements suivants :

• Ils patrouillent plus fréquemment les quartiers de Noirs et détectent plus systématiquement les délits traditionnels (violence, vol).

---

10. Jean Gottman, *L'Amérique*, 4e éd., Paris, Hachette, 1963, p. 259.
11. Morton Weinfeld, *op. cit.*
12. A. Normandeau, « La discrimination raciale : la police, le tribunal, la prison », sous la direction de A. Normandeau et E. Douyon, dans *Justice et communautés culturelles ?*, Laval, Méridien, collection Repère, 1995, p. 144-161.

- Individuellement, ils arrêtent plus aisément les Noirs que les Blancs.
- Ils se rendent plus souvent coupables d'actes de brutalité envers les Noirs.

Les autres organes de la justice pénale auraient eux aussi des attitudes discriminatoires dans l'exercice de leurs compétences respectives.

Il en résulte que les taux de criminalité officiels des Noirs sont plus le produit de la discrimination que le reflet des taux réels.

Le manque d'éducation et d'emploi

Pour ce qui est des autochtones, le document précité du gouvernement canadien, *Profil des délinquants, septembre 1995*, précise que sur les plans de l'éducation et de l'emploi :

— moins de 20 % des délinquants autochtones possédaient au moins 10 années de scolarité, comparativement à plus de 30 % des autres délinquants;

— seulement 22,5 % des délinquants autochtones avaient acquis une formation professionnelle et environ les deux tiers n'avaient occupé aucun emploi qualifié auparavant;

— les taux d'emploi étaient de moins de 17 % chez les délinquants autochtones, au moment de leur infraction, par rapport à près de 30 % chez les délinquants non autochtones.

Les conflits de culture

Enfin, sur le plan culturel, les différences de comportement peuvent s'expliquer par le concept d'anomie, que nous définirons au chapitre 5, ou par les conflits de culture. Ainsi, différentes études affirment que le comportement conformiste des premières générations d'immigrants découle d'un certain autocontrôle. Ces immigrants, qui ont quitté leur pays pour gagner une terre d'adoption, sont désireux de se faire accepter, de forger un certain avenir pour eux et leurs enfants. Aussi sont-ils portés à respecter les lois sociales tout en demeurant fidèles à leurs propres valeurs qui, souvent, sont assez conservatrices; il n'en reste pas moins qu'ils peuvent vivre un certain conflit culturel susceptible de les conduire parfois à une forme de criminalité.

Quant à la seconde génération, c'est-à-dire les enfants de ceux qui ont immigré, le conflit des cultures est encore plus accentué : un individu naît et se développe dans la culture de son milieu d'origine qui est transmise par la famille, même en terre d'adoption. Cet individu doit s'adapter à un contexte nouveau dont les normes sociales et l'échelle des valeurs sont différentes. À un moment donné, il peut se trouver, en quelque sorte, pris entre sa culture d'origine et sa culture d'adoption, et ne plus savoir quelles normes suivre ou respecter.

Par ailleurs, les sociétés nord-américaines sont aujourd'hui multiethniques et multiculturelles. Les intervenants sont appelés à faire face à des comportements souvent empreints de la culture propre à chaque groupe. Pour pouvoir comprendre, analyser et interpréter ces comportements et pour adopter les attitudes appropriées lors de leurs interventions, ils doivent acquérir des connaissances sur les us, les coutumes et les traditions des principales communautés. Ce n'est certes pas chose facile.

Dans les paragraphes qui précèdent, nous avons adopté une perspective globale pour comparer quantitativement et qualitativement la criminalité des diverses cultures minoritaires et tenter de comprendre les causes à l'origine des différences observées. Or, indépendamment des statistiques et des considérations théoriques, chacun des groupes ethnoculturels possède sa propre conception de l'autorité maritale et parentale, des pratiques sexuelles, des relations entre les personnes, de l'importance à accorder à certaines valeurs morales ou religieuses, etc. Il s'agit là de variables qui conditionnent toutes le comportement des différents groupes et leurs réactions dans un contexte de communication.

Les intervenants doivent avoir à l'esprit le principe de base de la territorialité des lois pénales, auquel aucune valeur ne peut contrevenir. On sait, en effet, que les lois varient d'un pays à l'autre, d'une époque à l'autre. Des actes prohibés ici peuvent être tout à fait légitimes ailleurs : des pratiques que nous qualifions de violence intrafamiliale peuvent, dans une autre culture, être tolérées ou même acceptées dans les relations conjugales ou l'éducation des enfants. Or, en vertu du principe de territorialité, nul ne peut enfreindre une loi pénale locale, même si elle heurte son idéologie ou ses valeurs.

Par ailleurs, ce qui est accepté dans la culture occidentale peut être malvenu dans d'autres cultures. Ainsi, on ne s'adresse pas aux gens de la même façon partout, et ne pas se conformer aux attitudes prescrites et aux protocoles en usage peut être considéré comme une insulte. Les intervenants doivent dès lors y être sensibilisés.

C'est pourquoi des mesures ont été prises depuis quelques années pour que les interventions soient adaptées au caractère multiculturel de la société. Dans cette optique, des programmes d'accès à l'égalité ont été mis sur pied pour permettre une représentation adéquate des communautés culturelles au sein des différents organismes d'intervention; d'autre part, les programmes de formation contiennent des cours de sensibilisation à la nature et aux valeurs des diverses communautés.

La criminalité au masculin et au féminin

La criminalité masculine et la criminalité féminine présentent des différences marquées que confirment les statistiques à tous les niveaux du système judiciaire. Comment peut-on les expliquer ?

Ce que disent les statistiques de la criminalité

Pour pouvoir étudier ces différences quantitatives et qualitatives, ainsi que leur évolution, nous présentons un ensemble de tableaux constitués à partir des données de Statistique Canada sur les mises en accusation pour 1995 et 1999.

Le tableau 4.1 nous offre un aperçu global des accusations portées, en fonction du sexe des accusés, tant pour les adultes que pour les jeunes, en 1995 et 1999. Il permet tout d'abord de constater que les femmes mises en accusation représentent 17 % de l'ensemble des adultes accusés et que ce pourcentage est demeuré stable de 1995 à 1999 malgré une baisse de la criminalité en termes absolus. Pour les jeunes accusées, la proportion a été de 21 % en 1995 et de 22 % en 1999.

En ne retenant que les données relatives à l'année 1999, nous avons indiqué, dans le tableau 4.2, la proportion de chaque groupe (hommes, femmes, garçons et filles) dans le nombre total de mises en accusation. La figure 4.1 illustre ces données.

Tableau 4.1 Ensemble des mises en accusation selon le sexe des accusés et comparaison entre adultes et jeunes accusé-e-s (1995-1999).

1995					
ADULTES ACCUSÉS			**JEUNES ACCUSÉS**		
Hommes	**Femmes**	**Total**	**Garçons**	**Filles**	**Total**
376 269 **83 %**	78 196 **17 %**	454 465 100 %	101 407 **79 %**	27 402 **21 %**	128 809 100 %
1999					
Hommes	**Femmes**	**Total**	**Garçons**	**Filles**	**Total**
352 540 **83 %**	74 298 **17 %**	426 838 100 %	86 484 **78 %**	24 990 **22 %**	111 474 100 %

Source : tiré et adapté de Statistique Canada, CANSIM, matrices 2198 et 2199.

Tableau 4.2 Total des mises en accusation en 1999 et proportion d'hommes, de femmes, de garçons et de filles.

TOTAL GÉNÉRAL DES MISES EN ACCUSATION		**ADULTES ACCUSÉS**				**JEUNES ACCUSÉS**			
		Hommes		**Femmes**		**Garçons**		**Filles**	
N	%	N	%	N	%	N	%	N	%
538 312	100	352 540	65,5	74 298	13,8	86 484	16,1	24 990	4,6

Source : tiré et adapté de Statistique Canada, CANSIM, matrices 2198 et 2199.

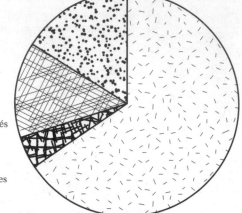

Adultes de sexe masculin accusés

Mineurs accusés

Adultes de sexe féminin accusées

Mineures accusées

Figure 4.1   Répartition graphique des mises en accusation : hommes, femmes, garçons, filles.

Source : Statistique Canada, *Statistique de la criminalité*, 1999.

Le tableau 4.3 reproduit les nombres et les pourcentages des accusations portées contre les auteurs d'infractions au *Code criminel*. Les pourcentages des deux sexes sont sensiblement les mêmes que ceux relevés pour l'ensemble de la criminalité.

Dans le tableau 4.4, la proportion de femmes adultes accusées de crimes de violence est inférieure à celle des femmes ayant commis un délit (*voir le tableau 4.3*); celle des jeunes filles, par contre, est légèrement supérieure. Les jeunes filles comptent pour 23 % du nombre total des jeunes accusés en 1995 et 25 % en 1999, alors que les femmes adultes ne

Tableau 4.3   Infractions au *Code criminel*.

1995					
ADULTES ACCUSÉS			**JEUNES ACCUSÉS**		
Hommes	**Femmes**	**Total**	**Garçons**	**Filles**	**Total**
337 061	71 730	408 791	94 649	26 014	120 663
82 %	18 %	100 %	78 %	22 %	100 %
1999					
Hommes	**Femmes**	**Total**	**Garçons**	**Filles**	**Total**
310 021	66 991	377 012	77 142	22 604	99 746
82 %	18 %	100 %	77 %	23 %	100 %

Source : tiré et adapté de Statistique Canada, CANSIM, matrices 2198 et 2199.

Tableau 4.4 Crimes de violence.

1995					
ADULTES ACCUSÉS			**JEUNES ACCUSÉS**		
Hommes	**Femmes**	**Total**	**Garçons**	**Filles**	**Total**
103 051	14 358	117 409	17 288	5 153	22 441
88 %	12 %	100 %	77 %	23 %	100 %
1999					
Hommes	**Femmes**	**Total**	**Garçons**	**Filles**	**Total**
95 392	15 987	111 379	15 787	5 294	21 081
86 %	14 %	100 %	75 %	25 %	100 %

Source : tiré et adapté de Statistique Canada, CANSIM, matrices 2198 et 2199.

représentent respectivement que 12 % et 14 % des adultes accusés de tels crimes. Faut-il en conclure que les jeunes contrevenantes sont plus violentes que leurs aînées ?

Pour ce qui est des crimes contre la propriété, le tableau 4.5 révèle que la représentation des femmes est plus élevée que pour l'ensemble des infractions au *Code criminel* et que celle des jeunes contrevenantes y est similaire.

Dans l'ensemble, la criminalité féminine (*tableau 4.6*) marque une certaine régression en 1999 comparativement à 1995, qui est toutefois moindre chez les femmes et les filles que dans le total général. En ce qui concerne les infractions au *Code criminel*, on remarque que la baisse de la

Tableau 4.5 Crimes contre la propriété.

1995					
ADULTES ACCUSÉS			**JEUNES ACCUSÉS**		
Hommes	**Femmes**	**Total**	**Garçons**	**Filles**	**Total**
122 940	36 188	159 128	52 956	15 149	68 105
77 %	23 %	100 %	78 %	22 %	100 %
1999					
Hommes	**Femmes**	**Total**	**Garçons**	**Filles**	**Total**
103 528	29 539	133 067	37 542	10 873	48 415
78 %	22 %	100 %	78 %	22 %	100 %

Source : tiré et adapté de Statistique Canada, CANSIM, matrices 2198 et 2199.

Tableau 4.6 Progression ou régression des mises en accusation selon l'âge et le sexe entre 1996 et 1999.

TYPE DE CRIMINALITÉ	PROGRESSION			
	Adultes (2 sexes)	Jeunes (2 sexes)	Femmes	Filles
Ensemble des infractions	–6 %	–13 %	–5 %	–9 %
Infractions au *Code criminel*	–8 %	–17 %	–7 %	–13 %
Crimes de violence	–5 %	–6 %	+11 %	+3 %
Crimes contre la propriété	–16 %	–29 %	–18 %	–28 %
Autres infractions au *Code criminel*	Inchangé	Inchangé	+1 %	+13 %
Infractions aux lois fédérales	+9 %	+44 %	+13 %	+72 %

Source : tiré et adapté de Statistique Canada, CANSIM, matrices 2198 et 2199.

criminalité chez les filles n'est que de 13 %, alors qu'elle est de 17 % chez l'ensemble des jeunes. Les crimes de violence commis aussi bien par des femmes que par des filles marquent une recrudescence, même si dans l'ensemble cette forme de criminalité est à la baisse. Bien que dans cette catégorie la proportion filles–garçons soit plus élevée que la proportion femmes–hommes (*revoir le tableau 4.4*), l'augmentation chez les filles en 1999 est moindre que chez les femmes. En revanche, les crimes contre la propriété sont en forte baisse chez les jeunes filles : près de 28 % de moins en 1999 qu'en 1995, conformément au mouvement général de baisse dans ce type de criminalité. Enfin, une autre fluctuation est digne de mention, soit l'augmentation de 72 % en matière d'infractions aux lois fédérales constatée chez les jeunes filles.

Tableau 4.7 Probabilité d'inculpation selon le sexe de l'accusé.

Probabilité	Filles (% d'inc.)	Garçons (% d'inc.)	Différence (%)
Non ajustée	60,3	58,8	–1,5
Ajustée en fonction des antécédents (région)	55,2	59,7	4,5
Ajustée en fonction de l'âge de l'accusé	57,2	59,3	2,1
Ajustée en fonction du type d'incidents	56,8	59,4	2,7
Ajustée en fonction du *modus operandi* : vol à l'étalage	55,4	59,7	4,2
Ajustée en fonction de la valeur des biens	55,5	59,6	4,2
Ajustée en fonction de l'infraction la plus grave	55,6	59,6	4,0

Source : Peter J. Carrington, *Facteurs ayant une incidence sur la déjudiciarisation par la police des affaires mettant en cause des jeunes contrevenants : analyse statistique*, Rapport établi à l'intention du Solliciteur général du Canada, Université de Waterloo, 1998.

La judiciarisation des comportements délinquants

Dans un rapport remis au Solliciteur général du Canada, Peter J. Carrington établit une comparaison entre la probabilité d'inculpation et le sexe de l'accusé. Les résultats de sa recherche sont présentés dans le tableau 4.7.

L'auteur en conclut que le sexe du jeune arrêté a une incidence modeste mais significative sur la probabilité d'inculpation : le risque d'être inculpé est de 4,5 % plus élevé pour les garçons. Est-ce qu'un tel écart reflète une discrimination selon le sexe ou découle de certaines différences entre les incidents dans lesquels les filles et les garçons sont impliqués ?

On ne peut écarter ce que Marie-Andrée Bertrand[13] a noté, depuis quelques années, pour décrire la réaction du système à l'égard des jeunes filles délinquantes : les juges ont l'impression que les actes délinquants des filles sont insignifiants et non dangereux; et les filles, malgré leur délinquance, sont plus souvent envoyées dans des établissements de protection.

Qu'en est-il de l'incarcération des femmes ? L'étude du tableau 4.8 nous amène à faire les conclusions suivantes :

• Le nombre de femmes détenues dans un établissement fédéral, exprimé en pourcentage du nombre annuel total d'incarcérations en vertu d'un mandat de dépôt, a augmenté au cours des cinq dernières années pour atteindre 5 % en 1998-1999.

Tableau 4.8   Incarcérations en vertu d'un mandat de dépôt.

ANNÉE	INCARCÉRATIONS EN VERTU D'UN MANDAT DE DÉPÔT						TOTAL DES INCARCÉRATIONS
	Hommes			Femmes			
	Nombre	%	Âge moyen	Nombre	%	Âge moyen	
1994-1995	4634	96,8	32,2	151	3,2	32,0	**4785**
1995-1996	4246	96,6	32,4	148	3,4	32,5	**4394**
1996-1997	4378	96,0	32,8	181	4,0	31,9	**4559**
1997-1998	4216	95,5	32,5	198	4,5	33,3	**4414**
1998-1999	4416	95,0	32,9	232	5,0	32,8	**4648**

Source : Service correctionnel du Canada.

---

13. Marie-Andrée Bertrand, « Le caractère discriminatoire et inique de la justice pour mineurs », dans *Déviance et Société*, vol. 1, n° 2, 1978, p. 187-202.

- Dans l'ensemble, le nombre total de femmes détenues dans un établissement fédéral ne correspond encore qu'à une faible proportion du nombre total d'incarcérations.
- L'âge moyen des femmes détenues est demeuré stable, soit 32 et 33 ans, ce qui est sensiblement le même âge que pour les hommes.

Ces chiffres et ces pourcentages relatifs aux mises en accusation, à la judiciarisation et à l'incarcération entraînent les observations suivantes :

- De façon générale, le pourcentage de la criminalité féminine est considérablement moindre que celui de la criminalité masculine.
- Les délits de violence sont en recrudescence chez les femmes et encore davantage chez les filles, du moins selon les statistiques officielles.
- En matière de délinquance féminine, la recrudescence la plus évidente se trouve dans les crimes de violence. Cette tendance n'est pas nouvelle. En effet, Marie-Andrée Bertrand[14] affirmait en 1979 que, de 1960 à 1972, le nombre de femmes condamnées pour des actes criminels avait triplé, alors que celui des hommes n'avait augmenté que de 16 %.
- Les garçons risquent d'être plus judiciarisés que les filles.
- Le nombre de femmes détenues dans des établissements fédéraux, et qui ont donc commis les délits les plus graves, est en recrudescence.

Tentatives d'explication

On ne doit pas oublier que les statistiques révèlent d'abord des délits « rapportés », c'est-à-dire qu'elles reflètent une réaction consécutive à une victimisation. Il est donc vraisemblable que ces chiffres soient en-deçà de la criminalité réelle. En effet, si on prend l'exemple de la violence conjugale et des délits sexuels, certaines études de victimisation démontrent que les individus de sexe masculin rapportent moins fréquemment les événements dont ils ont été victimes.

Néanmoins, quel que soit le volume de la criminalité cachée, l'hypothèse la plus plausible veut que la délinquance féminine soit moins répandue, de façon générale, que la criminalité masculine, et, si les explications génétiques n'ont plus cours à l'heure actuelle, les explications sociologiques demeurent particulièrement pertinentes.

Historiquement, au Canada, et plus particulièrement au Québec, les femmes ont été reléguées au second plan de la vie sociale et politique en raison de préceptes religieux. Au Canada, elles n'ont acquis le droit de vote qu'en 1918 et au Québec, en 1940. Jusqu'en 1983, l'agression sexuelle

---

14. Marie-Andrée Bertrand, *La femme et le crime*, Montréal, L'Aurore, 1979, p. 10 et suiv.

d'un conjoint contre sa conjointe n'était pas considérée comme un délit criminel, si l'on en juge par la définition du viol que donnait alors le *Code criminel* : « Acte sexuel frauduleux ou coercitif commis par une personne de sexe masculin avec une personne de sexe féminin qui n'est pas son épouse. »

Ce n'est que dans les années 1970 qu'ont débuté les initiatives visant à donner la pleine égalité aux femmes, mais l'évolution est lente.

— 1970 : Commission royale d'enquête sur la situation de la femme au Canada et création d'associations de familles monoparentales;

— 1973 : création du Conseil du statut de la femme;

— 1975 : création, par des groupes communautaires, des premières maisons d'hébergement pour femmes violentées;

— 1980 : nombreuses initiatives, notamment du gouvernement du Québec et de certaines organisations non gouvernementales (Plaidoyer-victimes, Société de criminologie du Québec), pour aviver la sensibilité collective aux divers aspects de la victimisation des femmes;

— 1986 : première politique québécoise officielle destinée à contrer la violence entre conjoints;

— 1995 : précision de cette politique et mise sur pied de programmes spécifiques de formation à l'intention des policiers et des intervenants.

Tout cela nous amène à considérer l'aspect victimologique des femmes. Cet aspect a occupé une grande place dans la documentation au cours des vingt dernières années, notamment en ce qui concerne la violence qu'elles subissent dans la famille et les relations de couple. Ginette Larouche souligne que cette forme de victimisation provient d'un certain nombre de stéréotypes féminins et masculins. « Le stéréotype féminin ou l'incapacité apprise font que la femme se caractérise par l'abnégation, la responsabilité de la nourriture affective dans la cellule familiale, la douceur et la passivité, la censure de la colère, la faible estime de soi, l'apprentissage de la non-affirmation, la croyance qu'une femme ne peut survivre sans la présence d'un partenaire masculin[15]. »

Quant au stéréotype masculin, elle le résume ainsi : « La virilité passe par des actions agressives, la domination mâle est liée au pouvoir de soumettre la femme, le rôle premier de l'homme est d'être un pourvoyeur, l'homme doit être fort, rationnel et productif, l'homme devrait pouvoir censurer ses émotions, ce qui favorise, selon certains, le recours à la

---

15. Extrait adapté d'un tableau qui met en évidence les facteurs explicatifs de la violence à l'égard des femmes. Ginette Larouche, *Agir contre la violence : une option féministe à l'intervention auprès des femmes battues*, Lachine, Éditions de la Pleine Lune, 1987, p. 45-46.

violence, les comportements stéréotypés incitent à la coercition; la publicité valorise la violence à l'égard des femmes[16]. »

Ainsi, d'un côté, on souligne davantage la victimisation des femmes et, de l'autre, leur criminalité semble en recrudescence depuis déjà quelques années. Par ailleurs, leurs droits sont de plus en plus reconnus et leur accès à la vie économique coïncide avec la prise en charge de responsabilités familiales accrues et la nécessité pour elles d'avoir une plus grande autonomie financière. N'y aurait-il pas là quelques éléments expliquant leur participation plus fréquente à des activités délictueuses ?

4.2 Les facteurs individuels acquis ou transitoires

On entend par facteurs individuels acquis ou transitoires les problèmes de santé mentale d'origine organique ou psychique, l'alcoolisme et les autres toxicomanies ainsi que l'âge. Ces facteurs peuvent avoir une incidence sur le comportement délictueux.

Les problèmes de santé mentale

Les problèmes de santé mentale sont-ils un facteur criminogène ?

Selon certains spécialistes, les maladies mentales peuvent prédisposer à la violence, mais seul un petit nombre de personnes passeront à l'acte. Ainsi, celles qui souffrent de troubles neurologiques ou d'une psychose sont plus susceptibles de devenir violentes que l'ensemble de la population. Cette propension à la violence est encore plus forte lorsque s'y greffe un problème d'alcool ou de drogue. Ces spécialistes ajoutent cependant qu'il est possible de prévenir la violence chez ces personnes en leur procurant l'aide nécessaire à cette fin. Cette aide peut prendre la forme d'un traitement continu et d'un soutien compréhensif et attentif offert par la collectivité.

Dans un texte intitulé *Les malades mentaux face à la justice*, Sheilagh Hodgins affirme : « Les personnes qui souffrent de troubles mentaux graves sont à risque élevé pour la criminalité et surtout pour la violence[17]. » Elle cite une étude de cohortes dont les sujets ont été suivis de la grossesse à l'âge adulte. Cette recherche aurait démontré que les sujets atteints de

---

16. Ginette Larouche, *Agir contre la violence : une option féministe à l'intervention auprès des femmes battues, op. cit.*, p. 49-50.
17. Sheilagh Hodgins, « Les malades mentaux face à la justice », dans D. Szabo et M. Leblanc, *Traité de criminologie empirique*, 2e éd., Montréal, Les Presses de l'Université de Montréal, 1994, p. 324.

troubles mentaux graves commettaient plus de délits (y compris des délits de violence) que ceux n'ayant ni trouble mental ni déficit intellectuel. Elle ajoute : « Il n'y a aucune raison de penser que ces trouvailles sont la conséquence d'une discrimination de la part de la police ou du système judiciaire[18]. »

Par ailleurs, l'auteure signale « qu'il semble exister une relation entre la déficience intellectuelle et la criminalité officielle[19] ».

Dans le système de justice, on constate en effet que les intervenants œuvrant au sein des corps policiers, des tribunaux et du secteur correctionnel sont souvent aux prises avec des personnes ayant des troubles de santé mentale.

Du point de vue du système policier, c'est la désinstitutionnalisation (le fait de ne plus maintenir dans des institutions psychiatriques ou d'autres établissements spécialisés les personnes souffrant de troubles mentaux) qui, depuis quelques années, cause certains problèmes. En effet, sans nécessairement commettre d'actes délictueux, les personnes ayant des troubles mentaux se comportent quelquefois de façon déviante ou marginale, notamment dans des endroits publics, contreviennent à des règlements municipaux ou troublent la paix et l'ordre. Cela nécessite une intervention policière préventive, voire répressive, qui n'est pas toujours aisée. Les médias rapportent parfois des situations où les policiers, à cause de leur méconnaissance de cette problématique, ont commis des bévues lors de leur intervention auprès de ces personnes, ce qui suscite la réprobation de l'opinion publique.

Les motifs du non-maintien en institution peuvent être louables lorsque s'y substituent la prise en charge par la famille, la non-stigmatisation des personnes mentalement handicapées et leur intégration sociale sans exclusion. Quelquefois, cependant, les motifs sont d'ordre purement économique et, en l'absence de prise en charge, il en découle des problèmes de nature criminologique.

En ce qui a trait aux tribunaux, on peut considérer trois hypothèses : soit le problème est tellement grave que le justiciable est incapable d'exercer son droit à une défense pleine et entière, ce qui entraîne l'inaptitude de la personne à subir un procès; soit le désordre mental est tel que les tribunaux doivent prononcer l'acquittement et l'internement de l'accusé dans un hôpital pour soins psychiatriques; soit, enfin, l'accusé est condamné en dépit de son trouble, auquel cas ce sont les services correctionnels ou

---

18. *Ibid.*, p. 328.
19. *Id.*, p. 328.

Tableau 4.9   Prévalence des troubles mentaux chez les détenus du Québec et dans la population masculine non incarcérée.

Diagnostics	Détenus	Ensemble de la population masculine
Syndrome cérébral organique	0,4 %	0,9 %
Schizophrénie	7,1 %	0,5 %
Trouble bipolaire	4,2 %	0,7 %
Dépression majeure	11,2 %	2,1 %

Source : tiré d'un article de Sheilagh Hodgins et Gilles Côté, « The Criminality of Mentally Disordered Offenders », dans *Criminal Justice and Behavior*, vol. 20, n° 2, juin 1993, p. 115-129.

le réseau public des soins de santé qui hériteront de la gestion du cas, en milieu fermé ou dans la collectivité.

Dans son article, Sheilagh Hodgins effectue une comparaison entre la prévalence à vie des troubles mentaux graves chez les hommes incarcérés au Québec et chez les hommes non incarcérés. Le tableau 4.9 en expose les résultats.

Qu'en est-il des maladies qui ont des répercussions sur la santé mentale et, par là même, sur le comportement délictueux ? Nous en décrirons succinctement trois types : les maladies congénitales du cerveau qui sont à l'origine d'une déficience intellectuelle plus ou moins prononcée, certaines névroses et certaines psychoses.

Les déficiences intellectuelles

Peu ou pas autonomes, les personnes atteintes d'une déficience intellectuelle profonde ou grave ne posent pas de problème sur le plan criminologique. Le pire cas envisageable est celui où les moins handicapées d'entre elles, à cause de leur caractère extrêmement influençable, sont incitées par des personnes criminalisées à perpétrer certains délits. Par contre, le véritable risque qu'encourent les déficients lourds est celui de la victimisation par leur propre milieu ou par les intervenants présents dans les organismes qui les hébergent.

Les déficients moyens sont, pour leur part, capables d'effectuer certains apprentissages. Moyennant une supervision adéquate, ils arrivent à se prendre en mains jusqu'à un certain point. Mais l'influence ou l'hostilité de leur entourage peuvent aussi les inciter à adopter des comportements agressifs.

Quant aux déficients légers, ils peuvent procéder à certains apprentissages de type concret, mais ne sont pas capables d'abstraction. Sur le plan criminologique, ces personnes présentent plus de risques de délinquance que les autres déficients, car leur physique et leur sexualité se développent normalement, mais pas leur capacité à satisfaire leurs besoins. De plus, leur jugement est souvent faussé et peut les amener à adopter des comportements délictueux persistants et graves.

Les névroses et les psychoses

Dans « The Nature of the Neurotic Process », Lawrence S. Kubie déclare que le processus névrotique renferme plusieurs éléments qu'il résume ainsi : une charge violente imposée à un individu très tôt dans sa vie, des modèles de répétition obligatoire et différentes sortes de distorsion des fonctions symboliques. Le tout se solde par la perte de la liberté de changement[20]. En d'autres termes, des traumatismes subis en bas âge amènent un individu à déformer inconsciemment sa perception de la réalité qu'il vit à l'âge adulte et, sans pouvoir se contrôler, à réagir aux événements présents comme s'il s'agissait d'événements de son passé qui, eux, n'apparaissent pas dans sa conscience lucide.

La différence fondamentale entre la psychose et la névrose réside dans trois éléments :

— le degré de gravité du trouble;

— ses caractéristiques;

— la conscience que le malade a ou non de sa propre maladie; en fait, le névrosé est douloureusement conscient de son état, tandis que le psychotique croit généralement être sain d'esprit et pense que ce sont les autres qui n'arrivent pas à le comprendre.

Examinons à présent quelques types de névroses pour en dégager l'importance criminologique.

Les divers types de névroses

Voici divers types de névroses :

• **La névrose dépressive**   Jusqu'au XIXe siècle, la névrose dépressive portait le nom de « mélancolie ». Aaron T. Beck en a décrit les symptômes : dérèglement de l'humeur, sentiment de culpabilité, comportement avilissant, désir de mort, douleurs physiques et impression d'avoir commis quelque impardonnable faute[21]. Cette sorte de névrose présente un risque de suicide et même, dans les états les plus graves, de « suicide élargi », qui consiste pour un névrosé à tuer tous les membres de sa famille avant de se suicider.

---

20. Lawrence S. Kubie, « The Nature of the Nevrotic Process », dans *American Handbook of Psychiatry*, 2e éd., New York, Basic Books Inc., 1974, p. 3-17.
21. Aaron T. Beck, « Depressive Neurosis », dans *American Handbook of Psychiatry*, 2e éd., New York, Basic Books Inc., 1974, p. 61-90.

- **Les phobies**   Les phobies sont des peurs injustifiées qu'un individu éprouve à l'égard d'objets ou de situations. P. Friedman et J. Goldstein ajoutent qu'une personne phobique est elle-même consciente de l'irrationalité de ses craintes[22]. Criminologiquement, cette sorte de névrose n'a de l'importance que si elle dégénère en psychose de nature paranoïde.

- **Les déviations sexuelles**   Plusieurs déviations sexuelles ont une importance criminologique particulière puisqu'elles dégénèrent parfois en des comportements réprimés par la loi. Nous examinons ici les plus connues.

  La pédophilie   Perversion sexuelle d'un adulte qui a un comportement ou des désirs érotiques à l'égard des enfants, quel que soit leur sexe. Il peut s'agir d'une simple tendance, consciente, sans passage à l'acte. Dans certains cas, le désir est inconscient ou reste platonique et sublimé dans des vocations pédagogiques. La **pédophilie** devient un crime grave lorsqu'elle se traduit en actes : entretiens, activités ou attouchements libidineux, sodomie, viol, etc. On parle alors d'agression sexuelle contre des enfants, punissable par la loi, et, plus techniquement, de *pédocriminalité*, terme qui recouvre l'aspect social et juridique du crime et de ses conséquences (Office de la langue française, 2001).

  Le sadisme   Défini par Richard von Krafft-Ebing, cité dans I. Bieber, le **sadisme** est « une sensation de plaisir sexuel (incluant l'orgasme) produite par des actes de cruauté infligés par la personne elle-même ou par un tiers, à des animaux ou à des êtres humains. Il peut aussi se traduire par un désir d'humilier, de blesser, de faire mal ou même de détruire les autres dans le but d'éprouver ce plaisir[23]. » On comprendra facilement qu'un sadique est un criminel en puissance et qu'il peut ainsi être porté à commettre différents délits contre la personne.

  Le masochisme   À l'inverse du sadisme, le **masochisme** est la recherche du plaisir sexuel dans la souffrance imposée à soi-même. L'importance de cette déviation est surtout victimologique, c'est-à-dire que la personne qui en est atteinte est plus vulnérable et peut plus facilement être la proie de certains types de criminels.

  Le voyeurisme et l'exhibitionnisme   Ce sont deux autres déviations sexuelles criminologiquement importantes puisqu'elles sont directement réprimées par la loi.

- **La kleptomanie et la pyromanie**   Au nombre des troubles du comportement figurent également la **kleptomanie** et la **pyromanie**, qui se caractérisent respectivement par le besoin irrésistible de s'approprier le

---

22. P. Friedman et J. Goldstein, « Phobic Relations », dans *American Handbook of Psychiatry*, 2e éd., New York, Basic Books Inc., 1974, p. 91-109.
23. I. Bieber, « Sadism and Masochism: Phenomenology and Psychodynamics », dans *American Handbook of Psychiatry*, 2e éd., New York, Basic Books Inc., 1974, p. 316-333.

bien d'autrui et par celui de jouir de la vue du feu. Vols à l'étalage et incendies criminels en sont généralement les conséquences qui préoccupent le criminologue.

- **Les troubles obsessifs compulsifs**   Parmi les personnes atteintes de troubles obsessifs compulsifs, on retrouve notamment certains joueurs. Un joueur compulsif, sans être nécessairement criminalisé, peut quelquefois, à cause de sa dépendance au jeu, commettre des larcins, voire des vols ou des fraudes, s'adonner à l'alcoolisme ou être poussé au suicide ou au suicide élargi. Ce phénomène, comme on le sait, a pris beaucoup d'ampleur au cours des dernières années et préoccupe autant les chercheurs que les instances communautaires et gouvernementales.

Les divers types de psychoses
Examinons maintenant quelques exemples de psychoses.

- **La schizophrénie**   Voici quelques-uns des symptômes qui caractérisent la schizophrénie, selon le Réseau canadien de la santé[24] :
  - avoir des pensées irrationnelles;
  - avoir des hallucinations (voir ou entendre des choses que les autres ne voient pas ou n'entendent pas);
  - être extrêmement anxieux;
  - avoir des idées délirantes (croyances irrationnelles);
  - être passif;
  - être dépressif;
  - manquer de motivation.

Ces symptômes sont souvent sporadiques, leur intensité n'est pas la même pour tous ceux qui en sont atteints et, avec une médication appropriée, près du quart des malades peuvent aspirer à une guérison, tandis que près de 15 % ne bénéficient d'aucune amélioration de leur état et que 10 % en meurent.

Les causes de la maladie peuvent être biologiques (associées à des anomalies du cerveau ou à des réactions chimiques au sein d'un autre organe du corps), psychologiques (associées à des anomalies de la pensée ou des émotions) ou sociales (associées aux événements et aux contraintes de la vie).

---

24. Réseau canadien de la santé, « Quelles sont les maladies incubales graves les plus fréquentes ? Comment les reconnaît-on ? », étude de l'Association canadienne pour la santé mentale (bureau national), janvier 1999, http://www.canadian-health-network.ca

- **Le trouble bipolaire (maniaco-dépression)**   Le trouble bipolaire est également appelé troubles de l'humeur ou troubles affectifs. Les personnes souffrant d'un trouble bipolaire ont des sautes d'humeur ainsi que des périodes dépressives et des périodes maniaques.

Dans la phase dépressive, elles peuvent souffrir d'anxiété, se sentir désemparées ou désespérées, perdre tout intérêt pour les activités qu'elles aimaient auparavant, éprouver un sentiment de culpabilité, penser au suicide. Une telle idéation suicidaire peut les amener à passer à l'acte si elles sont arrêtées ou incarcérées. Aussi, les policiers et les intervenants correctionnels doivent-ils porter une attention particulière à tout indice de dépression chez ces personnes. Dans les crises de dépression les plus graves, elles peuvent aussi commettre un suicide élargi.

Dans la phase maniaque, par contre, elles sont d'humeur sociable et joyeuse; elles sont loquaces et débordent d'énergie et d'assurance. En revanche, elles peuvent devenir très irritables, imprévisibles, présomptueuses à l'excès ou imprudentes. Par exemple, elles peuvent se mettre à dépenser sans compter, au point de se ruiner, ou commettre toutes sortes de délits acquisitifs ou même violents dans leur délire de grandeur et d'invulnérabilité.

- **La psychopathie**   Dans l'*American Handbook of Psychiatry*, un chapitre est consacré à ce qui est appelé le comportement antisocial (*antisocial behavior*), que Jonas R. Rappeport définit comme suit :

> Il y a un groupe d'individus dans notre société dont le comportement, à certains moments, est absolument incroyable. Durant des années, ils ont intrigué les juges, les avocats, les pénologues et les psychiatres. Depuis quelque temps, on emploie des termes tels que psychopathe, sociopathe ou personnalité antisociale pour les désigner[25].

Le même auteur indique que des psychiatres canadiens ont effectué des travaux de recherche au sujet du psychopathe, qu'ils ont décrit de la manière suivante : il ne tire aucun profit de l'expérience vécue, il n'a pas le sens des responsabilités, il est incapable d'établir des relations significatives, il n'a aucun contrôle sur ses pulsions, il n'a pas de sens moral, son comportement antisocial est chronique et répétitif, le châtiment ne change pas son comportement, il est immature sur le plan émotif, il est incapable d'éprouver un sentiment de faute, il est égocentrique (c'est-à-dire centré sur lui-même et ses propres besoins)[26].

---

25. J.R. Rappeport, « Antisocial Behavior », dans *American Handbook of Psychiatry*, 2e éd., New York, Basic Books Inc., 1974, p. 255-269.
26. *Ibid.*, p. 258.

Une telle personnalité, pour laquelle tout traitement est pratiquement impossible, engendre évidemment des criminels parmi les plus dangereux.

L'alcoolisme et les autres toxicomanies

L'alcool et les autres psychotropes se caractérisent par au moins quatre éléments communs.

- Ils font souvent l'objet d'une interdiction ou, du moins, d'une réglementation juridiques.
- Ils modifient la perception, les forces psychomotrices et l'humeur de la personne qui en fait usage et ont un effet désinhibiteur.
- Ils peuvent entraîner une certaine dépendance physique ou psychologique.
- Ils peuvent aussi avoir un effet victimogène.

L'importance criminogène de l'alcool et des autres psychotropes s'explique comme suit :

- Toute personne qui en achète, en possède ou en vend sans se conformer à la loi ou aux règlements commet, par le fait même, un délit et devient donc passible d'une sanction pénale. En effet, la législation provinciale réglemente la vente et la distribution de l'alcool ainsi que l'exploitation des débits de boissons. La législation fédérale, pour sa part, condamne le trafic, la possession en vue du trafic, la culture, l'importation et l'exportation, ainsi que la possession simple de diverses substances.
- Comme ils modifient la perception et les forces psychomotrices, l'alcool et les autres psychotropes sont des éléments constitutifs de certains délits tels que l'ivresse au volant, la conduite avec les facultés affaiblies, l'ivresse sur la voie publique, etc., sans compter les multiples accidents de la route qui se soldent par de nombreuses victimes. Par ailleurs, en affectant l'humeur, l'alcool et d'autres psychotropes ont un effet désinhibiteur et peuvent ainsi amener certaines personnes à commettre des délits de violence (les altercations dans les bars ou les endroits publics, par exemple). Des suicides sont également attribuables à l'effet de certaines drogues. La violence intrafamiliale aussi résulte souvent de la consommation de psychotropes.
- Comme l'alcool et les drogues entraînent une certaine dépendance psychologique ou physique, ils peuvent pousser le toxicomane à commettre des vols pour se procurer l'argent nécessaire à leur achat. Ils peuvent aussi l'inciter à fréquenter des milieux plus ou moins criminogènes (les sous-cultures des drogues, le monde du crime organisé qui fournit certaines drogues, etc.) ou l'entraîner vers une sorte de déviance ou de marginalité (portrait de l'ivrogne ou du drogué qui vit complètement en marge de la société).

De nombreuses études ont été effectuées sur les effets criminogènes de l'alcoolisme et des autres toxicomanies et sur la prévalence de ces phénomènes chez les personnes relevant des services correctionnels, notamment des établissements de détention.

Une recherche de Susan A. Vanderberg, John R. Weekes et William A. Millson[27] indique que 55 % des délinquants sous la juridiction des Services correctionnels fédéraux ont déclaré avoir été sous l'effet de l'alcool, d'une drogue ou des deux le jour où ils avaient commis le crime pour lequel ils sont incarcérés. Cette même étude montre qu'environ 50 % de ces délinquants souffrent d'un problème de toxicomanie.

Les auteurs donnent en outre les résultats d'une étude que le Service correctionnel du Canada a faite auprès de quelque 9000 délinquants sur la toxicomanie précoce et ses effets sur les problèmes d'alcool et de drogue des délinquants adultes. Les voici :

- L'âge moyen auquel les délinquants ont consommé de l'alcool pour la première fois est de 14 ans.
- Parmi ceux qui ont consommé de l'alcool, 29 % l'ont fait durant leur préadolescence (12 ans ou moins).
- L'âge moyen auquel les délinquants ont consommé pour la première fois à des fins non médicales des substances disponibles sur ordonnance ou non est de 16 ans.
- Quelque 58 % des membres de l'échantillon total ont indiqué qu'ils avaient participé à des activités illégales avant d'avoir 18 ans. De ce sous-échantillon, près de 90 % ont été reconnus coupables d'un crime en tant que délinquants juvéniles. Les délinquants qui ont commencé à boire de l'alcool durant leur préadolescence ont participé à des activités illégales à un âge beaucoup plus précoce (15,8 ans) que ceux qui n'en ont pas bu avant l'adolescence (18,8 ans).

En somme, l'alcool et la drogue figurent parmi les éléments de la dynamique du crime; ce sont des facteurs qui déclenchent ou facilitent l'acte criminel.

Enfin, l'alcool et la drogue peuvent aussi avoir un effet victimogène, c'est-à-dire qu'une personne sous l'effet de l'un ou l'autre pourrait être vulnérable et, par conséquent, plus exposée à devenir victime de certains délits.

L'âge

Pourquoi classe-t-on l'âge parmi les facteurs criminogènes transitoires ? Tout simplement parce que la propension au crime, la nature des délits et

---

27. Susan A. Vanderberg, John R. Weekes et William A. Millson, « Early Substance Use and its Impact on Adult Offender Alcohol and Drugs Problems », dans *Forum on Corrections Research*, vol. 7, n° 1, janvier 1995; voir http://www.csc.scc.gc.ca/text/pblct/forum/e07/e071d.shtml

la réaction sociale à l'égard des actes répréhensibles se modifient selon l'âge.

Évidemment, la façon de répartir les individus dans des groupes d'âge est un peu artificielle, car on ne change pas de comportement lorsqu'on passe de 17 ans et 364 jours à 18 ans. Mais pour faciliter l'établissement de statistiques et la compréhension des phénomènes de délinquance, on s'entend sur une classification criminologique en cinq catégories : les enfants (jusqu'à 12 ans), les adolescents (jusqu'à 18 ans), les jeunes adultes (jusqu'à environ 30 ans), les adultes plus âgés (jusqu'à 60 ans environ) et les aînés.

Il est rare que les enfants de moins de 12 ans se rendent coupables d'actes délictueux et, lorsque cela se produit, ce sont généralement les lois régissant la protection de l'enfance qui s'appliquent. Il est révolu le temps où l'on considérait qu'un enfant de sept ou huit ans, ayant, prétendait-on, atteint l'âge de raison, devait être traité comme un contrevenant partiellement responsable de ses actes. Les lois actuelles stipulent plutôt qu'un enfant de cet âge ayant commis un délit est un jeune en difficulté qui est exposé à des dangers physiques ou moraux et qui a besoin d'aide, de protection et d'éducation.

On estime qu'à partir de 12 ans l'adolescent possède des facultés de discernement pouvant entraîner une certaine responsabilité juridique et qu'il peut être apte à répondre de ses actes délictueux. Les statistiques révèlent d'ailleurs que la délinquance atteint des proportions considérables dans le groupe d'âge de 12 à 18 ans. Une étude de Kwing Hung et Stan Lipinski indique que près d'un jeune sur dix aura affaire à la police pour avoir commis une infraction relevant du *Code criminel* ou d'autres lois fédérales[28].

De plus, selon ces auteurs, le taux d'accusation s'accroît plus vite chez les jeunes que chez les adultes. En 1992, il était de 63 pour 100 000 jeunes, soit 2,5 fois le taux des adultes, lequel s'élevait à 25 pour 100 000[29].

Toutefois, de nombreux travaux de recherche sur la délinquance juvénile démontrent que la plupart de ces jeunes réadoptent ensuite spontanément un comportement respectueux des lois, surtout lorsque leur cause est déjudiciarisée, c'est-à-dire réglée par des mesures de rechange ou la conciliation, ce qui leur évite une comparution devant la justice.

C'est pourtant dans cette catégorie d'âge que certains jeunes commencent à s'enraciner dans un milieu criminel, et que s'amorce alors l'escalade dans la gravité des délits qu'ils commettent.

---

28. Kwing Hung et Stan Lipinski, « Questions and Answers on Youth and Justice », dans *Forum on Corrections Research*, vol. 7, n° 1, janvier 1995.

29. *Id.*

Ce sont les jeunes adultes qui forment le groupe le plus criminalisé. Ils se rendent généralement coupables d'une certaine criminalité classique : vols simples, vols par effraction ou à main armée, voies de faits ou homicides. On les trouve alors dans les établissements carcéraux pour des périodes plus ou moins longues.

Par contre, une carrière criminelle commence rarement dans la trentaine ou la quarantaine, la criminalité nouvelle ayant alors tendance à décliner. Cette catégorie d'âge regroupe plutôt des personnes déjà enracinées dans le crime : membres du crime organisé, grands trafiquants de drogues, criminels professionnels, etc. Il peut aussi s'agir de personnes qui ont été honnêtes toute leur vie, ou encore qui ont peut-être perpétré un acte frauduleux ou un autre délit acquisitif sans avoir jamais eu de démêlés avec la justice, et qui commettent subitement un acte délictueux plus ou moins grave. L'exemple du joueur compulsif est frappant : à quelques années de la retraite, il se voit tout à fait incapable d'avoir une vie décente à cause de ses dettes de jeu et il décide alors de rétablir sa situation financière de façon illicite.

Finalement, on trouve chez les personnes âgées des marginaux, des alcooliques et des itinérants dont l'acte délictueux consiste généralement à troubler la paix ou à commettre de petits larcins. Et puisqu'il a souvent été question de l'aspect victimologique dans ce chapitre, soulignons que les personnes âgées peuvent quelquefois être victimisées par leur entourage qui les exploite physiquement ou financièrement parce qu'elles sont sans défense. De nombreuses mesures préventives ont déjà été adoptées pour contrer ces abus.

En bref

Dans ce chapitre, nous avons décrit deux types de facteurs criminogènes individuels : les *facteurs innés*, qui sont inhérents à une personne dès sa naissance, sinon dès sa conception, et les *facteurs acquis ou transitoires*, qu'elle acquiert au cours de sa vie ou qui en constituent des épisodes passagers.

Parmi les **facteurs innés**, nous avons traité tout d'abord de la constitution physique de l'individu et de ses caractéristiques anthropologiques. Deux approches ont été évoquées : celle de la *phrénologie*, qui soutient que la forme du crâne épouserait la forme du cerveau et révélerait une future délinquance, et celle du *criminel-né* qui, selon Lombroso, serait un être portant des marques de dégénérescence qui l'amèneraient inévitablement à commettre des crimes.

Nous avons aussi présenté les trois méthodes utilisées pour démontrer que *l'hérédité* peut aussi être un facteur criminogène. La première est *l'analyse d'arbres généalogiques* de familles délinquantes et de familles non délinquantes; la deuxième, *l'élaboration de statistiques* permettant le calcul des probabilités de ressemblance physique entre des personnes ayant divers liens de parenté et, sur cette base, le calcul des probabilités que ces personnes adoptent des comportements similaires; et la troisième est la comparaison entre les comportements de jumeaux identiques et ceux de jumeaux non identiques.

Les facteurs raciaux ont été considérées par certains auteurs, notamment à l'époque où régnait la discrimination raciale aux États-Unis, comme des facteurs criminogènes entrant dans la catégorie des causes individuelles innées. Une telle approche est totalement abandonnée à l'heure actuelle car, même si l'on trouve des différences statistiquement significatives dans les comportements délictueux en fonction de cette variable, les seules explications jugées valables aujourd'hui sont de nature sociologique et s'appuient sur les deux facteurs suivants : la *discrimination* et l'*anomie*.

Enfin, puisque *la criminalité des hommes et des femmes* se distingue, selon les statistiques officielles sur les mises en accusation, par des écarts considérables, d'aucuns se sont demandé si le sexe avait un effet sur le comportement délictueux. Toutefois, depuis qu'on a constaté une recrudescence des accusations de délits de violence portées contre des femmes, et surtout contre de jeunes femmes, on est en droit de se demander si les explications génétiques ne sont pas totalement dépassées par les changements apportés au statut de la femme.

Quant aux **facteurs acquis ou transitoires**, nous en avons examiné trois : les problèmes de santé mentale, l'alcoolisme et les autres toxicomanies, ainsi que l'âge.

Déficience légère, névrose et psychose sont les principaux problèmes de santé mentale qui, statistiquement, ont une incidence sur le comportement criminel, en plus d'être des facteurs de marginalité, surtout depuis la désinstitutionnalisation d'un grand nombre de personnes qui en sont atteintes.

On observe ainsi chez les détenus une prévalence de *la schizophrénie, du trouble bipolaire et de la dépression majeure* dans des proportions beaucoup plus élevées qu'au sein de la population en général. Aussi avons-nous défini dans ce chapitre les symptômes de plusieurs de ces problèmes, de certaines névroses et de différentes déviations sexuelles, ainsi que leurs répercussions sur le comportement.

L'alcoolisme et les autres toxicomanies jouent, pour leur part, un rôle important dans le passage à l'acte délictueux. En d'autres termes, de nombreux délits sont commis sous l'empire de l'alcool ou d'autres psychotropes qui ont un effet désinhibiteur. La réglementation ou la criminalisation de la possession, de la vente, de la culture, de la fabrication et de l'importation de certaines substances peut aussi expliquer qu'elles soient l'objet d'une grande criminalité. La dépendance envers les drogues et leur coût élevé peuvent inciter ceux qui en consomment à commettre divers délits pour s'en procurer. Sous l'effet de ces drogues, ces consommateurs deviennent également plus vulnérables à la victimisation.

L'âge, enfin, qui détermine les différentes étapes de la vie — l'enfance, l'adolescence, la jeunesse, la maturité et la vieillesse — peut être associé à des comportements délictueux ou à une certaine vulnérabilité sur le plan victimologique : la délinquance des adolescents peut durer le temps d'une erreur de jeunesse ou au contraire prendre le chemin de l'enracinement criminel; les jeunes adultes représentent pour leur part la catégorie la plus criminalisée; puis la criminalité décline avec l'âge et disparaît pratiquement lors de la vieillesse, qui engendre cependant une plus grande vulnérabilité.

Questions et exercices

1. Les préjugés raciaux et interethniques sont souvent la cause de bévues policières; faites une étude des articles de journaux qui ont traité de tels événements et commentez-les en vous inspirant des explications données dans ce chapitre.

2. Vous avez pu voir, dans ce chapitre, les différences d'ordre statistique quant aux mises en accusation des hommes et des femmes pour les divers types de criminalité. Faites une étude des statistiques relatives à la criminalité masculine et féminine dans votre région.

3. La victimisation des femmes est un sujet d'intérêt pour les criminologues mais aussi pour les gouvernements. Quelles ont été les mesures prises au cours des dernières années pour contrer la violence envers les femmes ?

4. On dit que certains itinérants ont des problèmes de santé mentale et que leur comportement oblige parfois les policiers à intervenir. Les difficultés propres à de telles interventions ont quelquefois donné lieu à la victimisation des itinérants visés. Faites une recherche sur cette question.

5. Dépendance à l'égard de la drogue et prostitution sont souvent liés. Après avoir interrogé des policiers ou des travailleurs de rue, faites l'analyse de leurs points de vue sur le sujet.

6. La criminalité en fonction de l'âge peut faire l'objet de plusieurs études auprès des policiers ou des autres intervenants du système de justice. Sélectionnez un domaine précis et faites-en une analyse après avoir effectué les entrevues et les observations préalables.

7. L'actualité journalistique traite souvent, avec beaucoup de sensationnalisme, des déviations sexuelles et des comportements criminels qu'elles suscitent. En vous inspirant des notions exposées dans le présent chapitre et dans le chapitre 5, faites une analyse du contenu de l'information que les médias diffusent à ce sujet.

Chapitre 5

Les facteurs sociaux _____

Nous parlerons maintenant d'un dernier groupe de facteurs criminogènes. Il s'agit des **facteurs sociaux**, c'est-à-dire des facteurs qui sont liés au milieu de vie et qui ont un effet sur l'apparition de la criminalité.

La criminalité est de plus en plus présente dans la vie quotidienne des citoyens. Nous risquons tous, en tout temps, de devenir la victime ou le témoin d'un crime. Les médias rapportent régulièrement la perpétration de crimes violents et spectaculaires, ce qui peut nous laisser croire que la violence s'accentue dans notre société.

Dans ce chapitre, nous décrirons d'abord les liens entre la culture, les facteurs socioéconomiques et la répartition géographique de la criminalité, puis nous examinerons successivement la relation entre la criminalité et le milieu familial, l'école, les pairs et les médias de masse.

5.1 Culture, facteurs socioéconomiques et répartition géographique de la criminalité

Dans cette première partie, nous décrirons d'abord le lien entre la culture, les valeurs, les conditions socioéconomiques et la criminalité en exposant le point de vue de Durkheim, de Merton et de Marcuse. Puis nous présenterons la répartition géographique de la criminalité, de la pauvreté, de la défavorisation et du vieillissement de la population en milieu urbain, particulièrement sur le territoire de Montréal.

Valeurs, culture et conditions socioéconomiques

Au cours du XXe siècle, plusieurs théories sociologiques de la déviance et de la criminalité ont été proposées. Ces théories mettent l'accent sur les groupes et les conditions de vie en société et démontrent que les valeurs que la société préconise, la réussite et le succès matériel, peuvent engendrer des comportements illicites chez certains individus incapables d'y accéder par des voies légitimes, compte tenu de leurs conditions de vie plus précaires. Ces théories renvoient aux notions de valeur et de culture.

> Une **valeur** exprime un jugement moral et privilégie des normes ou des modèles de comportement spécifiques; c'est ce qui importe pour un individu ou une collectivité et c'est ce qui donne un sens à la vie.

> La **culture** désigne l'ensemble des modèles qui déterminent les rôles que jouent les individus dans la société et qui confèrent une signification ou un sens à ces rôles.

De ces nombreuses théories, nous retiendrons celles de Durkheim et de Merton et nous présenterons ensuite la critique sociale qu'en a proposée Marcuse.

La théorie de Durkheim

Selon le sociologue français Émile Durkheim (1858-1917), la criminalité n'existe qu'en fonction d'une société et d'une culture données; elle n'est donc pas universelle. Pour lui, le crime est un élément essentiel au développement d'une société, car il lui permet d'éviter la stagnation en réagissant pour réprimer les comportements illicites.

Selon Durkheim, la criminalité augmente lorsqu'une prospérité économique soudaine ou un développement technologique accéléré suscitent une ambition effrénée chez des membres d'une collectivité : leurs attentes deviennent alors démesurées par rapport aux biens qu'ils peuvent s'offrir.

> Pour Durkheim, la criminalité est liée à la faiblesse ou à l'absence du contrôle que la société exerce sur ses membres. C'est ce qu'on appelle l'**anomie**.

Lorsque les règles ou les normes sociales ne sont pas assez claires, les individus risquent d'adopter une conduite illicite s'ils sont incapables de distinguer le bien du mal, les actes permis de ceux qui sont interdits. Une telle instabilité sociale peut aussi amener certains individus à se suicider.

La théorie de Merton

Le sociologue américain Robert King Merton (1910-) a repris et adapté le concept d'anomie proposé par Durkheim. Il postule l'existence, dans toute société, d'objectifs partagés par la majorité de ses membres (la réussite économique, le succès, le bien-être matériel, etc.) et de moyens par lesquels chacun tente de les atteindre. La société convie à la réussite, mais tous ne disposent évidemment pas des mêmes moyens pour y parvenir. Le décalage entre les buts proposés et les moyens offerts pour les atteindre peut engendrer, chez certains individus, un état de tension qui conduit au rejet des normes et des règles sociales; c'est ce que Merton entend par anomie. Plus le décalage est important, plus la déviance ou la délinquance est à craindre. La réussite économique devient alors prioritaire, aux dépens du respect même des règles sociales. On pourrait donc dire ici que la fin justifie les moyens.

■ **EXEMPLE**   Un entrepreneur acculé à la faillite, craignant la réprobation de ses associés et désirant à tout prix sauver son entreprise, sera tenté d'en falsifier les états de compte ou de frauder certains de ses clients. ■

Merton décrit cinq types d'individus utilisant différentes modalités d'adaptation, compte tenu des objectifs à atteindre et des moyens ou des règles à respecter (*voir le tableau 5.1*).

- Le **conformiste** accepte les buts de la société et utilise des moyens légitimes pour les atteindre, sans toujours y parvenir cependant. C'est le cas de l'ensemble des citoyens qui se conforment aux lois.

- Le **ritualiste** rejette quelques objectifs ou bien les rend conformes à ses moyens, mais il respecte rigoureusement les règles. Il s'agit d'un honnête travailleur, souvent de la classe moyenne.

- L'**innovateur** accepte les objectifs de la société (la réussite, le succès), mais il utilise des moyens illégaux pour y arriver. C'est le cas de la majorité des criminels (voleurs ou fraudeurs). Ce type d'individus « innove » en utilisant des moyens différents de ceux qu'emploient le conformiste ou le ritualiste. À l'occasion, certains conformistes deviennent innovateurs : il en est ainsi des politiciens qui acceptent des pots-de-vin ou des dirigeants d'entreprise qui ont recours à la publicité frauduleuse. L'anomie d'un innovateur se caractérise par un état de privation relative, c'est-à-dire que, même avec des moyens suffisants, il désire encore davantage.

Tableau 5.1   La théorie de Merton : les formes d'adaptation de l'individu face aux buts à atteindre et aux règles à respecter.

TYPE D'INDIVIDUS	COMPORTEMENTS	
	Acceptation des buts (objectifs)	**Acceptation des moyens (règles)**
Conformiste	Oui	Oui
Ritualiste	Oui en partie Réduit ses attentes	Oui
Innovateur	Oui	Non
Retraitiste	Non	Non
Rebelle	Non	Non Propose de nouveaux moyens (contestation active)

- Le **retraitiste** rejette à la fois les règles et les buts de la société. Il se retire, volontairement ou non, de la société et est considéré comme un déviant ou un marginal par le conformiste, le ritualiste et l'innovateur. Mentionnons, à titre d'exemples, le toxicomane et le sans-abri.

- Le **rebelle** est un retraitiste actif. Il rejette totalement la société traditionnelle et propose une solution de rechange : un nouveau système social. L'appartenance à une secte religieuse peut constituer, en ce sens, une forme de rébellion.

La critique sociale de Marcuse

Le philosophe américain Herbert Marcuse (1898-1979) a proposé une critique de la société industrielle et postindustrielle qui jette un éclairage nouveau sur l'explication socioculturelle de la criminalité.

> *L'individu, constate Marcuse, a perdu son pouvoir de décision dans la société contemporaine : ce sont l'État, les patrons et les syndicats qui décident pour lui. Selon le philosophe, c'est une **société unidimensionnelle**.*

La production et la consommation deviennent alors des buts à atteindre et provoquent ainsi un renversement des valeurs. La publicité, par exemple, crée de toutes pièces des besoins artificiels chez les consommateurs et les amène à envisager certains objets de luxe comme des biens essentiels : « Pourquoi se priver plus longtemps d'une auto luxueuse ou d'un voyage, alors que les voisins peuvent se les offrir ? »

Inciter les individus à une consommation permanente de biens, presque contre leur gré, constitue ainsi, selon Marcuse, une violence morale qu'il a qualifiée de **viol des consciences**. Une telle incitation peut les amener à vouloir se procurer ces biens qu'on leur vante tant par des moyens illégaux.

La critique de Marcuse suscite quelques réflexions sur les transformations de la société et leur incidence sur la criminalité.

La société a un caractère dynamique ; elle est en mutation continuelle : la loi devient ainsi l'expression du degré de tolérance d'une société envers certains comportements. Par exemple, les lois antipollution sont de plus en plus rigoureuses, car elles prennent de plus en plus d'importance dans la protection de la santé publique. On constate également que la criminalité s'étend à toutes les couches de la société et que personne ne peut se vanter d'en être à l'abri. En outre, le développement technologique accéléré et l'omniprésence de la société de consommation ont pour conséquence de déstabiliser les individus en supprimant certains de leurs points de repère et en remettant en question les valeurs traditionnelles. L'acquisition de biens peut alors être perçue comme une priorité, si bien que certains sont prêts à défier la loi lorsque l'occasion se présente.

Urbanisation et criminalité

En plus de connaître la répartition des crimes sur le territoire où ils interviennent, le policier et l'éducateur de rue doivent aussi se sensibiliser aux conditions socioéconomiques propres à leur milieu d'intervention. La police de quartier du Service de police de Montréal et la police de proximité de la Sûreté du Québec utilisent cette approche afin de mettre au point des méthodes de prévention et d'intervention s'appuyant sur la connaissance du milieu où elles devront agir. Nous reviendrons plus en détail sur cette question au chapitre 8.

Pour mieux saisir la répartition de la criminalité dans un espace géographique, il faut d'abord décrire les changements importants qu'a connus le milieu urbain québécois. Dans un premier temps, on a noté une augmentation importante de la population des villes, surtout Montréal, qui s'explique par l'arrivée massive de gens provenant soit des régions rurales, soit de l'extérieur du Québec. Ce phénomène, très apparent dès la fin de la Seconde Guerre mondiale, s'est stabilisé durant les années 1950.

Un second changement a découlé de l'expansion rapide des zones intermédiaires que sont les banlieues. Une partie de plus en plus importante de la population s'est déplacée vers ce qu'on appelle des villes-dortoirs situées en périphérie de la ville, notamment grâce à la construction de grands axes de transport rapide. Les autoroutes ont contribué à l'étalement urbain et ont favorisé en même temps certaines formes de criminalité, comme les crimes contre la propriété. En outre, le milieu urbain est devenu le théâtre d'un anonymat de plus en plus accentué, ce qui a eu pour effet de diminuer le contrôle social exercé entre voisins et de miner le sentiment d'appartenance au quartier.

■ **EXEMPLE**   Il arrive qu'un citoyen soit victime d'un vol à son domicile sans que les voisins s'en aperçoivent ou puissent réagir, car ils ne connaissent pas la victime. ■

La population urbaine s'est aussi diversifiée grâce à l'immigration, qui a rendu la société québécoise de moins en moins homogène. Ainsi, de 1992 à 1996, 176 500 nouveaux immigrants ont été admis au Québec et la majorité se sont installés à Montréal.

La première étude ayant porté sur la répartition géographique de la criminalité, appelée aussi **écologie de la délinquance**, a été réalisée en 1921 à Chicago. Depuis, de nombreux chercheurs se sont penchés sur le sujet. Leurs travaux révèlent que les taux de criminalité sont le plus élevés au centre d'une ville et diminuent systématiquement lorsqu'on s'en éloigne. Ces résultats ont donné lieu à la **théorie des cercles concentriques**, que la figure 5.1 illustre.

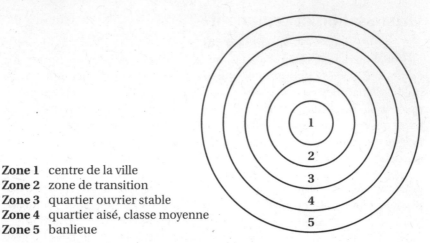

Zone 1 centre de la ville
Zone 2 zone de transition
Zone 3 quartier ouvrier stable
Zone 4 quartier aisé, classe moyenne
Zone 5 banlieue

Figure 5.1 La théorie des cercles concentriques.

Les zones 1 et 2, où ont lieu la majorité des activités criminelles, revêtent donc un grand intérêt pour les chercheurs en criminologie. Parmi leurs caractéristiques socioéconomiques, on note une forte densité de la population, un habitat vétuste, une concentration élevée de prestataires de l'assurance-emploi, une hétérogénéité ethnique et un équipement urbain (espaces verts, loisirs organisés) déficient. Dans la zone 3, la population, plus stable et plus homogène, est constituée en bonne partie d'ouvriers spécialisés ou semi-spécialisés; c'est aussi dans cette zone que s'établit la deuxième génération d'immigrants. Dans la zone 4, la population, formée surtout de cols blancs et de familles plus aisées, habite un milieu essentiellement résidentiel et doté d'un bon équipement urbain. Enfin, la zone 5 représente la banlieue, qui s'éloigne de plus en plus du centre-ville et qui abrite une population en général mieux nantie; le milieu de vie y est jugé plus sain que dans les zones 1 et 2.

Répartition de la criminalité à Montréal

Sur le territoire de l'île de Montréal, comment la criminalité se répartit-elle ? À la fin des années 1970 et au début des années 1980, la criminalité se situait surtout au centre-ville (centre-sud) et diminuait à mesure qu'on s'en s'éloignait, conformément à la théorie des cercles concentriques. La géographie particulière de l'île de Montréal, avec le mont Royal en son centre et le fleuve Saint-Laurent au sud, explique que cette répartition ait pris la forme d'un *T* renversé (*voir la figure 5.2*). Ce *T* est constitué de deux axes perpendiculaires :

— l'axe est-ouest au sud de la rue Sherbrooke, de Pointe-Saint-Charles et Saint-Henri (arrondissement Sud-Ouest), à l'ouest, jusqu'au quartier Hochelaga-Maisonneuve, à l'est;

— l'axe nord-sud le long du boulevard Saint-Laurent et de la rue Saint-Denis, du quartier Villeray, au nord, jusqu'au fleuve Saint-Laurent, au sud.

Qu'en est-il dans les années 1990 ? Les secteurs les plus touchés se sont étendus à des zones relativement épargnées auparavant. Se sont ainsi ajoutés, dans les années 1980, les parties est de Montréal-Nord et ouest de Saint-Léonard, de même qu'un élargissement du secteur sud-ouest à Lachine et à Verdun. Dans les années 1990, le quartier Côte-des-Neiges, une partie de Notre-Dame-de-Grâce, Cartierville dans le nord et certains quartiers de Saint-Laurent et de Lachine se sont ajoutés aux secteurs où le taux de criminalité est élevé. La carte présentée à la figure 5.2 illustre les secteurs les plus touchés par la criminalité à la fin du xxᵉ siècle à Montréal.

Il est important de mentionner que cette répartition géographique ne tient compte que de la criminalité officielle (ou rapportée) et fait abstraction de la criminalité cachée (c'est-à-dire le chiffre noir).

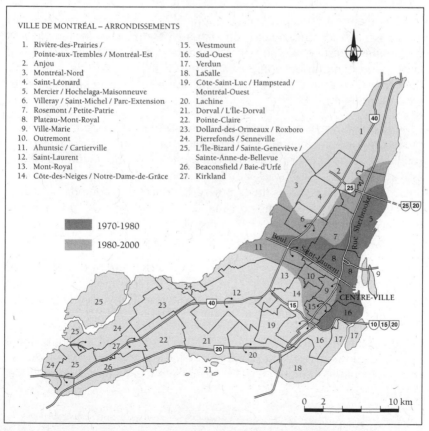

Figure 5.2 Les taux de criminalité les plus élevés sur l'île de Montréal.

Pauvreté et défavorisation

Les secteurs les plus touchés par la criminalité présentent des caractéristiques socioéconomiques particulières que nous allons maintenant décrire en nous appuyant sur deux concepts intimement liés, la pauvreté et la défavorisation. Afin d'illustrer notre propos, nous brosserons le portrait de la situation qui prévaut à Montréal. Ailleurs au Québec, nous retrouvons aussi des zones problématiques et des réalités similaires, mais les données disponibles sont très rares.

La pauvreté à Montréal

Dans un rapport publié en 1999, le Conseil scolaire de l'île de Montréal note : « La pauvreté consiste beaucoup plus en un processus d'appauvrissement, de portée et de source non seulement économiques mais tout autant sociales[1]. » Il estime que la défavorisation comporte une dimension économique (faibles revenus) et une dimension sociale (mères monoparentales et sous-scolarisées, pères en chômage).

La pauvreté n'est donc pas liée uniquement à l'insuffisance des revenus, mais aussi à l'incidence sociale de l'appauvrissement sur les individus et les familles : c'est ce que l'on nomme l'appauvrissement social. En effet, la perte de l'emploi occupé, en plus de priver l'individu de ressources financières, crée une brisure avec l'entourage social que constituent les camarades de travail.

Le **seuil de pauvreté** est, d'après le Conseil scolaire, « le point de rupture où se produit, par manque de ressources, une exclusion sociale[2] ». Ce seuil dépend de la collectivité dont fait partie l'individu. Selon Statistique Canada, en 1996, 19,4 % des familles québécoises ne disposaient que de faibles revenus; pas moins de 22,6 % des familles de la grande région de Montréal étaient dans la même situation, soit près de six fois plus que dans la région de Québec. Sur l'ensemble des familles à faibles revenus du Québec, on en recensait plus de la moitié à Montréal, soit 53,5 %.

À Montréal, les populations dites pauvres se concentrent dans certaines parties de l'île. Il faut cependant préciser que la répartition de la pauvreté sur le territoire de l'île de Montréal a subi des transformations importantes depuis les années 1960.

En comparant les cartes de la figure 5.3, on observe qu'un élargissement des zones de pauvreté s'est produit dans les trente dernières années. Les nouveaux quartiers touchés en 1996 sont Côte-des-Neiges, Cartierville et

---

1. Conseil scolaire de l'île de Montréal, *Défavorisation des familles avec enfants en milieu montréalais*, janvier 1999.
2. *Id.*

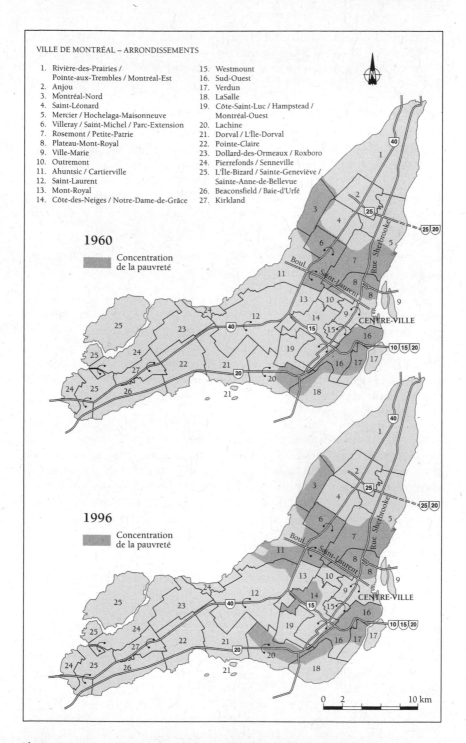

VILLE DE MONTRÉAL – ARRONDISSEMENTS

1. Rivière-des-Prairies /
   Pointe-aux-Trembles / Montréal-Est
2. Anjou
3. Montréal-Nord
4. Saint-Léonard
5. Mercier / Hochelaga-Maisonneuve
6. Villeray / Saint-Michel / Parc-Extension
7. Rosemont / Petite-Patrie
8. Plateau-Mont-Royal
9. Ville-Marie
10. Outremont
11. Ahuntsic / Cartierville
12. Saint-Laurent
13. Mont-Royal
14. Côte-des-Neiges / Notre-Dame-de-Grâce

15. Westmount
16. Sud-Ouest
17. Verdun
18. LaSalle
19. Côte-Saint-Luc / Hampstead /
    Montréal-Ouest
20. Lachine
21. Dorval / L'Île-Dorval
22. Pointe-Claire
23. Dollard-des-Ormeaux / Roxboro
24. Pierrefonds / Senneville
25. L'Île-Bizard / Sainte-Geneviève /
    Sainte-Anne-de-Bellevue
26. Beaconsfield / Baie-d'Urfé
27. Kirkland

1960

Concentration
de la pauvreté

1996

Concentration
de la pauvreté

Figure 5.3   La concentration de la pauvreté à Montréal en 1960 et en 1996.

certaines parties de Saint-Laurent et de Lachine. La pauvreté dans ces quartiers peut être associée à la précarité des emplois, à la monoparentalité et à l'arrivée d'un grand nombre d'immigrants de première génération.

Le vieillissement de la population montréalaise

Penchons-nous maintenant sur un autre phénomène social de plus en plus présent, le vieillissement de la population. Un rapport de la Régie régionale de la santé et des services sociaux de Montréal-Centre[3] signale que 15 % des Montréalais avaient, en 1996, 65 ans ou plus, et Statistique Canada prévoit que ce sera le cas pour 20 % de la population en 2016 et plus de 30 % en 2041. Les membres de ce groupe d'âge sont généralement plus exposés aux conséquences de la criminalité.

La carte de l'île de Montréal que présente la figure 5.4 illustre la répartition des zones où vivent plus de 15 % de personnes âgées.

Comme nous pouvons le constater, cette carte ressemble beaucoup à celle de la pauvreté. De plus, la répartition de la problématique de la santé mentale sur ce même territoire offre elle aussi, dans l'ensemble, le même profil. Le portrait de la criminalité sur le territoire de l'île de Montréal (*revoir la figure 5.2)* recoupe également plusieurs de ces données. Ainsi la pauvreté, la défavorisation, le vieillissement de la population, les problèmes de santé mentale et la criminalité se retrouvent-ils à peu près tous dans les mêmes quartiers.

Cependant, nous ne pouvons établir un lien de causalité entre ces divers phénomènes. Les conditions socioéconomiques peuvent créer un climat propice à l'éclosion et à la propagation de la criminalité sans pour autant en être directement responsables. Tout au plus constituent-elles des facteurs favorables à la criminalité, tout comme la famille, l'école, les pairs et les médias de masse que nous décrirons plus loin. De plus, chaque individu choisit de passer ou non à l'acte, en vertu du libre arbitre décrit au chapitre 2.

Selon des travaux de recherche plus récents, la criminalité serait plutôt liée au besoin incontrôlé de s'enrichir, quel que soit le rang socioéconomique. Ainsi, le désir de se procurer des biens de façon illicite constitue un des motifs les plus fréquents de la criminalité contemporaine. C'est ce qu'on appelle la criminalité acquisitive. Par exemple, en 1999 au Québec, 72 % des crimes commis ont été des infractions contre la propriété (introductions par effraction, vols de véhicule à moteur et vols simples).

---

3. Direction de la santé publique, *Prévenir, guérir, soigner, les défis d'une société vieillissante*, Rapport annuel, Régie régionale de la santé et des services sociaux de Montréal-Centre, 1999.

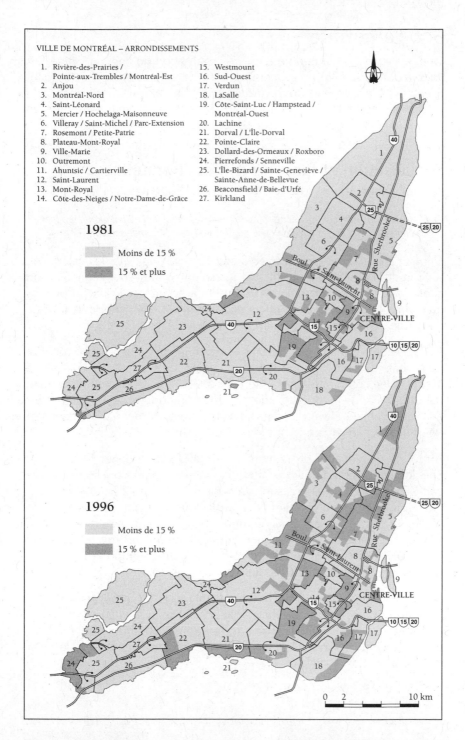

VILLE DE MONTRÉAL – ARRONDISSEMENTS

1. Rivière-des-Prairies /
   Pointe-aux-Trembles / Montréal-Est
2. Anjou
3. Montréal-Nord
4. Saint-Léonard
5. Mercier / Hochelaga-Maisonneuve
6. Villeray / Saint-Michel / Parc-Extension
7. Rosemont / Petite-Patrie
8. Plateau-Mont-Royal
9. Ville-Marie
10. Outremont
11. Ahuntsic / Cartierville
12. Saint-Laurent
13. Mont-Royal
14. Côte-des-Neiges / Notre-Dame-de-Grâce
15. Westmount
16. Sud-Ouest
17. Verdun
18. LaSalle
19. Côte-Saint-Luc / Hampstead /
    Montréal-Ouest
20. Lachine
21. Dorval / L'Île-Dorval
22. Pointe-Claire
23. Dollard-des-Ormeaux / Roxboro
24. Pierrefonds / Senneville
25. L'Île-Bizard / Sainte-Geneviève /
    Sainte-Anne-de-Bellevue
26. Beaconsfield / Baie-d'Urfé
27. Kirkland

1981

Moins de 15 %

15 % et plus

1996

Moins de 15 %

15 % et plus

Figure 5.4   Le vieillissement de la population montréalaise en 1981 et en 1996.

5.2 La famille

Quel est le rôle de la famille dans la socialisation de l'enfant ? Quel est l'impact de la famille dysfonctionnelle sur le comportement délinquant éventuel ? C'est ce que nous verrons ici. Nous présenterons ensuite la théorie de la régulation sociale. Enfin, nous terminerons ce chapitre en traçant le portrait de la famille québécoise contemporaine.

Socialisation et familles dysfonctionnelles

La famille joue un rôle essentiel dans la socialisation de l'enfant.

> La **socialisation** est un processus qui permet l'intégration de l'individu à un groupe, notamment sa famille, et qui induit une modification de son comportement.

L'enfant apprend à coopérer avec d'autres et doit assimiler les valeurs de ses parents. Les difficultés qu'il aura à résoudre durant son enfance et son adolescence le prépareront mieux que tout à faire face aux problèmes qu'il affrontera à l'âge adulte, hors de sa famille. Cette période de la vie a donc une incidence énorme sur l'avenir de l'enfant.

■ **EXEMPLE** L'enfant qui vit dans une famille où toute forme d'autorité est absente ou à qui l'on apprend à ne jamais céder est très mal préparé à accepter les contraintes de la vie en société. Son inadaptation peut se traduire ultérieurement par l'adoption de comportements illicites. Il est clair que l'enfant élevé au sein d'une famille perturbée aura également des difficultés à vivre en harmonie avec autrui. ■

Au terme d'un travail de recherche criminologique devenu classique, Sheldon et Eleonore Glueck[4] ont révélé que des enfants qui sont mal encadrés par leurs parents, qui subissent une discipline incohérente et instable ou qui viennent d'une famille à faible cohésion sont très susceptibles d'adopter des comportements délinquants : les parents ne savent pas où sont leurs enfants et qui ils fréquentent, la discipline est très relâchée ou appliquée avec une sévérité exagérée et de manière imprévisible, et les enfants montrent peu d'attachement à leurs parents.

Le criminologue Maurice Cusson affirme que les rapports entre le futur délinquant et ses parents se caractérisent par les traits suivants : « négligence, indifférence, absence, ignorance, incohérence, froideur et dureté », qui débouchent sur un « vide éducatif[5] » pour ces jeunes.

---

4. Sheldon et Eleonore Glueck, *Unraveling Juvenile Delinquency*, Cambridge, Harvard University Press, 1950.
5. Maurice Cusson, *La criminologie*, Paris, Hachette, coll. Les Fondamentaux, 1998, p. 88.

Il estime également que les parents doivent éduquer leurs enfants en respectant trois critères pour éviter la délinquance :

— être présents dans la vie de leurs enfants;

— identifier et reconnaître les actes répréhensibles de leurs enfants;

— sanctionner ces actes de manière équitable et ferme.

■ **EXEMPLE**   Des problèmes de délinquance ou de violence familiale apparaîtront dans la moitié des familles où une intervention est nécessaire parce que des enfants ont été victimes d'abus physique ou de négligence grave. ■

Le témoignage suivant est celui d'un homme détenu dans un pénitencier fédéral à qui l'on a demandé de parler de son milieu familial. Bien qu'ils ne soient pas représentatifs de la situation familiale de l'ensemble des détenus, ces propos illustrent néanmoins le contexte de détérioration familiale dans lequel vivent certains individus.

> Mes parents viennent de la campagne. Mon père n'avait pas de cœur. Quand il buvait, il devenait fou et battait tous les enfants et même ma mère. Il est parti quand j'avais treize ans et il n'est jamais revenu. Nous étions onze enfants et on manquait de tout chez nous. Un de mes frères est en prison comme moi. À l'âge de sept ans j'ai été placé. C'était pour me protéger contre mon père. Je suis entré au centre d'accueil à onze ans et j'ai commencé à voler et à boire à quinze ans. J'aime me battre [...].

Ainsi, parmi tous les délinquants soumis en 1995 à l'évaluation initiale du Service correctionnel du Canada, plus de 50 % ont affirmé que leurs parents étaient dysfonctionnels.

Le milieu familial d'où proviennent les contrevenants est plus souvent démuni, pauvre ou criminogène. La punition ou l'arrestation précoce n'empêche pas la récidive, et l'apprentissage des valeurs criminelles s'acquiert très rapidement vu la faiblesse des modèles de conduite légitime, voire leur absence (*se reporter à la théorie de Sutherland dite de l'association différentielle, page 108*).

Ainsi, la faiblesse ou l'absence d'un certain encadrement (une situation anomique, selon Durkheim et Merton) peut faire naître chez l'enfant un sentiment d'insécurité et nuire considérablement à son adaptation à la réalité sociale et à ses contraintes. Les enfants issus de familles dysfonctionnelles ou criminogènes, dans lesquelles l'autorité des parents s'exerce de façon imprévisible et l'encadrement comporte de graves lacunes, ont acquis tous les éléments pour devenir délinquants.

La théorie de la régulation sociale

Tout le long de sa vie, l'être humain apprend à respecter des normes en vertu du processus de socialisation décrit au début de cette section, processus grâce auquel se réalise la régulation sociale. Cette régulation (ou contrôle social) s'exerce par l'intermédiaire des liens que le jeune crée avec son milieu et des contraintes qu'il doit accepter. Plus il sera attaché à son milieu (famille, école, pairs), plus il en respectera les règles et adhérera à ses valeurs. La régulation agit alors comme une barrière contrant les tentations de la délinquance, car le jeune est prêt à accepter et à respecter les contraintes externes qu'exprime la loi. Travis Hirschi et Marc Leblanc sont parmi les chercheurs qui ont élaboré cette approche de la régulation sociale.

La théorie de Hirschi

Travis Hirschi reprend à son compte la notion d'anomie chère à Durkheim (*revoir la section 5.1, page 92*) pour expliquer l'apprentissage de la délinquance dans une société. Dans sa **théorie du lien** (*Social Bond Theory*, 1969)[6], il explique que la délinquance juvénile résulte de l'affaiblissement ou de la rupture des liens entre l'adolescent et la société et que l'être humain tend naturellement à défier la loi si les règles contraignantes propres au contrôle social ne l'en empêchent pas. Ce contrôle s'exerce par le lien qui rattache l'individu à la société, surtout dans la famille et à l'école.

Hirschi décrit quatre composantes de ce lien : l'attachement à autrui, l'engagement, l'investissement et la croyance.

L'attachement à autrui   Tenir compte des autres membres de la société et agir de manière à ne pas les heurter. Un psychopathe, par exemple, n'éprouvera aucun remords après avoir assailli ses victimes.

L'engagement   Craindre que la réaction de la société face à un acte délictueux ne compromette la réussite d'un projet d'étude ou de travail auquel on s'est consacré. Par exemple, commettre un vol est insensé si les risques encourus sont beaucoup trop élevés par rapport aux avantages soutirés.

L'investissement   Participer le plus possible à des activités légitimes car, comme le dit le proverbe : *L'oisiveté est mère de tous les vices.* Plus un individu est oisif, plus il est susceptible d'adopter des conduites déviantes ou d'avoir des comportements délinquants.

---

6. T. Hirschi, *Causes of Delinquency*, Berkeley, University of California Press, 1969.

La croyance   Accepter les contraintes tant externes (lois, règlements, système judiciaire) qu'internes (valeurs, morale, éducation) parce qu'on en reconnaît la nécessité et l'utilité.

Selon Hirschi, les criminels contrôlent peu leurs désirs et recherchent donc la satisfaction de leurs besoins en dépit des contraintes juridiques. Par contre, l'établissement de liens sociaux solides favorise l'apprentissage de mécanismes efficaces de contrôle social (régulation) et diminue ainsi les risques de passage à l'acte délinquant.

La théorie de Leblanc

Le criminologue québécois Marc Leblanc a proposé une théorie intégrative de l'apparition et du développement des comportements délinquants durant l'adolescence.

Selon Leblanc, la délinquance apparaît et se développe à cause de la faiblesse des mécanismes de contrôle dont est dotée la société, c'est-à-dire les mécanismes de régulation sociale. Cette faiblesse de la régulation s'exprime par le peu de liens entre l'adolescent et la société (théorie du lien de Hirschi), par un retard dans son développement psychosocial ou par une déficience en matière de contraintes sociales.

Ces contraintes sont de deux ordres :
— les contraintes internes, c'est-à-dire l'apprentissage et l'intériorisation des règles, des normes et des valeurs sociales;
— les contraintes externes, c'est-à-dire les pressions et les sanctions imposées au jeune par son milieu de vie.

Selon Leblanc, une défaillance de ces mécanismes de régulation peut conduire un jeune à la délinquance ou à des comportements marginaux tant à l'école qu'en présence de pairs, selon son statut social, son sexe et son développement intellectuel.

La façon dont il s'adapte aux contraintes sociales et aux exigences de la vie détermine si l'adolescent respectera la loi ou deviendra un délinquant. En effet, s'il n'est pas prêt à accepter et à intégrer ces contraintes, il sera plus susceptible de subir l'influence de pairs déviants ou délinquants.

Portrait de la famille québécoise

Quel portrait des familles québécoises peut-on esquisser ? Elles sont d'abord plus petites qu'auparavant : trois familles sur quatre n'ont pas plus de deux enfants; 60 % des couples en union de fait et des familles monoparentales en ont un seul. Le taux de natalité au Québec (nombre de naissances par femme en âge de procréer) était de 1,57 en 1996, alors qu'il s'élevait à

2,72 en 1966. On note aussi un plus grand nombre de familles monoparentales, dont 80 % sont dirigées par une femme. Ces familles sont généralement pauvres, puisque leur revenu se situe souvent sous le seuil de la pauvreté. En outre, le taux de divorce atteint presque 50 % au Québec.

En 1996, les jeunes de moins de 20 ans représentaient plus de 16 % de la population totale. Le taux de suicide alarmant des jeunes Québécois est un indice du désarroi qui les affecte : en 1997, il s'élevait à 30,9 sur 100 000 chez les garçons âgés de 15 à 19 ans (8,5 chez les filles), alors qu'il n'était que de 9,8 en 1979. Notons cependant que la grande majorité des enfants et des adolescents québécois n'ont pas de problème de comportement, malgré un contexte de vie parfois difficile.

Il faut par contre intervenir le plus tôt possible auprès de certains jeunes considérés comme à risque. Mais à partir de quel âge ?

Le psychoéducateur Richard Tremblay, directeur du Groupe de recherche sur l'inadaptation psychosociale chez l'enfant de l'Université de Montréal (GRIP), propose un programme d'intervention et de soutien auprès des mères susceptibles de mettre au monde un enfant socialement inadapté, et ce avant même qu'elles accouchent. Selon lui, la période allant de la naissance jusqu'à l'âge de quatre ans revêt une importance critique. C'est en effet durant cette période que l'enfant doit apprendre à contrôler et à inhiber son agressivité. S'il n'y parvient pas, il lui sera très difficile de le faire plus tard. Un adolescent agressif ne l'est pas devenu soudainement mais bien graduellement, parce qu'il n'a pas appris à modifier son comportement pour le rendre acceptable socialement. Un milieu familial désorganisé et déficient peut effectivement amener un enfant à adopter un comportement inadéquat. Richard Tremblay ajoute que la société n'apprend pas à l'individu à devenir agressif, mais qu'il l'est naturellement et le demeurera si l'on n'intervient pas en temps opportun.

Le service de police de Seattle, aux États-Unis, a publié, avec une pointe d'humour, les règles à suivre pour faire de son enfant un « bon » délinquant. En voici quelques-unes :

- Dès l'enfance, donnez-lui tout ce qu'il désire. Il grandira ainsi en pensant que le monde entier lui doit tout.

- Ne lui dites jamais « c'est mal » ; ça pourrait lui donner un complexe de culpabilité et le persuader que la société le persécute.

- Assurez-vous que tous ses désirs soient satisfaits, sinon il sera frustré.

- Prenez toujours son parti ; les professeurs et la police en veulent à ce pauvre petit.

Les carences familiales risquent de s'aggraver lorsque l'enfant s'insère dans le milieu scolaire, notamment. En simplifiant, on pourrait dire que si la famille fait le délinquant, l'école et les pairs le révèlent.

5.3 L'école et les pairs

Dans cette section, nous décrirons les liens qui existent entre l'inadaptation scolaire, l'appartenance à un groupe et la délinquance en nous appuyant sur les théories de Sutherland et d'Agnew. Nous tracerons également le portrait des gangs délinquants, en particulier à Montréal.

L'inadaptation scolaire

La plupart des recherches en criminologie font ressortir un lien très étroit entre l'inadaptation scolaire et la délinquance juvénile. L'inadaptation se révèle par des échecs répétés, une indiscipline et un manque d'intérêt généralisé pour l'école, ce qui entraîne un retard scolaire prononcé. L'école est parfois perçue comme peu motivante, ennuyante et trop éloignée de la vie active. Certains la considèrent même comme une prison dont ils rêvent de s'évader le plus rapidement possible. L'attitude des parents peut aussi jouer un rôle crucial : s'ils critiquent l'école ou les professeurs, ne se préoccupent pas des absences de leur enfant ou ne montrent aucun intérêt pour les activités scolaires, l'inadaptation se confirmera et risquera ainsi de s'aggraver.

L'enfant qui n'accepte pas facilement la rivalité inhérente au système scolaire éprouve souvent des difficultés à combler l'écart entre les valeurs scolaires et les valeurs familiales. L'école peut donc jouer un rôle déterminant dans l'apparition de la délinquance. Certaines écoles offrent en effet un terrain de prédilection à divers comportements délinquants, tels l'intimidation, le taxage, les agressions et le trafic de drogue. Les directeurs et directrices d'école réagissent aussi de façon très différente, voire opposée, à ces manifestations de délinquance : certains appliquent les règlements à la lettre, alors que d'autres, par peur des remous ou par souci de protéger la réputation de leur établissement, sont plus permissifs. De plus, la détérioration et la malpropreté de certaines écoles peuvent amener les jeunes à penser qu'ils sont dans un milieu peu valorisant où tout est permis ; peu à peu, s'installent la peur et la violence.

Une étude récente du GRIP a démontré que des enfants ayant un comportement violent à l'école maternelle (ils se battent, ils malmènent, intimident et frappent les autres enfants) sont fortement susceptibles de reproduire ce comportement à l'adolescence, surtout s'ils viennent d'une famille pauvre dirigée par une femme seule qui est devenue mère d'un fils à l'âge de 20 ans ou moins.

L'appartenance à un groupe

L'école contribue à révéler les difficultés familiales qu'éprouvent les jeunes. De plus, comme certains d'entre eux ont une perception négative de leur milieu familial, il n'est pas surprenant qu'ils tentent de s'en éloigner le plus rapidement et le plus souvent possible pour se joindre à un groupe de pairs qui les valorisera, mais qui pourrait en même temps faciliter leur passage à l'acte délictueux.

S'il est un fait reconnu, c'est que les jeunes apprennent à commettre des délits au contact de pairs plus expérimentés ou plus âgés qu'eux. Parallèlement, les jeunes ayant tendance à défier les lois recherchent des pairs qui leur ressemblent. Ainsi, comme l'écrit le criminologue Maurice Cusson, « la délinquance est la cause et l'effet des fréquentations délinquantes[7] ».

Par exemple, un adolescent participera à une introduction par effraction après y avoir été sollicité par un ami délinquant, mais encore faut-il qu'il ait aussi eu l'intention *a priori* d'enfreindre la loi pour être ainsi réceptif à l'invitation de son ami.

En effet, près de 75 % des délits recensés au début de l'adolescence sont commis avec au moins un complice, alors que la proportion baisse à 66 % à la fin de l'adolescence et à 56 % au début de l'âge adulte[8].

Des groupes se forment souvent grâce aux rencontres survenues à l'école. Il est donc primordial que les directeurs et directrices d'école reconnaissent ouvertement, si tel est le cas, la présence de violence et de bandes de jeunes dans leur milieu afin d'intervenir de façon précoce.

Deux théories, celle de Sutherland et celle, plus récente, de Agnew, vont nous aider à mieux comprendre l'importance des groupes de pairs dans l'apparition de la conduite délinquante.

La théorie de Sutherland

Selon Émile Durkheim, lorsqu'une société intègre et contrôle bien ses membres, les risques de criminalité diminuent. Edwin H. Sutherland propose, lui, une tout autre explication : certains groupes sociaux exercent une influence criminogène sur leurs membres et les incitent à défier les lois en leur transmettant des valeurs propices à la criminalité. Le sociologue américain donne à cette théorie le nom d'**association différentielle**. En voici les principaux éléments :

- S'il rapporte une gratification, un comportement, qu'il soit criminel ou légitime, sera répété.
- Le comportement criminel est appris, tout comme le comportement légitime.

---

7. M. Cusson, *La criminologie, op. cit.*, p. 90.
8. *Ibid.*, p. 96.

- L'apprentissage de la conformité ou de la criminalité s'effectue suivant le groupe de référence : l'appartenance à un groupe criminel rend désirable la conduite criminelle, alors que l'influence positive qu'exercent la famille, l'école ou des pairs non délinquants rend souhaitable le comportement légitime.

- Le criminel doit apprendre à être un « bon criminel », comme le citoyen apprend à être un « bon citoyen ».

- Les individus deviennent criminels parce qu'ils sont en présence de modèles criminels, qu'ils n'ont pas de modèles non criminels ou que ces derniers ne leur semblent pas suffisamment attrayants. Par exemple, un individu qui désire adhérer à un gang délinquant devra d'abord faire la preuve de sa motivation et de ses « talents » en subissant avec succès une initiation, puis se soumettre à une session de formation au cours de laquelle on lui enseignera tous les trucs du métier. Son désir d'appartenance l'incitera à accepter de ses pairs toutes ces contraintes. Il devra enfin manifester son savoir-faire avant de devenir membre à part entière du groupe.

La théorie de Agnew

Robert Agnew (1992) a repris la théorie de Merton, qu'il a appelée **théorie de la tension** (General Strain Theory)[9]. Selon lui, l'incapacité de certains jeunes à se dépêtrer d'expériences négatives qu'ils vivent à la maison ou à l'école devient une source de colère et de frustration. Ces expériences négatives sont de trois ordres :

— l'inadéquation entre les objectifs proposés par la société et les moyens qu'ils ont pour les atteindre (l'innovateur de Merton);

— la perte d'un lien relationnel important, comme une rupture amoureuse ou le décès d'un proche;

— des expériences négatives encore plus directes, comme une discipline trop sévère à la maison ou une victimisation infligée par des pairs comme le taxage ou l'intimidation.

Lorsque les voies légitimes du succès et de la réussite paraissent bloquées, il en résulte chez l'individu un état de tension *(strain)* qui peut dégénérer en comportements illicites. Certains individus choisissent alors de se joindre à des pairs délinquants qui partagent leurs valeurs et de rejeter la société qui, à leurs yeux, ne les accepte pas.

---

9. R. Agnew, « Foundation for a General Strain Theory of Crime and Delinquency », dans *Criminology*, vol. 30, n° 1, 1992, p. 47-87.

La structure des gangs

Pourquoi l'appartenance à un gang est-elle si importante ? D'abord, elle facilite l'apprentissage de la délinquance par imitation et apporte l'appui et l'approbation des pairs. Elle permet aussi, par le partage des tâches, de commettre des délits plus rémunérateurs. Elle offre enfin justification et déculpabilisation : « C'est le gang qui m'a forcé... Tout le monde le fait... Je vole les riches parce que je suis pauvre... » Une fois ces conditions réunies, on peut comprendre le passage à l'acte et, ultérieurement, la récidive, d'autant plus que le plaisir est décuplé lorsqu'il est partagé avec les pairs.

Caractéristiques des gangs

Quels liens unissent ces jeunes entre eux ? Certains groupes sont peu structurés et temporaires, et la complicité y est circonstancielle. Les petits groupes de trois ou quatre membres ont une durée de vie assez brève, soit le temps de « faire un coup ». D'autres jeunes, par contre, créent un véritable réseau de relations où ils puisent les complices potentiels. Enfin, une minorité de jeunes forment un véritable gang, c'est-à-dire un groupe structuré et doté de sa propre culture : lieu de réunion, règlements, hiérarchie, territoire, etc.

En somme, le gang répond au besoin de valorisation, de reconnaissance ou d'appartenance qu'éprouve un jeune en conflit ouvert avec son milieu familial, scolaire, policier.

Soulignons à présent les principales caractéristiques du gang. Il est formé en très grande majorité de garçons, dont beaucoup sont issus de minorités ethniques. La cohésion du groupe paraît souvent fragile, la hiérarchie est instable et les membres se succèdent rapidement, à l'exception d'un noyau dur autour duquel gravitent des membres occasionnels et peu criminalisés. Si les délits commis se révèlent très variables, ils sont cependant marqués par la violence (exemple : les conflits de nature ethnique qui opposent les jeunes issus de minorités visibles aux *skinheads*).

Notons ici que le rôle des filles au sein d'un gang est en train de se modifier radicalement, car elles ont tendance à y prendre une place plus grande et à commettre plus de crimes violents. En effet, selon Statistique Canada, le nombre de garçons accusés de crimes violents commis entre 1994 et 2000 au Canada n'a augmenté que de 0,9 %, alors que chez les filles la hausse fut de 14,8 %. Cependant, les filles et les garçons ne recourent pas au même type de violence. Les garçons privilégient la violence physique, tandis que les filles emploient surtout les menaces verbales et l'intimidation, quoiqu'on note une augmentation récente de la violence physique de la part des filles. Bien que le taux de criminalité violente demeure encore plus élevé chez les garçons, l'augmentation substantielle notée chez les filles est préoccupante. Par ailleurs, les filles sont souvent à l'origine de bagarres entre garçons; ainsi, un conflit entre filles peut dégénérer en guerre ouverte entre gangs rivaux. Éveillant moins de soupçons, elles se chargent aussi du transport d'armes dans les lieux publics.

Quitter un gang se révèle problématique pour un jeune : lui ou ses proches peuvent faire l'objet de menaces pour le dissuader de dévoiler des renseignements compromettants pour le gang. Le jeune qui quitte un gang doit également se séparer d'amis qui ont partagé des moments difficiles de sa vie. Frédéric Mathews a proposé un modèle descriptif du cycle de participation à une bande ou à un gang, soit de l'entrée du jeune jusqu'à sa sortie ou à son enracinement. Ce cycle contient sept étapes (*voir la figure 5.5*).

1. **La prise de conscience des besoins**   Il s'agit de l'élément déclencheur. Le gang paraît répondre aux besoins de sécurité, d'accomplissement, d'appartenance, d'exercice d'un pouvoir, etc.

2. **L'entrée dans une bande**   Le jeune adhère à une bande déjà constituée et y rejoint des amis, ou encore un groupe peut être créé.

3. **La satisfaction des besoins**   Si ses besoins sont satisfaits, le jeune s'enthousiasme. L'acceptation par ses pairs devient une source de motivation profonde qui lui permet de résister aux pressions qu'exerce l'entourage pour qu'il quitte le groupe.

4. **L'incident critique**   Un événement marquant vient mettre à l'épreuve la cohésion du groupe — il peut s'agir d'une intervention policière ou de l'attaque d'une bande rivale. Plus le groupe affronte les crises avec succès, plus il se consolide. L'échec, par contre, entraîne la dissolution du groupe.

5. **La réévaluation personnelle**   Le jeune peut remettre en question son association avec la bande, surtout à cause des pressions exercées par l'entourage et du rappel de valeurs légitimes.

6. **Le départ**   L'âge peut jouer sur le départ : avec le temps, le jeune se sent moins influencé par ses pairs et fait preuve d'une autonomie et d'une maturité accrues. Les activités illégales sont alors délaissées au profit d'un travail honnête ou d'un retour aux études.

7. **L'enracinement**   La protection et la sécurité qu'offre le groupe incitent certains jeunes à y rester. D'autres motifs entrent aussi en jeu : l'argent, le pouvoir, le prestige, la reconnaissance, etc. La crainte des représailles peut aussi forcer un jeune à demeurer au sein du groupe.

Qu'en est-il des gangs de rue formés de jeunes à Montréal ? Une étude réalisée conjointement, en 1997 et 1998, par les Centres Jeunesse de Montréal et l'Institut de recherche pour le développement social des jeunes (IRDS), à la demande du Service de police de la Ville de Montréal

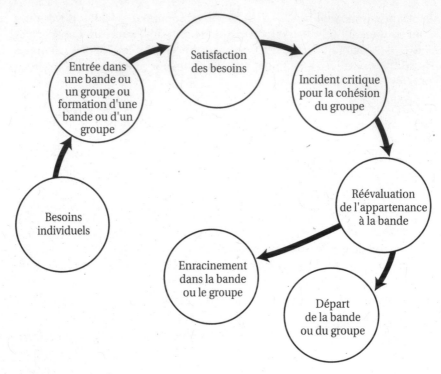

Figure 5.5 Cycle de la participation à une bande ou à un groupe.

Source: F. Mathews, *Les bandes de jeunes vues par leurs membres*, Solliciteur général du Canada, n° 1993-24, 1993, p. 88.

(SPVM), nous permet de brosser un portrait de la situation[10]. Selon les intervenants consultés, les gangs actuels sont plus violents et mieux organisés que ceux des années 1970 et 1980; ils mettent davantage l'accent sur la défense de leur territoire, comprennent plus de membres et comptent un plus grand nombre de filles, qui prennent de plus en plus de place. L'entrée dans le gang, souvent par l'entremise d'un ami, se fait à un âge de plus en plus précoce, quelquefois dès la fin de l'école primaire.

Faire partie d'un gang permet aux jeunes de combler des besoins que, selon eux, les institutions traditionnelles ne peuvent pas satisfaire.

1. **Le besoin de valorisation** Le gang remplace la famille ou l'école, auxquelles le jeune a de graves difficultés à s'adapter et desquelles il se sent rejeté.

---

10. S. Hamel, C. Fredette, M.-F. Blais et J. Bertot, *Jeunesse et gangs de rue*, Phase II, Centres Jeunesse de Montréal, 1998.

2. **Le besoin d'identité**   Le sentiment d'appartenance au gang permet aux jeunes de « retrouver une nouvelle famille » qui les accepte tels qu'ils sont et qui répond à leurs besoins.

3. **Le besoin d'encadrement et de soutien**   Ces jeunes rejettent les règles et les normes sociales que transmettent la famille et l'école. Cependant, le gang impose aussi ses règles, souvent plus contraignantes, que le jeune est prêt à accepter au nom de la solidarité du groupe.

4. **Le besoin de protection et de vengeance**   Un jeune victime de taxage se rapprochera d'un gang pour en obtenir la protection ou pour pouvoir assouvir son désir personnel de vengeance. Voici ce qu'on en dit dans un extrait de l'étude des Centres Jeunesse. « Au début, les jeunes qui se rassemblent n'ont pas nécessairement l'idée de commettre des actes délinquants ou criminels. Mais, avec le temps, on commence à sentir qu'on a du pouvoir, qu'on ne se fera pas intimider, qu'on n'est pas tout seul... On devient alors un agresseur en puissance. »

5. **Le besoin d'exercer un pouvoir**   Ce besoin correspond au désir qu'éprouve le jeune de s'affirmer et de prendre sa place en société. Ce besoin pourrait s'exprimer par l'adhésion à une sous-culture de violence où règnent la force, le pouvoir et la domination.

6. **Le besoin d'argent ou d'indépendance financière**

7. **Le besoin de s'amuser**

Les gangs se caractérisent par leur promptitude à recourir à la violence et une structure mouvante qui rend le travail des intervenants plus ardu. Les délits commis sont « mineurs » (taxage, conflits interculturels) ou « majeurs » (vol, trafic de drogue, prostitution) et commis surtout par le noyau dur du gang. La sortie du gang est problématique, comme l'a souligné Mathews. Certains membres du groupe y restent par peur des représailles, à la suite d'événements graves dont ils ont été témoins ou victimes. Quitter un gang exige de la volonté et du courage de la part du jeune, ainsi qu'un large soutien de la part de son entourage.

En ce qui concerne les filles, leurs caractéristiques personnelles sont semblables à celles des garçons. Cependant, on a commencé à identifier à Montréal des filles qui jouent le rôle de leader dans un gang et qui, comme les garçons, recourent à l'agressivité et à la violence.

5.4 Les moyens de communication de masse et la peur du crime

Étant donné le rôle prépondérant que jouent les médias dans notre vie quotidienne, il n'est pas étonnant qu'on tente d'établir un lien entre eux et la criminalité. Il paraît en outre indéniable que les médias, et surtout la télévision, nous influencent tous à des degrés divers.

Violence et télévision

La violence sous toutes ses formes que diffuse largement la télévision aux heures de grande écoute aurait un effet si prononcé sur les enfants qu'elle est maintenant de plus en plus dénoncée. Pour augmenter leurs cotes d'écoute et, par le fait même, leurs revenus, les diffuseurs doivent présenter des émissions alléchantes pour le public, souvent à contenu violent. La violence s'avère donc rentable. Par exemple, certains *talk-shows* américains ne doivent leur popularité qu'aux affrontements verbaux et physiques entre leurs invités.

Selon deux chercheurs de l'Université Laval, Jacques De Guise et Guy Paquette[11], la violence à la télévision canadienne est en hausse, particulièrement la violence physique. Ils ont dénombré 23 actes violents par heure d'écoute pour la seule télévision québécoise en 1998. Notre télévision a diffusé cette année-là trois fois plus d'actes de violence qu'en 1993. De plus, en 1998, la vaste majorité des émissions à contenu violent (soit 93 %) ont été présentées avant 21 heures. Les auteurs de la recherche ont aussi constaté l'importance de la violence psychologique (humiliation, dévalorisation, agression verbale), à raison d'une moyenne de 18,6 gestes blessants à l'heure. Il est à noter cependant que la majeure partie de la violence présentée sur nos écrans nous provient des États-Unis, soit 77 % des actes physiques et 64 % des actes psychologiques.

La télévision joue-t-elle un rôle dans le comportement violent ? Les chercheurs sont loin de faire l'unanimité à ce sujet : certains avancent que la télévision exerce une influence négative, d'autres que son incidence est faible. En revanche, la majorité des travaux de recherche concluent qu'elle a des répercussions assez minimes : à peine 2 à 10 % des actes violents commis seraient influencés par la violence télévisée. Les personnes les plus touchées seraient les individus psychologiquement perturbés ou qui vivent dans un milieu criminogène.

Comment cette influence s'exerce-t-elle ? Tout d'abord, lorsque des émissions décrivent de façon explicite les techniques utilisées par les criminels : certains individus déjà criminels y trouvent le truc tant recherché pour commettre leur crime. Les médias peuvent aussi exercer une influence criminogène par le mécanisme d'identification au héros : le héros criminel devient un modèle à imiter, car il montre que le recours à des moyens illégaux peut procurer gloire et succès. De fait, en matière de crimes, la télévision s'attarde davantage aux réussites qu'aux échecs.

---

11. J. De Guise et G. Paquette, *La violence à la télévision canadienne, 1993-1998*, Cahiers-Média, n° 9, Centre d'études sur les médias, Université Laval.

L'écoute d'une émission à contenu violent peut aussi stimuler l'agressivité d'une personne et l'inciter à réagir brutalement aux situations quotidiennes. Les comportements agressifs peuvent aussi résulter de la banalisation de la violence : sa présence envahissante au petit et au grand écran en fait quelque chose de normal et légitime.

Les médias et la peur du crime

Quels liens peut-on faire entre les médias et la peur du crime ? Des travaux récents, effectués tant au Canada qu'ailleurs, ne confirment pas l'hypothèse très répandue selon laquelle les médias stimuleraient la peur du crime chez les citoyens. Selon Diane Martel, qui a fait la recension des écrits sur ce sujet pour la Régie régionale de la santé et des services sociaux de Montréal-Centre, « ce serait moins les informations sur le crime transmises par les médias que les conversations informelles entre les gens à propos de ces informations qui auraient un effet sur la peur du crime[12] ».

L'information venant des médias est commentée, partagée et quelquefois déformée par les citoyens. Ce qui peut engendrer un sentiment d'insécurité, surtout en milieu urbain, c'est la peur du crime.

La peur du crime en milieu urbain

La peur du crime en milieu urbain peut se traduire par une anxiété face au crime, un malaise urbain (comme la peur des étrangers) ou un manque d'harmonie entre l'individu et son milieu. En somme, il s'agit du sentiment d'insécurité qu'éprouvent les citadins. Cette peur du crime revêt deux formes :

— le risque perçu, c'est-à-dire l'évaluation que chaque individu fait de la probabilité d'être personnellement victime d'un crime;

— la préoccupation par rapport au crime, soit l'importance que l'individu accorde au problème de la criminalité dans son milieu ou dans son quartier.

Voici, à cet égard, les données canadiennes tirées des réponses à la question « Vous sentez-vous en sécurité à marcher seul(e) dans votre quartier la nuit ? » Parmi les personnes interrogées, 30 % ont dit ne pas se sentir en sécurité; de ce groupe, 42 % sont des femmes et 36 % des personnes âgées. Dans certains quartiers de Montréal, la proportion grimpe même jusqu'à 75 % chez les femmes[13].

---

12. D. Martel, *La peur du crime en milieu urbain dans l'ensemble de la population et chez les femmes*, Régie régionale de la santé et des services sociaux de Montréal-Centre, décembre 1999, p. 58.

13. *Ibid.*, p. 42.

De quoi ces personnes ont-elles peur ? Tant au Canada qu'aux États-Unis, la majorité des gens interrogés disent surtout craindre les crimes contre la propriété, en particulier le cambriolage. Dans la région de Montréal, 90 % des femmes affirment ne pas se sentir en sécurité lorsqu'elles empruntent seules, le soir, les transports en commun, et 60 % éprouvent le même sentiment dans les lieux publics. Pour l'ensemble du Québec, ce sont 9,5 % des femmes qui disent craindre une agression sexuelle[14]. Les femmes soulignent même qu'elles restreignent volontairement leurs activités à cause de ce sentiment d'insécurité.

En 1997, sur le territoire de la Communauté urbaine de Montréal, une enquête visant à cerner la peur du crime chez les résidants a révélé que 57 % des femmes craignent de marcher seules le soir dans leur quartier (contre 22 % des hommes), qu'une femme sur six redoute de marcher seule dans un parc même en plein jour, que les personnes de 65 ans ou plus qui se disent craintives sont trois fois plus nombreuses que les jeunes de 15 à 24 ans et que 23 % des personnes âgées se sentent inquiètes lorsqu'elles sont seules le soir à la maison[15].

La peur du crime fait donc de plus en plus partie intégrante de la vie urbaine, notamment chez les femmes et les personnes âgées, bien que les statistiques indiquent des pourcentages de victimes d'un crime plus faibles dans ces deux groupes. La majorité des citoyens croient que la criminalité et surtout la violence sont en hausse. Une telle perception ne correspond cependant pas à la réalité. Comme nous le verrons au chapitre 6, les taux de criminalité ont plutôt eu tendance à diminuer ces dernières années au Canada.

Les médias de masse jouent sans doute un rôle déterminant dans l'aggravation du sentiment d'insécurité qu'éprouvent les citadins.

En bref

Selon Émile Durkheim, la criminalité est liée à ce qu'il a appelé l'anomie, c'est-à-dire la faiblesse ou l'absence du contrôle que la société exerce généralement sur ses membres.

Selon Robert Merton, toute société se donne des objectifs communs, mais tous ses membres ne disposent pas des mêmes moyens pour les atteindre. En somme, la société convie à la réussite, mais puisque tous n'ont pas les mêmes possibilités d'y parvenir, certains choisiront l'illégalité. Il distingue cinq types de réactions à ce décalage entre les buts et les moyens.

---

14. D. Martel, *La peur du crime en milieu urbain dans l'ensemble de la population et chez les femmes*, op. cit., p. 42.

15. *Id.*

Pour sa part, Marcuse nous propose une critique de la société postindustrielle. Il affirme que, en créant des besoins chez les individus, la société de consommation peut amener ces derniers à utiliser des moyens illégaux pour tenter de les combler.

La répartition géographique de la criminalité sur le territoire de l'île de Montréal a connu des transformations importantes au cours des années 1980 et 1990, de nouvelles zones situées dans le nord-est, le centre-ouest et le sud-ouest s'ajoutant aux secteurs les plus touchés auparavant. Le portrait de la criminalité offre de nombreuses ressemblances avec ceux de la pauvreté, de la défavorisation et du vieillissement de la population. Les conditions socioéconomiques créent tout au plus un climat favorable à l'apparition de la criminalité, mais n'en sont pas nécessairement la cause directe.

Si la socialisation d'un enfant dans son milieu familial ne se fait pas harmonieusement, cet enfant risque d'avoir de graves problèmes d'adaptation à la société, qui peuvent ultérieurement prendre la forme de conduites délinquantes. Selon la théorie de la régulation sociale, la socialisation se fait par la création de liens forts et durables entre le jeune et son milieu. Ainsi, plus le jeune est attaché à son milieu, plus il accepte les règles et les contraintes de la vie en société et moins il adopte un comportement délinquant.

Le portrait de la famille québécoise nous montre qu'il existe des situations à risque de délinquance qui nécessitent une intervention hâtive, même avant l'entrée de l'enfant à l'école.

Les carences familiales se révéleront surtout dans les rapports de l'enfant avec l'école et les groupes de pairs. Il existe un lien étroit entre l'inadaptation scolaire et la délinquance juvénile : l'enfant ou l'adolescent qui se sent dévalorisé par des échecs répétés cherche une compensation et une revalorisation auprès d'un groupe de pairs délinquants.

Sutherland explique qu'un individu agit en criminel lorsqu'il est en présence de modèles criminels à l'intérieur d'un groupe : il apprend alors à devenir un criminel.

De son côté, Agnew estime que l'adhésion à un groupe de pairs délinquants résulte de l'état de tension dans lequel les jeunes se trouvent lorsqu'ils croient que les voies légitimes menant à la réussite leur sont bloquées.

Le gang comble les besoins de valorisation, de reconnaissance et d'appartenance que ressent un jeune en conflit ouvert avec son milieu, et c'est pourquoi il lui est parfois difficile de le quitter. Le portrait des gangs à Montréal à la fin des années 1990 le confirme. On remarque en outre que les filles prennent une place plus grande dans les gangs et deviennent plus violentes.

La télévision nous propose un contenu de plus en plus violent, que ce soit dans des actes physiques ou psychologiques. Cependant, l'unanimité chez les chercheurs est loin d'être faite en ce qui concerne l'ampleur de l'influence que la télévision exerce sur le comportement violent des individus.

La violence dans les médias peut toutefois exacerber le sentiment d'insécurité qu'éprouvent certains groupes de la société, surtout les femmes et les personnes âgées en milieu urbain. C'est la peur du crime.

Questions et exercices

1. À l'aide de statistiques, tracez le portrait de la criminalité dans votre quartier (arrondissement) ou votre municipalité. Où se situent les zones comportant le plus haut taux de criminalité ? Quelles sont les principales caractéristiques socioéconomiques de ces zones ? Où situez-vous ces zones par rapport à la description de Montréal présentée dans la section 5.1 de ce chapitre ?

2. Analysez le contenu d'une émission de télévision. Combien d'actes violents avez-vous répertoriés (violence physique et psychologique) ? Quel portrait des criminels y esquisse-t-on ? Selon vous, quel effet cette émission produit-elle chez les téléspectateurs ? À la lumière de votre analyse, devrait-on réglementer davantage le contenu des émissions à contenu violent ? Comment ?

3. En quoi la connaissance du milieu où vous devrez agir en tant que policier ou intervenant social vous sera-t-elle utile ? Donnez des exemples concrets.

4. Quel rôle le milieu scolaire peut-il jouer dans l'apparition de la délinquance et la formation de gangs ? Comment les écoles peuvent-elles contrer le phénomène ? Trouvez une école qui a obtenu du succès à cet égard. Comment la direction a-t-elle procédé ? Est-ce applicable à tous les milieux socioéconomiques ?

5. À l'aide d'une documentation pertinente (biographies, témoignages, articles de journaux, reportages télévisés), brossez le portrait d'un gang délinquant. Qui en sont les membres ? Quels en sont les règlements ? Quelles en sont les principales activités ? Quel rôle y jouent les filles ? Enfin, indiquez comment on devrait intervenir auprès de ce groupe.

Troisième partie

Portrait de la criminalité et catégories de criminels ___

Toute intervention auprès d'individus présentant un état pathologique — d'origine physiologique, psychologique, économique ou sociale — se base sur une classification par type d'états, d'individus ou de circonstances.

Ainsi, on ne traitera pas un rhume comme on traite une fracture du fémur, pas plus qu'on ne soignera un enfant de 10 ans de la même manière qu'un retraité de 70 ans. Pour mieux circonscrire le traitement approprié, on classifie ou on regroupe donc les malades selon des catégories plus ou moins homogènes. Cet exemple illustre bien l'importance des classifications ou des typologies.

Il en est de même pour le domaine criminologique, où les formes de criminalité et les types de délinquants détermineront le genre d'intervention : prévention, répression ou réhabilitation.

Dans les deux prochains chapitres, nous tracerons un portrait de la criminalité et décrirons les principales catégories de criminels.

Chapitre 6

Portrait de la criminalité _____

Les manifestations criminelles peuvent revêtir diverses formes. La caractéristique commune à ces comportements est qu'ils ont été définis en tant que crimes par l'autorité politique d'un État. Comme la criminalité s'exprime par des comportements essentiellement différents, on devra pouvoir les identifier, les classer et les décrire pour en faciliter la compréhension.

Dans le présent chapitre, nous définirons et décrirons d'abord les principales catégories de délits et leur représentation statistique. Nous parlerons ensuite des groupes criminels, de leur structure et de leurs activités. Nous présenterons enfin les crimes à connotation économique.

6.1 Les classifications et la description des principaux délits

Diverses classifications des crimes sont établies selon le type d'infractions, le groupe d'âge et le sexe. Penchons-nous d'abord sur la plus ancienne et la plus couramment utilisée : la classification juridique, basée sur le droit.

La classification juridique

La classification juridique regroupe les catégories de crimes suivantes :
— les délits contre la personne;
— les délits contre la propriété;
— les délits contre l'État;
— les délits sans victime.

Les délits contre la personne

Les **délits contre la personne** regroupent tous les crimes qui portent atteinte à l'intégrité physique d'un être humain. Cette catégorie englobe le meurtre, la tentative de meurtre, l'homicide involontaire (homicide non intentionnel), l'agression sexuelle et les autres infractions à caractère sexuel, l'assaut, les voies de fait, l'enlèvement, les lésions corporelles, la négligence criminelle, etc.

Les délits contre la propriété

Dans la catégorie des **délits contre la propriété**, nous incluons tous les délits qui constituent une atteinte au droit de propriété. Citons, à titre d'exemples, l'introduction par effraction, le vol d'un véhicule à moteur, le vol simple, le recel, la fraude, l'escroquerie, le faux.

Les délits contre l'État

Les **délits contre l'État** (ou délits contre les institutions politiques ou étatiques), en nombre très restreint, portent atteinte aux institutions d'une société. Le sabotage, l'incitation à l'émeute, la sédition, l'espionnage et le terrorisme en sont des exemples.

Penchons-nous davantage sur ce dernier type de crimes. Aux États-Unis, le FBI définit le **terrorisme** comme « un usage illégal de la force ou de la violence contre des personnes ou des biens pour intimider un gouvernement, une entreprise ou une collectivité afin de leur faire adopter une nouvelle ligne de conduite politique ou sociale ». Le terrorisme est essentiellement mondial, dynamique et en constante mutation; il s'adapte ainsi aux mesures de contre-terrorisme mises en place par les États et les devance même parfois. Son objectif est de susciter.la peur en utilisant la violence aveugle et à grande échelle.

Le terrorisme a pour caractéristique de s'en prendre à des personnes qui ne s'attendent pas à être attaquées et qui ne peuvent donc pas se défendre. Il ne fait pas de distinction entre les personnes directement visées et les innocents qui se trouvent sur les lieux d'un attentat. Les événements tragiques du 11 septembre 2001, qui ont fait plus de 3000 victimes à New York, à Washington et en Pennsylvanie, offrent un triste exemple de l'escalade de la terreur imposée par un groupe d'extrémistes religieux. Avec leurs moyens de communication modernes et la facilité avec laquelle leurs membres se déplacent partout dans le monde, les réseaux internationaux de terroristes lancent un défi de taille aux services de sécurité de tous les pays.

Selon le Service canadien du renseignement de sécurité, la prolifération des armes de destruction massive (nucléaires, biologiques ou chimiques) engendre aussi une lourde menace pour la communauté internationale. Rappelons à ce sujet l'attaque au gaz sarin perpétrée par un groupe terroriste dans le métro de Tokyo en 1995, qui fit 12 victimes et incommoda sérieusement plus de 5000 personnes, et les lettres piégées à l'anthrax qui firent quelques victimes aux États-Unis plus récemment.

Certains pays ou groupes qui ne peuvent pas produire eux-mêmes leurs armes de destruction tentent de se procurer les composantes, la technologie ou le savoir-faire des pays occidentaux. Mais la technologie offre aussi aux terroristes une plus grande variété de moyens d'atteindre leurs objectifs de destruction : la cybertechnologie et Internet les rendent ainsi beaucoup plus difficiles à identifier et à contrer.

Les pays modernes sont de plus en plus dépendants de leurs infrastructures d'information, comme les réseaux d'ordinateurs. Aussi n'est-il pas étonnant que des groupes terroristes tentent d'exploiter la vulnérabilité de ces réseaux en volant, modifiant ou détruisant de l'information. C'est le cyberterrorisme. Nous décrirons en détail la cybercriminalité à la section 6.3.

L'agroterrorisme est une autre menace à laquelle les sociétés occidentales doivent faire face. Il s'agit de contaminer le bétail et les produits de l'agriculture au moyen de produits chimiques ou biologiques nocifs pour l'être humain. Ainsi, en 1999, le FBI a déjoué un complot qui visait à détruire du blé par l'utilisation de champignons nocifs.

Les délits sans victime

Les **délits sans victime** constituent une catégorie plus criminologique que juridique, car, contrairement aux délits des catégories précédentes, ils ne font aucune victime. En effet, les citoyens dans leur ensemble ne sont pas lésés directement par ces infractions, et les contrevenants agissent en comprenant parfaitement bien les conséquences juridiques de leurs actes. On retrouve dans cette catégorie, entre autres, les jeux et les paris illégaux, l'usage des dérivés de l'opium et du cannabis, la consommation illégale de drogues contrôlées ou à usage restreint et la prostitution.

La classification juridique ne tient pas compte de la personnalité du criminel ou du contrevenant ni du contexte social ou psychologique dans lequel l'acte a été commis. Il est important de mentionner que cette classification n'implique pas de spécialisation ni d'exclusivité de la part du criminel. Ainsi, un narcomane (délit sans victime) peut commettre un assaut (crime contre la personne) ou un vol par effraction (crime contre la propriété). De plus, comme nous l'avons indiqué précédemment, la définition de la criminalité varie selon les époques et les sociétés.

La classification selon le type d'infractions

Le *Code criminel* fait une distinction entre les actes criminels et les infractions sommaires suivant la gravité de l'acte. Un **acte criminel**, comme l'homicide, est un crime grave pour lequel la poursuite se fait par voie de mise en accusation. L'**infraction sommaire**, comme troubler la paix, est un crime moins grave pour lequel la poursuite se fait sur déclaration sommaire de culpabilité. La peine maximale est de six mois d'emprisonnement, ou d'une amende de 2000 $, ou les deux. Il en existe quelques autres dits **délits mixtes**, comme les voies de fait, pour lesquels la Couronne a le choix du mode d'accusation.

Bien que les statistiques officielles ne révèlent qu'une partie de la criminalité réelle, comme nous l'avons vu au chapitre 3, elles nous permettent tout de même d'établir des comparaisons s'étalant sur plusieurs années et d'en dégager les tendances à plus long terme. Ainsi, en consultant le tableau 6.1, nous constatons que les crimes contre la personne (crimes de violence) n'ont représenté en l'an 2000 que 12,8 % du total des infractions au *Code criminel*, les crimes contre la propriété, 53,2 %, et les autres crimes (prostitution, jeux et paris, drogue, etc.), 34 %. La criminalité décrite dans les statistiques officielles présente donc une image passablement différente de celle véhiculée par certains médias, qui mettent souvent l'accent sur les crimes contre la personne.

Tableau 6.1   Crimes selon le type d'infractions.

	1996	1997	1998	1999	2000
	infractions				
Toutes les infractions	2 744 896	2 636 563	2 567 894	2 475 915	2 476 520
Code criminel	2 644 893	2 534 766	2 461 156	2 356 831	2 353 926
Crimes de violence	**296 746**	**296 890**	**296 166**	**291 327**	**301 875**
Meurtre	573	517	501	482	484
Tentative de meurtre	878	865	745	687	766
Homicide involontaire coupable	61	63	52	56	53
Vol qualifié	31 797	29 587	28 963	28 740	27 012
Autres crimes de violence	263 437	265 858	265 905	261 362	273 560
Agression sexuelle	27 026	27 013	25 553	23 859	24 049
Voie de fait	219 919	222 397	223 926	221 348	233 517
Autres crimes de violence	16 492	16 448	16 426	16 155	15 994
Crimes contre la propriété	**1 561 811**	**1 459 536**	**1 377 901**	**1 299 981**	**1 251 667**
Introduction par effraction	397 057	373 316	350 774	318 054	293 416
Vol de véhicule à moteur	180 123	177 130	165 920	161 388	160 268
Vol	850 807	782 327	737 232	700 860	683 997
Possession de biens volés	31 772	29 799	29 156	29 308	28 317
Fraude	102 052	96 964	94 819	90 371	85 669
Autres crimes	**786 336**	**778 340**	**787 089**	**765 523**	**800 384**
Prostitution	6 397	5 828	5 969	5 255	5 036
Jeux et paris	766	423	445	360	242
Armes offensives	16 400	16 103	16 766	16 007	15 306
Autres infractions au *Code criminel*	762 773	755 986	763 909	743 901	779 800
Autres lois fédérales	100 003	101 797	106 738	119 084	122 594

Source : Statistique Canada, CANSIM II, tableau 252-0001 et publication n° 85-205-XIF. Dernières modifications apportées le 2 avril 2002.

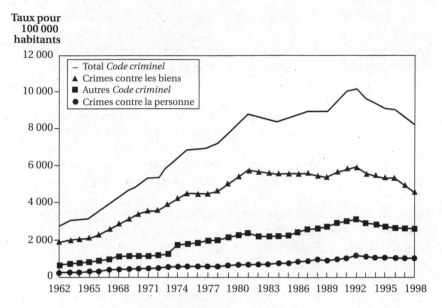

Figure 6.1 Taux de criminalité* selon les catégories principales d'infractions, Canada, 1962-1998.

* Sont exclues les infractions aux règlements de la circulation prévues dans le *Code criminel*.

Source : Statistique Canada, 85F0018XIF.

De 1996 à 2000, au Canada, la criminalité globale (c'est-à-dire toutes les infractions au *Code criminel*) a diminué de 11 %, tandis que la criminalité avec violence a augmenté de 1,7 %. Les homicides, pour leur part, ont diminué de 13,8 % de 1996 à 2000, et les agressions sexuelles de 11 %. En l'an 2000, les crimes contre la propriété ont diminué de 19,9 % par rapport à 1996, ce qui confirme la baisse amorcée en 1991.

Le graphique de la figure 6.1 nous permet de comparer l'évolution des taux de criminalité par 100 000 habitants au Canada, tant pour l'ensemble de la criminalité que pour les principales catégories d'infractions, de 1962 à 1998. On y remarque la baisse constatée au tableau 6.1 pour les années 1990, après une hausse durant les deux décennies précédentes.

La classification selon le groupe d'âge

Les statistiques de la criminalité utilisent la classification selon le groupe d'âge, ce qui permet de comparer la criminalité des adultes (18 ans ou plus) avec celle des juvéniles (12 à 18 ans). Ainsi, les données répertoriées au tableau 6.2 montrent qu'en 2000, au Canada, 79,1 % des personnes accusées en vertu du *Code criminel* étaient des adultes et 20,9 % des jeunes. De 1996 à 2000, le nombre de jeunes accusés d'infractions au *Code criminel* a diminué de 15,5 %. Par contre, on remarque que la proportion de jeunes accusés de crimes violents a presque doublé au Canada au cours des dix dernières années, bien que cette hausse ait été quasiment nulle de 1996 à 2000. Par ailleurs, chez les filles, on a noté une hausse de 7,2 % des crimes violents entre 1996 et 2000. De 1988 à 1998, le nombre d'accusés par tranche de 1000 personnes est passé de 8 à 13,1 chez les garçons et de 2,1 à 4,7 chez les filles, soit une augmentation moyenne de 77 % chez les adolescents. Rappelons ici que nous avons présenté au chapitre 5 les principaux facteurs explicatifs de la délinquance des jeunes.

Les statistiques classifiant la criminalité selon l'âge tiennent une bonne partie de leur explication dans les données démographiques propres au Canada. En effet, l'évolution démographique du Canada révèle une baisse du nombre d'enfants, attribuable à la dénatalité, et une longévité accrue de la population, liée à la baisse du taux de mortalité. Le nombre de jeunes qui sont le plus susceptibles de commettre des délits ou d'en être victimes est en baisse, alors que le nombre de personnes âgées, qui craignent le plus la criminalité, augmente.

La classification selon le sexe

Les statistiques nous permettent aussi de différencier la criminalité d'origine masculine et celle d'origine féminine (*revoir le chapitre 4*). Le tableau 6.2 présente aussi le portrait quantitatif de la criminalité selon le sexe, de 1996 à 2000 au Canada.

En l'an 2000, les femmes (adultes et jeunes) représentaient 18,8 % de l'ensemble des personnes accusées d'infractions au *Code criminel*, contre 18,6 % en 1996. Toujours en l'an 2000, 83,3 % des personnes accusées de crimes de violence étaient des hommes (adultes et jeunes), comparativement à 77,6 % dans le cas des crimes contre la propriété.

6.2 Le crime organisé

S'il est une forme de criminalité qui a depuis longtemps suscité de vives réactions dans la société et y a attisé les passions, c'est assurément le crime organisé.

La Commission d'enquête sur le crime organisé, tenue au Québec en 1977, a proposé la définition suivante du **crime organisé** : « Une conspiration continue, dissimulée et à caractère permanent d'un groupe d'individus,

Tableau 6.2   Ventilation, selon le sexe, du nombre de jeunes et d'adultes accusés d'infractions au *Code criminel* et aux lois fédérales.

	1996	1997	1998	1999	2000
	infractions				
Ensemble des infractions					
Adultes accusés	454 971	429 898	427 608	426 063	433 902
Hommes	376 236	355 032	352 639	351 942	358 870
Femmes	78 735	74 866	74 969	74 121	75 032
Jeunes accusés	128 542	120 208	118 542	111 057	113 598
Hommes	100 654	93 674	92 116	86 136	87 809
Femmes	27 888	26 534	26 426	24 921	25 789
Infractions au *Code criminel*					
Ensemble des infractions					
Adultes accusés	409 894	388 211	383 606	376 238	380 957
Hommes	337 435	319 440	314 957	309 434	313 777
Femmes	72 459	68 771	68 649	66 804	67 180
Jeunes accusés	119 410	110 841	107 452	99 322	100 861
Hommes	93 187	86 180	83 037	76 791	77 566
Femmes	26 223	24 661	24 415	22 531	23 295
Crimes de violence					
Adultes accusés	117 246	115 095	113 498	111 392	116 951
Hommes	102 393	99 733	97 795	95 403	99 435
Femmes	14 853	15 362	15 703	15 989	17 516
Jeunes accusés	22 521	22 172	22 195	21 102	22 635
Hommes	17 206	16 556	16 534	15 807	16 905
Femmes	5 315	5 616	5 661	5 295	5 730
Crimes contre la propriété					
Adultes accusés	162 946	147 849	141 246	132 350	124 366
Hommes	125 861	114 179	109 441	102 986	96 912
Femmes	37 085	33 670	31 805	29 364	27 454
Jeunes accusés	66 702	58 340	54 104	48 009	46 248
Hommes	51 930	45 653	42 148	37 214	35 521
Femmes	14 772	12 687	11 956	10 795	10 727
Autres crimes					
Adultes accusés	129 702	125 267	128 862	132 496	139 640
Hommes	109 181	105 528	107 721	111 045	117 430
Femmes	20 521	19 739	21 141	21 451	22 210
Jeunes accusés	30 187	30 329	31 153	30 211	31 978
Hommes	24 051	23 971	24 355	23 770	25 140
Femmes	6 136	6 358	6 798	6 441	6 838
Infractions aux lois fédérales					
Adultes accusés	45 077	41 687	44 002	49 825	52 945
Hommes	38 801	35 592	37 682	42 508	45 093
Femmes	6 276	6 095	6 320	7 317	7 852
Jeunes accusés	9 132	9 367	10 090	11 735	12 737
Hommes	7 467	7 494	8 079	9 345	10 243
Femmes	1 665	1 873	2 011	2 390	2 494

Source : Statistique Canada, CANSIM II, tableau 252-0002 et produit n° 85-205-XIF. Dernières modifications apportées le 2 avril 2002.

en vue de tirer profit du crime sous plusieurs de ses formes, ainsi que des lacunes des lois[1]. »

Le crime organisé est un type de crime qui se caractérise par la recherche des occasions de le commettre et par la planification de sa perpétration. À l'opposé de la criminalité spontanée et impulsive, les risques y sont évalués froidement. L'ampleur des groupes criminels est telle que les services de police parlent maintenant de guerre plutôt que de lutte contre le crime organisé.

Les ramifications des groupes criminels

Les groupes criminels ne connaissent pas de frontières et étendent partout leurs tentacules en se servant des techniques d'avant-garde. On assiste à l'éclosion d'une véritable mafia internationale, surtout depuis l'effondrement de l'Union soviétique. Des alliances se sont créées entre des groupes est-européens, siciliens, nord-américains, colombiens et orientaux dans le but de se partager l'immense marché de la drogue et du trafic d'armes. Les sommes d'argent en jeu sont gigantesques : on estime que, chaque année, 1500 milliards de dollars provenant d'activités criminelles sont blanchis, ce qui représente le quart de la masse monétaire de la planète. Selon Claire Sterling, spécialiste du crime organisé, 500 milliards de dollars circulent annuellement sur le marché de la drogue dans le monde, dont 100 milliards aux États-Unis seulement[2].

Les bureaux de change constituent un moyen privilégié pour blanchir ces sommes d'argent d'origine illicite. On emploie aussi le *moneygram* d'American Express, qui permet d'envoyer n'importe quelle somme d'argent partout dans le monde, sans avoir à produire aucun document confirmant tant l'identité de l'envoyeur que celle du destinataire, puisque seul un mot-code suffit. Le coût de ce service s'élève à 3 % du montant transigé, alors que les organisations criminelles sont prêtes à payer un taux qui peut atteindre 25 % pour blanchir l'argent. Lorsqu'un pays durcit sa réglementation concernant ces pratiques, les spécialistes du blanchiment vont vers des pays où les contrôles sont moins stricts. De plus, le secret bancaire, jalousement protégé dans certains pays, assure l'anonymat de tous les clients. À cela s'ajoutent les difficultés d'application des lois. Il faut d'abord que le blanchiment d'argent soit explicitement interdit, ce qui n'est pas le cas partout. Il faut en outre que l'intervention déclenchée quand l'argent illicite pénètre dans le système bancaire respecte les droits et libertés des individus protégés en vertu des chartes. Aux États-Unis, le

---

1. Commission de police du Québec, *Enquête sur le crime organisé, Le crime organisé et le monde des affaires*, Éditeur officiel du Québec, 1977, p. 2.
2. Claire Sterling, *Pax mafiosa*, Paris, Robert Laffont, 1994, 310 p.

Bank Secrecy Act oblige les banques à rapporter tous les dépôts de 10 000 $ et plus. Afin de contourner cette contrainte, les trafiquants ont mis au point une pratique appelée le « schtroumpfage », qui consiste à multiplier les dépôts de moins de 10 000 $!

Selon les policiers, il est de plus en plus difficile de procéder à l'arrestation de ce type de criminels, car ces derniers se contentent de financer les opérations illégales en n'y participant qu'indirectement. Une fois l'argent blanchi, ils l'investissent dans des commerces légaux. Les services de police de la planète devront donc partager tous les renseignements qu'ils possèdent au sujet des diverses facettes du crime organisé, au-delà des différences entre les systèmes judiciaires, tout comme ils le font pour combattre le terrorisme international.

Le crime organisé au Canada

Qu'en est-il au Canada ? Le Service canadien de renseignements criminels (SCRC) a tracé le portrait des principaux groupes criminels et de leurs activités. Il s'est particulièrement intéressé au crime organisé de souches asiatique, est-européenne et italienne, de même qu'aux groupes de motards criminels et aux réseaux d'exploitation sexuelle d'enfants.

Le crime organisé de souche asiatique

Le groupe criminel de souche asiatique, l'un des principaux fournisseurs d'héroïne au Canada, s'implique de plus en plus dans le trafic de cocaïne, en collaboration avec les groupes colombiens et italiens.

Ce groupe est aussi impliqué dans le jeu illégal, le prêt usuraire dans les casinos légaux, les crimes de violence (fusillades, enlèvements et extorsions) ainsi que la contrebande de migrants illégaux de Chine. Par exemple, on évalue à environ 70 000 $ le montant qu'un immigrant doit débourser pour s'introduire illégalement en Amérique du Nord et à 9,5 milliards de dollars par année les profits des passeurs à l'échelle de la planète. Les groupes originaires de Chine portent le nom de triades et ceux du Japon, celui de *yakuzas*.

Le crime organisé de souche asiatique est également impliqué dans la contrefaçon et l'utilisation frauduleuse de cartes de débit et de crédit. La technique employée, dite de « **l'écrémage** », consiste à saisir illégalement, à l'aide d'un lecteur de cartes dissimulé, les données électroniques enregistrées sur des cartes légitimes. Ces données sont par la suite transférées sur des cartes contrefaites.

Au Québec, ces groupes sont présents presque exclusivement à Montréal. Une trentaine d'entre eux ont été identifiés, dont près d'une vingtaine déploient leurs activités à l'échelle tant nationale qu'internationale. Ils sont surtout d'origine chinoise ou vietnamienne et se spécialisent dans le trafic de stupéfiants, la fraude, l'extorsion et la prostitution.

Ces groupes se caractérisent par leur grande mobilité tant au Canada qu'aux États-Unis, par la violence dont ils font preuve ainsi que par les liens très étroits qui unissent leurs membres, ce qui rend les interventions policières beaucoup plus ardues.

Le crime organisé de souche est-européenne

Au Canada, les groupes criminels de souche est-européenne étendent de plus en plus leurs activités, bien qu'ils soient surtout actifs à Toronto, Montréal et Vancouver. Ces groupes ont aussi de forts liens entre eux et avec des organisations criminelles internationales, et ils s'impliquent dans l'extorsion, le meurtre, la prostitution, la contrebande de drogue (cocaïne, héroïne, stéroïdes et *ecstasy*) et les crimes à connotation économique (fraude, contrefaçon, blanchiment d'argent). Signalons aussi la mise sur pied d'un vaste réseau de vol d'automobiles qui sont expédiées en Russie, où leur valeur double.

À Montréal, ces groupes se spécialisent dans la contrebande de biens de consommation destinés surtout aux pays d'Europe de l'Est, l'importation et le trafic de drogue (cocaïne et stéroïdes) ainsi que la prostitution — c'est-à-dire l'exploitation, dans des salons de massage, de femmes originaires de la Russie. En ce qui concerne leur degré d'organisation, ces groupes se situent entre les gangs de rue et les groupes très structurés. Certains investisseurs russes créent des entreprises qui servent de façade à des activités illicites, dont le trafic de drogue et le blanchiment d'argent. Les spécialistes prévoient que ces groupes vont tenter de se rapprocher des groupes criminels de souches italienne et asiatique ainsi que des groupes de motards criminels pour coordonner leurs activités.

Le crime organisé de souche italienne

Au Canada, les criminels de souche italienne sont liés à trois organisations : la mafia sicilienne, la mieux organisée et la plus influente, la N'drangheta, venue de Calabre, et la branche américaine de la Cosa Nostra. L'activité de prédilection de tous ces groupes est le commerce de la drogue, surtout la cocaïne et le haschich, quoiqu'ils semblent s'intéresser de plus en plus au marché de l'héroïne.

Au Québec, la mafia sicilienne fait affaire avec les organisations criminelles de souches asiatique et est-européenne ainsi qu'avec les bandes de motards criminels et les groupes colombiens. Les activités de ces groupes expliquent que, depuis quelques décennies, Montréal soit devenu un important point d'entrée des drogues illicites en Amérique du Nord.

Les bandes de motards criminels

En l'an 2000, on comptait 30 bandes de motards criminels au Canada, dont les Hell's Angels sont les plus puissants et les mieux organisés à travers le pays : ils comptaient 214 membres à part entière et 35 recrues dans leurs 18 chapitres, la plupart possédant un dossier judiciaire. Leurs activités principales sont l'importation et la distribution de drogues illégales.

En plus de distribuer et de vendre de la cocaïne, de la marijuana, du LSD, du PCP et de l'*ecstasy*, les bandes de motards criminels en font l'importation et parfois même la production. Ils sévissent également dans les domaines de la prostitution, du trafic d'armes à feu et de la fraude, et ils n'hésitent pas à employer la violence et l'intimidation.

Alors que presque partout dans le monde les groupes les plus puissants ont conclu des trêves, le Québec est longtemps demeuré un foyer de guerre entre les Hell's Angels et les Rock Machine. Ainsi, de 1994 à 2000, cette guerre a donné lieu à 450 actes de violence connus, dont 103 homicides, 124 tentatives de meurtre, 84 attaques à la bombe et 130 incendies criminels. Les membres des deux clans s'en prennent même aux familles de leurs adversaires. Des victimes innocentes ont payé de leur vie cette escalade de violence. Il s'agit parfois de personnes n'ayant aucun lien avec les bandes rivales : en 1995, à Montréal, un enfant de 11 ans est mort à la suite de l'explosion d'un véhicule piégé.

Les réseaux d'exploitation sexuelle d'enfants

Par exploitation sexuelle d'enfants, on entend la pédopornographie, la pédoprostitution et les activités des pédophiles et des prédateurs sexuels.

Le développement accéléré d'Internet joue un rôle prépondérant dans la distribution du matériel pédopornographique. Selon le Service canadien de renseignements criminels, le taux de croissance annuel moyen d'un site pornographique sur Internet est de 400 %.

Les babillards électroniques permettent aux pédophiles d'organiser des réseaux de distribution et d'échange de matériel pornographique à l'échelle internationale, le tout de façon anonyme et souvent à l'abri de la loi. Selon Pedowatch, un organisme de surveillance international, près de 1500 pédophiles échangent quotidiennement du matériel pornographique mettant en scène des enfants. Par ailleurs, on remarque une augmentation du nombre de jeunes qui utilisent Internet pour offrir leurs services. Les salons de bavardage sur Internet ou « clavardages », tout en assurant l'anonymat des participants grâce à l'utilisation de pseudonymes, permettent aux pédophiles d'échanger des renseignements sur des enfants dans le but de piéger de potentielles victimes. Certains d'entre eux se font même passer pour des jeunes afin de faciliter les conversations intimes avec des enfants et des adolescents. Selon les services de police, le matériel pédopornographique devient une marchandise de plus en plus diffusée et échangée à l'échelle mondiale.

De cette description des principales organisations criminelles et de leurs activités se dégagent un certain nombre d'éléments qui caractérisent les moyens qu'elles utilisent, à savoir la violence et la ruse.

La violence et la ruse

En Amérique du Nord, le crime organisé a façonné sa hiérarchie et sa structure sur le modèle du monde des affaires. Dans certaines villes, il existe de véritables conseils d'administration avec président et conseillers qui assurent la direction d'un secteur d'activités criminelles bien précis : ce sont les « familles ». Le chef ou « parrain » dirige les activités de sa famille de la même façon qu'un homme ou une femme d'affaires dirige son entreprise; il cherche à tirer le maximum de profits de ses investisse-ments en utilisant toutes les ressources de son organisation.

Pour maximiser leurs profits et assurer le fonctionnement optimal de leurs activités illicites, les groupes criminels recourent volontiers à la violence sous toutes ses formes[3]. Le trafic de stupéfiants en offre un exemple typi-que : afin de rentabiliser ce commerce illégal et d'en conserver le con-trôle, on n'hésite pas à menacer de mort ou de sévices les clients incapa-bles de payer.

Le prêt usuraire

Les prêteurs usuraires ou *shylocks* ont également recours à l'intimidation pour amener les clients retardataires à respecter leurs obligations et à rem-bourser l'argent prêté à des taux d'intérêt exorbitants.

Selon les services de police, le prêt usuraire ou *shylocking* demeure un véritable fléau. Les prêteurs usuraires offrent même leurs services par l'in-termédiaire de petites annonces publiées dans les journaux, qui peuvent prendre la forme suivante : « Prêt facile, aucune enquête de crédit, dépôt le même jour de 1000 $ à 20 000 $ », suivies du nom d'une entreprise et d'un numéro de téléphone. Les taux d'intérêt exigés peuvent aller jusqu'à 10 % par semaine. Ainsi, dans le cas d'un prêt de 2000 $, on devra verser, en intérêts seulement, 200 $ par semaine.

Les prêteurs usuraires ne se considèrent pas comme des criminels mais plutôt comme des gens d'affaires et ils estiment qu'ils rendent service à la

---

3. Certains criminels professionnels vivent presque exclusivement de la violence : ce sont les tueurs à gages. Bien qu'ils ne jouent pas un rôle déterminant dans l'organisation, leurs services sont occasion-nellement requis.

population. Ils offrent ce « service » à des personnes souvent vulnérables, comme les joueurs compulsifs, les toxicomanes et les alcooliques. Selon les policiers, de plus en plus de gens d'affaires et de citoyens font aussi appel à ces prêteurs.

L'augmentation des faillites, l'endettement, la difficulté d'obtenir du crédit dans une institution financière et la popularité grandissante des jeux de hasard (casinos, courses de chevaux, vidéopokers, etc.) sont les principales causes de l'expansion de ce type de criminalité. Bien que quelques caïds du crime organisé soient impliqués dans cette activité, celle-ci est surtout l'affaire de petits prêteurs qui tentent de se tailler une place dans le monde de la criminalité. L'investissement requis pour un débutant devient vite rentable (par exemple, un investissement de 20 000 $ peut rapporter au moins 1000 $ par semaine) et les risques sont minimes puisque les victimes, par peur des représailles, portent rarement plainte. De plus, les sentences dont écopent les prêteurs ayant été reconnus coupables par un tribunal sont en général peu sévères. La sentence maximale qui peut être imposée aux prêteurs usuraires condamnés à ce titre est d'un an d'incarcération et, dans la majorité des cas, les juges imposent plutôt une amende aux contrevenants.

Le racket et autres délits

Le recours excessif à la violence comporte de graves inconvénients pour les réseaux du crime organisé. Al Capone, le célèbre gangster américain des années 1920, s'est lui-même vite aperçu que la violence utilisée par son organisation provoquait un tel remous dans l'opinion publique et les médias qu'elle donnait lieu à des enquêtes publiques fort contrariantes pour celle-ci. Cette « mauvaise publicité » qui résulte de l'emploi de la violence explique sans doute que le crime organisé l'ait graduellement remplacée par des méthodes fondées sur la ruse, tels les rackets.

À l'exception du racket de la protection qui s'appuie sur l'envoi de menaces pour extorquer des fonds aux commerçants en échange de la tranquillité dans leur établissement, le **racket** désigne un ensemble d'activités qui se déploient avec le minimum de violence. Fondés sur la ruse à l'intérieur du crime organisé, les rackets visent la partie de la population qui recherche des services qu'elle ne peut obtenir de façon légale. Ainsi, il devient habituellement inutile de faire usage de violence. Le crime organisé aura plutôt recours à la corruption d'hommes publics et au versement de pots-de-vin pour préserver son champ d'activité.

D'autres délits misent également davantage sur la ruse que sur la violence. Nous ne retiendrons que le vol à la tire, le cambriolage, l'escroquerie et la contrefaçon, lorsqu'ils sont l'œuvre d'organisations bien structurées.

Le **vol à la tire** consiste à voler des biens à la victime dans des endroits publics sans attirer l'attention, en la bousculant dans le métro, par exemple. Le pickpocket agit souvent en équipe et possède l'habileté et la technique qu'apporte l'expérience. Les risques sont minimes et les peines peu sévères.

Le **cambriolage** consiste à pénétrer illégalement dans le logement ou le commerce d'autrui pour y voler des objets ou de l'argent. Les moyens employés par les cambrioleurs sont variés : fausses clefs, effraction, escalade, etc. Ils agissent généralement en groupe et prennent soin de recruter des spécialistes : indicateurs, perceurs de coffre-fort, techniciens en électronique (systèmes d'alarme), receleurs. Leur chef est souvent un criminel professionnel à la retraite.

L'**escroquerie** consiste à soutirer des biens ou de l'argent par des moyens frauduleux. L'escroquerie exige de ses auteurs une force de persuasion et une intelligence supérieures à la moyenne. Plusieurs techniques plus ou moins raffinées sont utilisées. On peut, par exemple, recourir aux petites annonces des journaux pour offrir des aubaines. L'escroc utilise ainsi le mensonge et le subterfuge de façon habile. Il doit cependant renouveler constamment ses procédés pour se protéger de la publicité qui dénonce ses escroqueries, surtout les plus spectaculaires.

La **contrefaçon** ou la fabrication de faux comporte une grande variété de moyens selon le type d'objets contrefaits : chèques, cartes de crédit, diplômes, certificats médicaux, billets de banque, etc. Les faussaires travaillent généralement en équipe : les uns fabriquent les faux, d'autres les écoulent sur le marché. Nous distinguons ici entre la contrefaçon de simples marchandises, par exemple la fausse monnaie, et la falsification d'œuvres d'art qui relèvent du patrimoine culturel de l'humanité.

Le marché illicite des objets d'art

Le commerce illicite des objets d'art, peu connu et très lucratif, comprend le pillage de sites historiques, le vol de tableaux dans des musées et des galeries d'art ou chez des particuliers ainsi que la contrefaçon d'œuvres connues, principalement des tableaux.

Selon le criminologue Philippe Bensimon[4], on peut estimer à entre deux et six milliards de dollars par année la valeur des œuvres d'art importantes qui sont volées dans le monde. Au Canada, seulement 6 % des objets d'art volés sont retrouvés et près de 30 % retournent sur le marché, par l'intermédiaire des ventes aux enchères. Le Canada est le quatrième pays au monde en ce qui concerne l'ampleur des vols d'œuvres d'art sur son territoire.

---

4. Philippe Bensimon, *Les faux en peinture*, Éditions Cursus Universitaire, Montréal, 2000, 381 p.

Il est, par ailleurs, beaucoup plus difficile d'évaluer le nombre d'œuvres d'art contrefaites, surtout en peinture. Le pourcentage de faux découverts est probablement inférieur à 6 %. Le chiffre noir de ce type de délits est, on s'en doute, très élevé. L'acheteur peut acquérir en toute connaissance de cause un tableau contrefait ou être la victime innocente de la qualité du travail d'un artiste faussaire. Dans les deux cas, la fraude n'est habituellement pas signalée. Il arrive même que des musées célèbres exposent de faux tableaux pendant plusieurs mois avant que leurs experts découvrent, à leur grande stupéfaction, le subterfuge dont ils ont été victimes.

Plus un artiste est connu, plus la valeur de ses toiles augmente et plus il risque d'être copié. Bensimon rapporte le cas d'un peintre de la région de Montréal qui copiait des œuvres québécoises et canadiennes, des Riopelle notamment. Le faussaire vendait ensuite ses copies par l'intermédiaire d'annonces placées dans les journaux, qui alléchaient les acheteurs en leur offrant une bonne affaire susceptible de leur faire bénéficier des généreux abris fiscaux prévus pour l'achat d'œuvres d'art.

6.3 Les crimes à connotation économique

Les crimes à connotation économique sont en nette progression presque partout dans le monde. La complexité de ces crimes et leur prolifération quasi exponentielle rendent l'intervention policière de plus en plus problématique, d'autant plus que les lois sur lesquelles les autorités peuvent s'appuyer varient beaucoup selon les juridictions. Ainsi, la définition d'un crime économique de même que les sanctions à imposer aux contrevenants sont loin de faire l'unanimité. L'absence d'ententes internationales prévoyant l'extradition de ces criminels leur assure une grande impunité.

Les techniques de pointe employées par les contrevenants rendent la répression plus difficile et obligent les policiers à consacrer beaucoup de temps et de ressources à prouver à la satisfaction des tribunaux qu'une infraction a été commise.

De plus, on constate un certain laxisme de la part de la société envers ce type de criminalité. Puisqu'un tel crime ne met aucune vie en danger, il ne suscite pas la forte réprobation des citoyens et des dirigeants politiques. Par exemple, qui, lorsque les médias dévoilent qu'une fraude complexe et fort bien planifiée a été commise aux dépens d'une institution financière, n'éprouve pas une certaine admiration pour ses auteurs ? Les sentences imposées à ce type de criminels (amende ou travaux communautaires) n'exercent sur eux qu'un effet dissuasif très ténu.

Cependant, il ne faut pas négliger le fait que les crimes économiques coûtent très cher à l'ensemble de la société, tant aux entreprises qu'à l'ensemble des consommateurs.

La criminalité à col blanc

Dès 1939, le sociologue américain Sutherland, dont on a parlé au chapitre 5, proposa l'expression *white collar crime* (**criminalité à col blanc**) pour qualifier les infractions commises par des personnes respectables et jouissant d'un niveau de vie élevé grâce à leurs activités professionnelles. L'expression *criminalité économique* est aussi employée pour désigner ce type de criminalité.

> Un **crime économique** désigne un acte commis ou omis en vue d'obtenir des biens, de l'argent, un profit, un bénéfice ou un privilège, sans utilisation de violence ou de menace et grâce à une ruse, à une fraude, à une supercherie ou à un abus de pouvoir ou de confiance. Il est commis contre un individu, une entreprise, une société, un gouvernement, un groupe ou le public par des personnes qui utilisent le pouvoir, l'influence ou les connaissances tirés de leur situation professionnelle en vue de satisfaire des intérêts personnels (pécuniaires).

Ce type de crimes est difficile à détecter et à prévenir et ne suscite pas, tant du système judiciaire et de l'opinion publique que du milieu des affaires, une réprobation sociale aussi forte que ne le font les autres types de crimes[5].

Une vaste gamme de délits entrent dans cette catégorie :
— les **cartels**;
— les détournements de fonds;
— la cybercriminalité ou criminalité technologique;
— la création de sociétés fictives;
— la falsification de bilans financiers d'entreprises;
— la violation par les entreprises des normes de sécurité ou de santé applicables aux employés;
— la violation des droits de propriété ou des droits d'auteur;
— les infractions contre les consommateurs (publicité mensongère, tromperie sur les produits vendus);
— les infractions boursières et bancaires (manipulation des marchés, délit d'initié);
— les infractions contre l'environnement;
— les ventes pyramidales;
— le travail au noir;
— le trafic d'organes.

Deux constantes se dégagent de ces divers crimes. D'abord, l'opinion publique est très tolérante et s'intéresse peu à ce genre d'infractions, car elles sont souvent complexes et peu médiatisées. Ensuite, le chiffre noir de

---

5. Centre international de criminologie comparée, *La criminalité économique du Québec*, Montréal, Université de Montréal, 1977, p. 102.

ces délits est très élevé, car ils sont peu signalés à la police ou, s'ils le sont, ils n'entraînent que rarement l'imposition de sanctions sévères à leurs auteurs (*revoir le chapitre 3*).

Les criminels à col blanc se retrouvent dans toutes les professions. Les politiciens et les fonctionnaires peuvent commettre certains délits, qu'il s'agisse d'utiliser illégalement et à leur profit les deniers publics, d'accorder certaines faveurs ou de fournir certains renseignements à l'entreprise privée, d'accepter des pots-de-vin, d'accorder des exemptions fiscales ou de changer les règlements de zonage, etc. Les chefs syndicaux n'échappent pas à ce type de criminalité : ils peuvent procéder à une utilisation frauduleuse des cotisations syndicales ou, par collusion, conclure des arrangements avec les employeurs au détriment des syndiqués; ils peuvent prendre le contrôle du syndicat par des moyens frauduleux, etc.

Les caractéristiques du criminel à col blanc

Quelles sont les caractéristiques communes aux individus qui se livrent à ce type de criminalité ? D'abord, ils ne se considèrent pas comme des criminels; ayant commis leur délit dans les limites d'une profession légitime, ils estiment être des citoyens respectables. De plus, leur statut social privilégié les met à l'abri du mépris de leur entourage immédiat (parents, amis, voisins) et du public en général; en effet, on désapprouve rarement la conduite d'un médecin respecté de ses collègues et actif au sein d'organismes communautaires, même s'il est condamné pour fraude.

Quelles peuvent être les motivations d'un citoyen bien vu dans son milieu à franchir le seuil de l'illégalité ?

Nous signalerons ici les plus fréquentes :

- Ils font face à un grave problème financier.
- Ils connaissent un moyen de violer la loi en usant de leur influence, en utilisant des renseignements confidentiels ou en se servant de leurs connaissances et de leur habileté.
- Ils considèrent que le délit est un défi personnel à relever dont ils pourront par la suite se vanter.
- Ils recourent à une **rationalisation** pour expliquer leur acte. *Rationaliser* désigne le fait de justifier un acte illégal qui a été commis en toute connaissance de cause. Par exemple, un individu considérera qu'un détournement de fonds est non pas un crime, mais bien un emprunt.

Il est intéressant de noter que les criminels à col blanc éprouvent en général un profond mépris pour la loi et les tribunaux et sont rarement dénoncés par la presse. Voici quelques adages couramment évoqués pour justifier un acte criminel : *Les affaires sont les affaires. Tout le monde le fait, l'important c'est de ne pas être pris. Qui ne risque rien n'a rien.* Les médias donnent une description détaillée des crimes traditionnels comme les meurtres et les agressions sexuelles, alors qu'ils traitent la criminalité économique avec plus d'indulgence, à moins qu'il ne s'agisse d'un scandale impliquant des personnes ayant une grande notoriété. Le public se lasse des enquêtes interminables et des procès complexes, et il finit par les oublier. Le crime économique se distingue donc des autres types de crimes non seulement par sa nature, mais aussi par la tolérance dont la loi et les tribunaux font preuve à son égard et par la faiblesse de la réaction sociale.

On estime à 750 000 le nombre réel de crimes économiques commis chaque année au Canada; 70 % d'entre eux ne sont pas signalés à la police et près de 90 % resteraient non résolus. Les entreprises et les sociétés d'État victimes de ces crimes hésitent à les signaler, de crainte que le public ne leur retire sa confiance.

La cybercriminalité

La criminalité, comme nous l'avons vu, a comme caractéristique d'évoluer au même rythme que la société. Compte tenu du développement technologique propre à l'ère informatique, il n'est pas étonnant d'assister au foisonnement d'un type spécifique de crimes à connotation économique, soit la **cybercriminalité** ou **criminalité technologique**.

Le développement du commerce électronique a entraîné une hausse vertigineuse du nombre de fraudes commises via Internet : au Québec, on estime que près du tiers des fraudes économiques ont lieu sur le réseau informatique. On constate aussi que de nombreux autres types de crimes passent maintenant par Internet. Selon la Sûreté du Québec, on y retrouve, en plus des fraudes, la pornographie juvénile, la vente de drogue, l'extorsion, l'envoi de menaces de mort, le vol de services et de données, le piratage de toutes sortes et même le complot pour meurtre. Le jeu illégal envahit également Internet : on peut y retrouver des sites de casinos en ligne offerts par un ordinateur-serveur.

Les autorités policières prévoient que toute la criminalité se sera bientôt déplacée vers Internet. Puisque, en l'an 2000, on estime le nombre d'internautes à près de 3 millions au Québec et à 370 millions dans le monde, la criminalité via Internet risque de se propager rapidement.

Afin de mieux lutter contre cette forme de criminalité, les services de police devront compter sur la collaboration des fournisseurs de services Internet pour qu'ils conservent les registres de connexion (*logs*) des utilisateurs, ce qui permet de retracer les criminels. Cette demande de collaboration risque cependant de se heurter à des réticences, dès lors que les fournisseurs désirent respecter le droit de leurs clients à la protection de leur vie privée.

Les catégories

La cybercriminalité se divise en deux grandes catégories : les crimes commis à l'aide de l'informatique et les crimes informatiques comme tels.

Parmi les crimes commis à l'aide de l'informatique, mentionnons les suivants :

— l'échange de matériel pornographique;

— les fraudes, comme la fabrication de fausse monnaie et de faux documents (contrefaçon de cartes de crédit et de débit, de passeports, de chèques, etc.);

— les détournements de fonds effectués en modifant des données comptables ou en manipulant des données informatiques;

— le vol de services (télévision payante, télécommunications);

— la prostitution (offre de services);

— le blanchiment d'argent;

— les communications entre organisations criminelles au moyen de codes secrets;

— la propagande haineuse;

— le harcèlement criminel, la diffamation, le libelle.

Dans la catégorie des crimes informatiques comme tels, nous retrouvons :

— l'accès illégal aux ordinateurs et à leurs données (article 342.1 du *Code Criminel*);

— le vol de données informatiques (article 342.1);

— le méfait sur des données informatiques (article 430) : détruire des données ou les rendre inutiles ou inopérantes, empêcher ou interrompre l'emploi légitime de données, refuser à une personne l'accès légitime à des données.

Les conséquences économiques de cette forme de criminalité sont énormes. Par exemple, la fermeture d'un site Internet pendant quelques heures ou sa contamination par un virus informatique peuvent coûter des millions de dollars aux propriétaires et aux utilisateurs de ce site. Au Canada, on estime que la criminalité technologique entraîne des pertes d'un milliard de dollars par année, sans compter la valeur des données perdues ou détruites.

Le *hacker* et le *cracker*

Pour quels motifs les cyberdélinquants agissent-ils ? Afin de pouvoir répondre à cette question, nous décrirons deux types d'individus dont les motivations diffèrent : le *hacker* et le *cracker*.

Le *hacker* est un passionné d'informatique qui, par plaisir, par curiosité, par défi ou par désir d'être reconnu surtout de ses pairs, pénètre dans des systèmes informatiques sans l'aide de manuels techniques. Ce n'est pas un criminel informatique. En général, il est peu conscient des dégâts qu'il cause. Par exemple, en février 2000, un adolescent de 15 ans surnommé Mafiaboy a pénétré dans les sites de Yahoo, de CNN, d'Amazon et de quelques autres, et les a mis hors service pendant quelques heures. Cet adolescent s'étant vanté ouvertement de ses exploits sur Internet, les policiers ont alors pu procéder à son arrestation à Montréal. Il fut inculpé sous 66 chefs d'accusation dont ceux de méfait, d'interruption de services et d'accès non autorisé à des sites Internet. On évalue à au moins 2,1 milliards de dollars américains les pertes qu'ont encourues les portails Internet attaqués par Mafiaboy.

Le *cracker* est un criminel informatique qu'on appelle aussi « pirate informatique ». À l'aide de données techniques souvent puisées auprès de ses pairs dans le réseau Internet, il exploite des failles dans la procédure d'accès d'un système informatique et en attaque l'intégrité en dérobant, altérant ou détruisant de l'information afin d'en tirer des avantages personnels.

Essentiellement, les activités criminelles des pirates informatiques peuvent prendre trois formes :
— la copie frauduleuse de logiciels;
— la pénétration de réseaux et de banques de données;
— la diffusion de virus informatiques (par exemple le *Love Bug*) pour contaminer un système et l'empêcher de fonctionner.

La technologie faisant de plus en plus partie de la vie quotidienne des citoyens, il est compréhensible qu'elle soit aussi utilisée par les criminels, notamment par le crime organisé que nous avons décrit plus haut. Le crime organisé fait en effet appel à des individus possédant des compétences en informatique afin d'optimiser ses activités. Les groupes criminels utilisent des ordinateurs, des téléphones cellulaires et le réseau Internet pour communiquer entre eux avec plus de discrétion.

Les techniques

Plusieurs techniques, telles le piratage et les fraudes par cartes de crédit sur Internet, sont utilisées par les cybercriminels. Voyons-en quelques-unes.

Le piratage

Il s'agit pour les pirates d'accéder à des sites Web et de procéder sans autorisation à la manipulation ou à la destruction de données informatiques protégées. Les pirates s'échangent les techniques et les logiciels de piratage sur des sites de bavardage fermés (*chat*). De cette façon, les pirates amateurs, appelés *cookbook hackers*, peuvent utiliser des logiciels conçus par des experts en piratage et causer des dommages importants aux entreprises.

Les logiciels malveillants

Disponible sur Internet, un logiciel malveillant permet à son utilisateur de contrôler à distance l'ordinateur d'une autre personne, à la condition que cette personne active ce logiciel. Par la suite, le pirate n'a qu'à utiliser le mot de passe de la victime pour naviguer gratuitement sur Internet en dissimulant sa véritable identité. Il rend ainsi très difficile le travail des enquêteurs qui essaient de le retracer.

Fraudes par cartes de crédit sur Internet

Des pirates informatiques rendent disponibles sur Internet des renseignements personnels au sujet de clients, tels que leurs numéros de cartes de crédit, qu'ils trouvent dans les sites d'entreprises de commerce électronique (achat en ligne) mal protégés. Certains se sont même servis de ces renseignements pour extorquer de l'argent à des entreprises en menaçant de révéler l'ampleur de leur vulnérabilité. Par exemple, aux États-Unis, un individu s'est introduit dans le site Web d'une entreprise et a téléchargé des renseignements personnels au sujet de ses clients, dont leurs numéros de cartes de crédit. Par la suite, il a exigé une rançon de 100 000 $ de ladite entreprise en la menaçant de diffuser dans l'ensemble du réseau Internet les renseignements qu'il avait acquis.

Les cartes de débit

Les fraudeurs réussissent à obtenir les numéros d'identification personnelle (NIP) de cartes de débit en épiant à l'aide de caméras cachées les personnes qui se présentent dans les guichets automatisés. Certains individus sont même parvenus à modifier les claviers d'identification personnelle afin d'obtenir les NIP à l'insu des clients qui retirent de l'argent dans ces guichets.

La stéganographie

Il s'agit de la dissimulation de fichiers à l'intérieur d'autres fichiers : on peut camoufler des fichiers texte, image ou vidéo derrière une image. Un téléavertisseur dans Internet informe l'usager qu'on essaie de communiquer avec lui.

Grâce à la confidentialité qu'offre cette technique, les criminels peuvent s'échanger sans risque des données compromettantes.

Le vol d'identité

Ce sont la collecte et l'utilisation non autorisées de renseignements personnels à des fins criminelles. Le criminel usurpe l'identité d'une victime dans le but d'obtenir de nouvelles cartes de crédit en se servant de sa cote de crédit. La victime ignore qu'elle a été volée jusqu'à ce qu'elle essaie d'obtenir un nouveau crédit, qui lui est alors refusé.

L'écrémage de cartes de crédit

Il s'agit de glisser, à l'insu du consommateur, une carte de crédit autorisée dans un lecteur qui emmagasine l'information contenue sur la bande magnétique de la carte. Ce lecteur est très discret et peut être facilement dissimulé, sous un comptoir, par exemple. Les renseignements ainsi obtenus sont alors envoyés à des complices par Internet grâce au branchement du lecteur à un ordinateur. Ces complices reproduisent alors les numéros reçus sur des cartes de crédit contrefaites.

Le télémarketing frauduleux

Selon la GRC, de 80 à 90 % des fraudes par télémarketing sont commises à partir de locaux situés à Montréal, ce qui fait de cette ville la plaque tournante de cette activité en Amérique du Nord. On évalue à plus de 60 millions de dollars les revenus annuels tirés de ces activités illicites. Le télémarketing frauduleux consiste à solliciter frauduleusement certains groupes de la société, le plus souvent par téléphone mais aussi par Internet, afin de les persuader d'envoyer de l'argent en échange d'un produit de grande valeur. On exige des victimes qu'elles paient par chèque certifié ou par mandat pour recevoir leur prix, qu'elles ne recevront évidemment jamais. Les locaux d'où proviennent les appels frauduleux sont appelés « chaufferies ».

Les chaînes pyramidales

Par courriel, on offre à un client potentiel la possibilité d'obtenir par Internet des revenus intéressants en travaillant de chez lui à peine une heure par jour. On fait miroiter à la victime des gains alléchants pouvant aller jusqu'à 50 000 $ en 90 jours !

Tout ce que le client doit faire, c'est de commander quatre rapports à quatre personnes différentes, dont on fournit le nom et l'adresse postale, et d'adjoindre à chaque commande un billet de cinq dollars.

Ces rapports s'intitulent, par exemple, « The Insider's Guide to Advertising for Free on the Internet » (rapport n° 1) et « How to Become a Millionnaire Utilizing the Power of Multilevel Marketing and the Internet » (rapport n° 4).

Dès qu'elle reçoit ces rapports, la personne inscrit ses nom et adresse sur le rapport numéro un et elle devient alors le distributeur de ce rapport. La personne qui avait le rapport numéro un devient le distributeur du rapport numéro deux et ainsi de suite. Évidemment, pour que cette pyramide soit rentable, il ne faut pas que la chaîne se brise, sinon l'investissement est perdu. On doit donc communiquer avec un grand nombre de personnes intéressées à investir pour pouvoir ensuite espérer toucher quelques dividendes en haut de la pyramide.

Ces quelques exemples des techniques utilisées par les fraudeurs illustrent bien la nécessité, pour les entreprises, de se doter de systèmes de sécurité plus étanches afin de mieux assurer leur protection et celle de leurs clients. De plus, les lois sanctionnant la criminalité technologique devront aussi être révisées ou modifiées pour suivre l'évolution extrêmement rapide de ce type de criminalité.

En bref

La classification de la criminalité a pour objectif d'identifier des comportements distincts et d'en dégager les caractéristiques afin d'en faciliter la compréhension. Les diverses façons de classer les crimes sont fondées sur les types d'infractions, sur les groupes d'âge et sur le sexe des contrevenants. On y constate que l'ensemble de la criminalité au Canada, c'est-à-dire tant les crimes contre la personne que les crimes contre la propriété, a eu tendance à diminuer ces dernières années. Cependant, on remarque aussi que les crimes avec violence ont eu tendance à augmenter dernièrement chez les adolescents, tant chez les garçons que chez les filles.

La guerre au crime organisé sous toutes ses formes constitue un défi de taille pour tous les organismes chargés de l'application de la loi, tant par son ampleur que par ses ramifications de plus en plus étendues. Ces groupes criminels recourent à la violence et à la ruse et tirent profit de toutes les innovations technologiques à leur portée, ce qui leur assure une plus grande efficacité et des profits plus élevés.

Les crimes à connotation économique, crimes à col blanc ou cybercrimes, sont en nette progression presque partout dans le monde et deviennent de plus en plus difficiles à contrer, vu leur complexité et l'utilisation répandue de la technologie de pointe. En général, l'opinion publique est assez tolérante envers ce type de criminalité et les délits sont rarement rapportés aux services de police. Les sentences imposées par les tribunaux sont souvent assez peu dissuasives, malgré l'énorme coût qu'engendre ce type de criminalité tant pour les entreprises que pour l'ensemble des citoyens.

Questions et exercices

1. En quoi le terrorisme international constitue-t-il un défi majeur à relever pour les sociétés démocratiques ?

2. Comparez le portrait de la criminalité au Canada que donne le tableau 6.1 avec celui des 10 années précédentes. Quels changements notez-vous ? Comment peut-on les expliquer ? Que remarque-t-on en particulier en ce qui concerne les groupes d'âge et le sexe ?

3. En utilisant l'information diffusée par les médias ou contenue dans des rapports de services de police, tracez le portrait actuel du crime organisé au Québec. Comment le système judiciaire peut-il réagir contre le crime organisé, tout en respectant les droits et libertés des individus ? Que pensez-vous des lois antigangs ?

4. Comment expliquez-vous la relative impunité des criminels économiques ? Relevez une cause récente qui a fait la manchette des journaux. Comment le procès s'est-il déroulé ? Quel en fut le résultat ? Êtes-vous en accord avec le verdict prononcé ?

5. Compte tenu de la hausse considérable de la cybercriminalité, devrait-on modifier les lois à cet égard ? Les peines sont-elles assez sévères ? À votre avis, quelle sera l'évolution de ce type de criminalité au cours des prochaines années ?

Chapitre 7

Les types de criminels et la notion de dangerosité ___

Nous avons vu au chapitre 2 que Cesare Beccaria attachait beaucoup d'importance à la proportionnalité entre le châtiment et la gravité de la faute; de plus, l'école classique, dont il a été le pionnier, prônait la nécessité de démontrer la responsabilité morale de l'auteur du délit. À cette notion de proportionnalité, l'École de défense sociale nouvelle a ajouté, en s'inspirant des positivistes, celle d'individualisation, basée sur la dangerosité de l'individu délinquant. Selon cette notion, la mesure prise à l'égard du contrevenant doit être adaptée à son besoin de resocialisation et à la nécessité de protéger la société contre une éventuelle récidive, d'où l'importance d'élaborer des typologies de criminels et de définir la notion de dangerosité.

> L'élaboration de **typologies** désigne la classification des criminels, des délinquants ou des contrevenants en catégories, selon différents critères, afin que l'intervention pénale et extrapénale à leur égard puisse être organisée de façon rationnelle et efficace.

> La **dangerosité** correspond à la probabilité qu'un individu commette un acte délictueux à l'avenir.

Nous présenterons, dans les pages qui suivent, diverses façons de classifier les délinquants. Ces classifications ont été proposées par différents auteurs en fonction des observations et des analyses qu'ils ont faites au sujet des comportements criminels. Nous parlerons ensuite de la notion de dangerosité, telle que J. Pinatel la définit, ainsi que des différents facteurs de risque sous-tendant le passage à l'acte délictueux.

La connaissance de ces notions est d'une grande utilité pour les intervenants, lorsqu'ils ont à prendre certaines décisions dans l'exercice de leurs fonctions respectives. En voici quelques exemples, que nous développerons brièvement à la fin du chapitre :

— l'arrestation et la garde du contrevenant jusqu'à sa première comparution : c'est le rôle des policiers;

— l'incarcération en attente du procès ou pendant les procédures judiciaires : c'est le rôle des juges, lors de la comparution, de l'enquête préliminaire et du procès;

— la condamnation à une sanction communautaire ou à une peine d'emprisonnement : c'est encore le rôle des juges dans le prononcé de la sentence;

— le niveau de sécurité auquel le contrevenant sera astreint après sa condamnation à la détention et les programmes de traitement auxquels il sera soumis : c'est le rôle des intervenants dans les établissements carcéraux ou les milieux de garde fermés;

— le degré de surveillance auquel le contrevenant sera soumis s'il est condamné à purger sa peine dans la communauté : c'est le rôle des agents de probation et d'autres intervenants communautaires;

— la libération conditionnelle, ou non, avant l'expiration de la sentence : c'est là le rôle des Commissions de libération conditionnelle.

7.1 La typologie de Ferri

Le sociologue et juriste Enrico Ferri a tenté d'étendre l'étude des facteurs criminogènes à des concepts sociologiques. Aussi a-t-il proposé une typologie des criminels en cinq catégories : le criminel-né, le criminel aliéné mental, le criminel passionnel, le criminel d'habitude et le criminel d'occasion.

Le criminel-né

Comme nous l'avons vu au chapitre 4, le **criminel-né** est un individu qui se distingue par des marques d'atavisme ou des signes de dégénérescence qui le font ressembler à un homme primitif. Selon Cesare Lombroso, l'auteur de cette théorie, un tel individu ne peut que devenir un criminel car, en plus des indices physiques, il se distingue par l'une ou l'autre des caractéristiques suivantes : insensibilité psychique totale, atrophie des sentiments moraux de compassion et de pitié, impulsivité, violence, imprévoyance, vanité, indolence et sensualité exacerbée. Il n'y aurait aucun traitement possible pour un tel criminel et, selon l'École positiviste, la seule façon d'agir consisterait à le « mettre hors d'état de nuire », c'est-à-dire à adopter des mesures de ségrégation qui l'écarteraient définitivement de la société.

Aujourd'hui, on ne parle certes plus de « criminel-né » puisque les théories lombrosiennes ont été largement critiquées en raison des caractéristiques anthropologiques et physiologiques qu'elles imputent à cette catégorie de personnes. Néanmoins, les traits de caractère que nous venons de décrire s'appliquent à certains délinquants, et notre législation permet qu'un juge déclare les multirécidivistes « délinquants dangereux », ce qui signifie qu'ils sont considérés comme irrécupérables et, par conséquent, incarcérés pour une période indéterminée, voire à perpétuité.

Le criminel aliéné mental

Pour le **criminel aliéné mental**, tout contact avec la réalité est rompu. Ses crimes répondent à ses fantasmes, à ses hallucinations et à ses délires. L'aliénation mentale revêtant des formes très variées, le comportement criminel, à son tour, sera différent d'un cas à l'autre. Par ailleurs, selon les positivistes, la folie n'atteint pas le même degré chez tous ceux qui en sont frappés, et si elle est contrôlable chez certains, elle peut ne pas l'être chez d'autres. C'est pourquoi leur position se résume ainsi : il faut que les criminels de ce type soient traités ou mis hors d'état de nuire.

Les législations modernes reconnaissent que certains délinquants peuvent avoir des problèmes de santé mentale plus ou moins graves. À partir d'un certain degré de gravité, ces problèmes peuvent rendre l'auteur du délit inapte à subir un procès, lorsque son décrochage de la réalité fait en sorte qu'il ne peut être tenu responsable de ses actes, pas plus qu'il n'est capable d'exercer son droit à une défense pleine et entière. Toutefois, dans de tels cas, la loi prévoit son internement pour traitement, dans son propre intérêt comme dans celui de la société, qui doit être protégée contre sa dangerosité.

Le criminel passionnel

Quand on parle de **criminel passionnel**, on écarte les marques d'atavisme, de lésion cérébrale ou d'incapacité mentale. Un criminel passionnel est plutôt une personne dont l'émotivité est particulièrement aiguë; lorsque cette émotivité atteint son paroxysme, on l'appelle passion. L'acte délictueux survient alors à un moment où les sentiments sont exacerbés. La personne qui commet un tel acte peut ne jamais récidiver si elle ne se retrouve pas dans des conditions similaires. Les mesures à prendre à l'égard du criminel passionnel ne comportent pas de châtiment, mais plutôt une thérapie visant à réduire son potentiel émotif et une prophylaxie consistant à l'éloigner des situations qui peuvent déclencher sa grande émotivité.

Dans la mesure où les législations modernes reconnaissent l'existence de circonstances atténuantes et de circonstances aggravantes ainsi que la possibilité d'individualiser la sanction pénale, les juges peuvent exercer un certain pouvoir discrétionnaire pour tenir compte des motivations du passage à l'acte. De nombreux auteurs, notamment ceux de l'École de défense sociale nouvelle, ont aussi plaidé pour que, en l'absence d'un risque de récidive, certains auteurs de délits passionnels (même très graves) bénéficient d'un sursis à l'emprisonnement ou n'écopent que d'une sanction à purger dans la communauté. Cette position ne fait cependant pas l'unanimité puisque, jusqu'à présent, le courant législatif dominant privilégie qu'on impose une sanction proportionnelle à la gravité de l'acte plutôt qu'une mesure adaptée à la personnalité du contrevenant et à ses besoins de réhabilitation. Il en va de même pour les jeunes délinquants qui s'exposent, en vertu d'une nouvelle législation, à une intervention relativement répressive plutôt qu'à l'approche préventive et éducative que prônent la très grande majorité des intervenants du Québec.

Le criminel d'habitude

Le **criminel d'habitude** est celui qu'on appelle aussi « professionnel » ou « multirécidiviste ». C'est un criminel endurci qui, dans une certaine mesure, a fait de ses activités criminelles un mode de vie. Toujours selon les positivistes, nul châtiment ne pourrait l'amender. Il faudrait plutôt lui donner les moyens de se reclasser dans la société en faisant quelque chose d'utile ou de valable.

Cette catégorie est extrêmement vaste. On peut dire, sans risque de se tromper, que la population habituelle des établissements carcéraux est surtout constituée de délinquants appartenant à ce type. Leur dangerosité est évidente, si l'on prend au pied de la lettre la définition donnée en début de chapitre : probabilité qu'un individu commette un acte délictueux à l'avenir. Mais si l'on mesure cette dangerosité en fonction de la violence qui caractérise leurs actes, les variations deviennent alors considérables. En effet, les membres du crime organisé, les motards criminels, les pédophiles et autres délinquants sexuels, dont les crimes s'accompagnent de voies de fait graves ou de meurtres, ne peuvent être comparés aux voleurs par profession ni aux fraudeurs incorrigibles. Aussi, comme nous le verrons un peu plus loin, on doit mettre au point des approches spécifiques pour chaque cas.

Le criminel d'occasion

À l'opposé du type précédent, le **criminel d'occasion** est un individu qui n'est pas foncièrement criminel. Il n'a cependant pas la capacité de résister à l'occasion de commettre un délit. Son comportement criminel est souvent fonction de la situation dans laquelle il se trouve.

Dans ce cas, les positivistes croient que la peine n'est pas un moyen de défense sociale valable et qu'il vaut mieux prévenir en agissant sur les occasions et en les empêchant de se présenter aux auteurs potentiels d'un délit.

C'est en considérant cette catégorie de délinquants qu'il faut penser à la prévention et agir sur les facteurs criminogènes, notamment par le développement social, et sur les occasions propices au crime, par l'analyse criminologique, la réduction de la vulnérabilité des cibles du crime et l'intervention auprès des groupes à risque pour leur offrir des voies autres que les comportements délictueux.

7.2 La typologie de Clinard et Quinney

Deux sociologues américains, M.B. Clinard et R. Quinney, ont proposé une intéressante typologie dans laquelle ils établissent un lien entre les types de criminels et les réactions sociales qu'ils suscitent[1]. Pour les besoins de cette étude, ils ont isolé les notions sociologiques suivantes.

La carrière criminelle   Lorsqu'on s'interroge sur la carrière criminelle d'un individu qui vient de commettre un délit, on se demande si les auteurs de ce type particulier d'infractions sont généralement portés à récidiver, c'est-à-dire s'ils ont suivi une certaine évolution dans le domaine criminel (s'ils ont d'abord commis des délits mineurs avant de passer graduellement aux crimes les plus graves) ou s'ils ont délibérément choisi la criminalité comme mode de vie.

L'appui du groupe   Il s'agit ici du soutien ou du renforcement du comportement délictueux de la part d'un ensemble d'individus qui partagent les valeurs, objectifs ou idéaux du délinquant et qui, par le fait même, alimentent sa propension à récidiver.

La relation entre le comportement criminel et le comportement légitime Elle renvoie à l'ampleur de l'atteinte aux valeurs sociales que représente le comportement délictueux. On comprend facilement que plus cette atteinte est grave, plus la réaction de rejet ou de répression sera vive.

La réaction sociale au comportement délictueux   Elle est fonction du préjudice causé. Elle peut aller de la tolérance jusqu'à la peine de mort en passant par les peines d'emprisonnement, les solutions de rechange à celles-ci et toute autre forme de répression ou de stigmatisation.

En s'appuyant sur ces notions sociologiques de base, Clinard et Quinney ont défini huit types de contrevenants : les auteurs de crimes violents contre la personne, les auteurs occasionnels de crimes contre la propriété, les criminels occupationnels, les délinquants politiques, les délinquants contre l'ordre public, les criminels traditionnels, les membres du crime organisé et les criminels professionnels.

Les auteurs de crimes violents contre la personne

Clinard et Quinney ont décrit deux sous-catégories d'auteurs de crimes violents contre la personne. D'une part, il y a les auteurs de crimes violents contre la personne qui en sont souvent à leur premier délit et qui, la plupart du temps, ne récidivent pas; ils commettent généralement leur

---

1. Marshall B. Clinard et Richard Quinney, *Criminal Behaviour System: a Typology*, 2e édition, Cincinnati, Anderson Pub. Co., 1986, 274 p.

acte sous l'effet d'une impulsion et ne se perçoivent pas eux-mêmes comme des criminels. D'autre part, il y a les criminels qui utilisent la violence contre les personnes afin de réaliser d'autres projets criminels et les auteurs d'agressions sexuelles graves dont les problèmes de personnalité et de comportement sont généralement assez profonds et favorisent la **récidive**.

Ces deux catégories de criminels n'ont que peu ou pas d'appui de la part d'un groupe quelconque. Ils ont commis leur acte de façon isolée et pour des raisons personnelles, et rien ne peut justifier leur comportement.

Aussi, la réaction sociale à leur égard sera-t-elle vive : peine de mort pour les meurtriers dans certains pays, emprisonnement d'une durée variable, allant jusqu'à la réclusion à perpétuité, pour d'autres et même diverses sanctions à purger au sein de la collectivité pour les auteurs des délits les moins graves, comme les voies de fait simples sans préméditation.

Les auteurs occasionnels de crimes contre la propriété

Les auteurs occasionnels de crimes contre la propriété, dont l'exemple le plus typique est le voleur à l'étalage, ne s'identifient ni au crime ni au milieu criminel. Ils trouvent généralement le moyen de rationaliser leur geste, qui répond parfois à un besoin matériel ou psychologique.

Puisque ce genre de délinquant agit souvent en solitaire, l'appui du groupe est généralement inexistant. Néanmoins, chez des groupes de jeunes, l'incitation au délit prend parfois la forme d'un défi lancé à l'un des jeunes pour qu'il commette un acte de vandalisme, un vol d'auto ou un vol à l'étalage.

Ces comportements heurtent de front les principes de la propriété privée. Aussi la réaction sociale est-elle généralement assez répressive, bien que, depuis quelque temps, on tente de déjudiciariser les délits les moins graves. On a aussi recours à des méthodes axées sur la **conciliation** entre la victime et l'auteur du délit.

De nouveaux organismes communautaires ont récemment vu le jour à cette fin. Ils s'inspirent des principes de la justice réparatrice et tentent d'appliquer des modalités d'intervention associant la collectivité, l'auteur du délit et la victime, tout en proposant des solutions non judiciaires à la situation problématique créée par le délit.

Les criminels occupationnels

Les **criminels occupationnels**, que E.H. Sutherland a appelés « criminels à col blanc », ne se perçoivent pas comme des criminels et estiment que leur comportement est acceptable. Ce sont généralement des personnes qui exercent une profession et acceptent les valeurs sociales dans leur ensemble. Elles prennent quelquefois l'initiative de violer la loi en se donnant des motifs de le faire qui sont acceptables à leurs yeux. Les délits dont elles se rendent coupables sont notamment les détournements de fonds, les ventes frauduleuses, la fausse publicité.

Les auteurs de ces délits font partie d'un groupe — à caractère professionnel ou commercial — qui tolère généralement ce genre de comportement. Quelquefois même, il arrive que des confrères échangent des renseignements sur les techniques qu'ils utilisent pour contourner la loi.

Le public est de plus en plus sensible aux délits de ce type, et les médias ne sont pas étrangers à cette sensibilisation : reportages télévisés, revues et organismes de protection des consommateurs les mettent souvent en évidence. Tout cela équivaut à une forme de prévention rendant les cibles du crime moins vulnérables. Il existe toutefois des types de délits qui atteignent indirectement l'ensemble des contribuables, comme les fraudes fiscales.

Quant à la répression, elle pose souvent de grandes difficultés aux corps policiers qui, de plus en plus, tentent de se doter d'un personnel ayant une expertise particulière en matière de criminalité économique afin d'assembler des preuves valables pour obtenir des condamnations en cour. Enfin, quelle que soit la sévérité de l'intervention, il y a toujours des risques de récidive.

Les délinquants politiques

Les **délinquants politiques** ne se perçoivent pas comme des criminels. Au contraire, en violant la loi, ils veulent provoquer les changements sociaux qu'ils jugent nécessaires pour l'évolution de leur pays. Ils sont parfaitement conscients d'enfreindre la loi, mais leurs objectifs sont idéalistes et quelquefois désintéressés.

Les délits politiques s'inscrivent, la plupart du temps, dans un projet global qui rassemble un certain nombre de personnes formant un groupe idéologique ayant ses propres valeurs et rejetant celles des autorités en place. Pour arriver à leurs fins, les délinquants politiques utilisent des moyens très diversifiés : manifestation, propagande parlée et écrite, grève, suicides, guérilla, vol à main armée, meurtre et bombe. Le terrorisme est le moyen extrême qu'utilise ce type de délinquants; nous en avons longuement parlé au chapitre 6.

Le degré de tolérance sociale à l'égard de l'opposition qu'expriment les délinquants politiques varie en fonction des pays et des moyens qu'utilisent ces délinquants. Il change aussi au sein d'un même pays, selon la conjoncture. La contestation tolérable en temps de paix et de calme social devient inadmissible en temps de guerre ou de crise. La *Loi des mesures de guerre* mise en application au Québec durant la Crise d'octobre 1970 en est un exemple, tout comme les législations et les mesures antiterroristes rigoureuses dont se sont dotés de nombreux pays à la suite de la recrudescence de tels actes. En effet, dans les périodes troubles, il arrive non seulement que la criminalité politique soit davantage réprimée, mais aussi que les libertés individuelles généralement reconnues aux citoyens soient mises en veilleuse. Dans certains pays, la trahison et la rébellion sont punies de mort; par contre, lorsqu'une révolution l'emporte dans un pays, ses auteurs deviennent des héros et les gouvernants du pays. L'échec en fait des criminels, le succès les porte au pouvoir.

La notion de **délit politique**, par opposition à celle de **délit de droit commun**, n'est pas reconnue en droit au Canada. En effet, le critère retenu dans notre législation a un caractère objectif. Ainsi, selon ce critère, un individu qui pose une bombe pour sensibiliser les gouvernants à une cause (par exemple, la nécessité de franciser les raisons sociales des entreprises) n'est pas un délinquant politique, mais un délinquant de droit commun. En effet, son geste est de nature délictueuse, même si sa finalité est idéologique et politique. Par contre, dans les pays où prévaut le critère subjectif, c'est-à-dire celui qui qualifie l'acte en fonction de sa finalité et non de sa nature, ce même individu sera qualifié de délinquant politique.

Les délinquants contre l'ordre public

Les **délinquants contre l'ordre public**, comme les ivrognes, les prostitués et les consommateurs de drogue, se forment généralement une représentation d'eux-mêmes assez confuse. Puisque leurs gestes ne font pas de victime autre que leur propre personne, ils ne se considèrent pas comme des criminels.

Les prostitués, par exemple, estiment qu'ils rendent un service à la société en satisfaisant les besoins sexuels de ceux qui n'arrivent pas à les assouvir autrement. Les regroupements de travailleurs et travailleuses du sexe soutiennent qu'ils apportent du réconfort à leurs clients. Néanmoins, sans se considérer comme des criminels, les auteurs de tels délits sont des récidivistes et n'imaginent pas qu'ils puissent pratiquer une profession autre que celle qu'ils ont choisie.

Si la prostitution elle-même n'est pas criminalisée au Canada, de nombreuses activités associées à ce phénomène le sont, telles que la sollicitation dans les endroits publics, où la prostituée aussi bien que le client potentiel enfreignent la loi, le proxénétisme et la présence dans une maison de débauche. Les forces de l'ordre peuvent alors intervenir.

Comme nous venons de le mentionner, ces personnes tentent de se regrouper. Le groupe leur apporte donc un appui considérable : il se forme en effet des sous-cultures déviantes ayant leurs propres valeurs, leur vocabulaire, leurs techniques et leur organisation.

La tolérance sociale à l'égard de plusieurs actes entrant dans cette catégorie est généralement assez grande. La prostitution, les jeux de hasard, la consommation de certaines drogues faibles ne suscitent pas la même condamnation sociale que les crimes contre la propriété ou la personne.

S'il est aujourd'hui question de décriminaliser l'usage de certaines drogues ou de légaliser la prostitution, il fut un temps où l'on condamnait à mort les prostitués pour irrespect de la religion, ce qui montre bien que les valeurs communes et la réaction sociale à l'égard de ce délit varient dans le temps et peuvent aller du puritanisme à la licence complète.

Les criminels traditionnels

Le **criminel traditionnel** se caractérise par son appartenance à un milieu généralement défavorisé, une scolarisation relativement faible et une délinquance précoce. Il commence ses activités criminelles à l'adolescence en faisant de petits vols; il s'enfonce ensuite de façon graduelle dans la criminalité en commettant d'abord des vols d'autos et des vols par effraction, puis des vols à main armée. Sa carrière se termine quelquefois vers la fin de la trentaine, mais, pendant tout ce temps (de l'adolescence à la quarantaine), l'individu se perçoit comme un criminel, ses revenus proviennent de ses activités criminelles et il nourrit l'ambition de gravir les échelons de la délinquance. S'il réalise cette ambition, il deviendra un professionnel.

De tels criminels établissent des relations dans leur milieu. Ils ont besoin de l'aide et de l'appui de leurs pairs. Plusieurs crimes sont planifiés et exécutés en bande, quelquefois violente mais toujours solidaire.

Les criminels appartenant à cette catégorie rejettent les valeurs sociales rattachées au travail, à la courtoisie, au respect de la propriété et de la personne. Ils adoptent des valeurs axées sur la violence et l'acquisition rapide et illicite de biens pour atteindre des objectifs de richesse et de succès. Ces individus ont donc les mêmes ambitions que l'ensemble des citoyens, mais ils adoptent des moyens différents, qu'ils considèrent comme plus expéditifs.

Aussi, la société réagit-elle sévèrement à leur égard. La classe dominante formule les lois et les applique, elle valorise la possession de biens matériels et défend la propriété privée en imposant des sanctions à ceux qui s'y attaquent.

Les membres du crime organisé

Les **membres du crime organisé** forment une organisation assimilable à une entreprise s'efforçant de réaliser des gains économiques par des moyens illégaux. Parmi les caractéristiques de ces groupes, on trouve :

— une structure hiérarchique raffinée;
— la maîtrise des sphères d'activité et d'influence;
— l'utilisation de la violence;
— l'immunité partielle face à la loi;
— des gains financiers très élevés.

Aussi, quand on parle de carrière dans le crime organisé, il faut faire des distinctions entre les différents niveaux hiérarchiques. Au sommet, il s'agit de professionnels qui se considèrent comme des hommes d'affaires plutôt que comme des criminels, mais qui ont adopté un système de valeurs parallèle à celui de la société et qui se sont dotés d'une organisation hiérarchique plus complexe encore que celle de l'État. D'ailleurs, ils méprisent ce dernier, ses lois et son organisation. À la base, par contre, ce sont plutôt des criminels de type traditionnel, comme ceux que nous avons décrits plus haut, des exécutants ou des hommes de main auxquels incombe la tâche de commettre des délits.

Au sein du crime organisé, l'appui du groupe est très grand, mais les risques de représailles qu'entraîne toute velléité de s'en désolidariser sont aussi énormes. Les règlements de compte dans le crime organisé touchent souvent les membres qui ont agi comme délateurs ou qui ont tenté de quitter le gang. Par ailleurs, la recherche d'appui peut revêtir différentes formes allant jusqu'à la corruption de politiciens et de personnes haut placées dans la hiérarchie de l'État.

Aussi, les autorités ont-elles énormément de difficulté à arrêter et à faire condamner ceux qui sont au sommet de la hiérarchie du crime organisé. Ces derniers se cachent derrière leurs exécutants et créent des entreprises légales sous le couvert desquelles ils réalisent leurs projets criminels. De plus, l'argent illicitement acquis est blanchi, entre autres moyens, par ces entreprises.

Les groupes criminels organisés sont très nombreux en Amérique du Nord. Nous en avons abondamment parlé au chapitre 6, plus particulièrement des groupes de motards criminels dont l'organisation et le fonctionnement sont très similaires à ce que nous venons de décrire.

Les criminels professionnels

Le **criminel professionnel** a généralement atteint le sommet de sa carrière. Il s'est spécialisé dans un type de crimes et en a fait son mode de vie et son gagne-pain. Tueurs à gages, voleurs à la tire, receleurs, maîtres-chanteurs, fraudeurs, cambrioleurs, perceurs de coffres-forts sont autant de spécialistes qui vivent de leurs activités illégales.

Le professionnel jouit d'un grand prestige auprès des autres criminels, car il a acquis les compétences requises pour effectuer un « travail soigné » et peu risqué.

Les criminels professionnels collaborent entre eux et partagent un certain nombre de valeurs, de croyances et d'attitudes. Ils créent parfois des associations et dédaignent quelque peu les criminels de calibre inférieur qui n'ont pas fait leurs preuves et ne se sont pas qualifiés pour accéder au statut de professionnel.

Il y a une grande ressemblance entre la conduite du criminel professionnel et celle de l'honnête citoyen : les deux travaillent à plein temps dans le but d'atteindre la réussite sociale. La différence est que le premier, contrairement au second, a choisi l'illégalité.

La société voudrait réagir sévèrement contre eux, les neutraliser et les mettre hors d'état de nuire, mais les criminels professionnels s'entourent de bons avocats et connaissent bien la loi et les procédures judiciaires.

7.3 Les types de délinquants en fonction de l'âge

Nous avons déjà traité au chapitre 4 la question de l'âge en tant que facteur criminogène transitoire. À ce propos, nous avions alors énoncé une certaine typologie comportant cinq catégories, soit l'enfance (jusqu'à 12 ans), l'adolescence (jusqu'à 18 ans), les jeunes adultes (jusqu'aux environs de 30 ans), les adultes plus âgés et les aînés. Nous avions également donné des exemples de la criminalité qui caractérise chacune de ces catégories.

Sur le plan législatif, seuls les jeunes âgés de moins de 18 ans font l'objet d'une attention spécifique, puisque ce sont les lois provinciales qui réglementent toute intervention visant à les protéger contre la négligence, les mauvais traitements ou les dangers auxquels ils peuvent être exposés au cours de leur développement. Cependant, pour les cas de délinquance qui se produisent après l'âge de 12 ans, ce sont les lois fédérales qui ont préséance.

Pour les autres catégories de cette classification, ce sont les principes généraux du droit pénal qui s'appliquent, sans distinction entre les jeunes adultes, les adultes plus âgés et les aînés. Toutefois, en vertu du principe d'individualisation de la sanction pénale (dont nous traiterons au chapitre 9) et du pouvoir discrétionnaire dont ils sont investis, les juges peuvent déterminer les mesures les plus appropriées dans chaque cas. L'âge est l'un des facteurs considérés, de même que la personnalité du contrevenant, la gravité de son acte et la probabilité de sa réinsertion sociale.

Nous avons déjà décrit, dans le présent chapitre, un certain nombre de typologies concernant les adultes. Fréchette et Leblanc[2] en ont proposé une pour les jeunes, qui fait suite à une étude échelonnée sur plusieurs années. Deux catégories distinctes ont fait l'objet de leurs travaux de recherche : les délinquants qu'ils ont qualifiés de conventionnels, ceux qui n'ont pas eu de démêlés avec la justice, et les délinquants judiciarisés, ceux qui ont été reconnus comme tels par un tribunal spécialisé en matière de jeunesse.

Les différents types de délinquants conventionnels

L'étude a porté sur un échantillon de 458 garçons âgés de 14 à 16 ans. Bien que ces jeunes n'aient pas eu de démêlés avec la justice, l'analyse de leurs caractéristiques et de leur comportement a permis de définir cinq types de délinquants. Notons cependant que tous ces adolescents avaient commis tout au plus une dizaine de délits :

— les jeunes ayant manifesté une délinquance criminelle occasionnelle (13 % de l'échantillon), qui ont commis très peu de délits, générale-ment mineurs, durant une courte période de temps;

— les jeunes ayant manifesté une délinquance intermittente légère (27 % de l'échantillon), qui ont eux aussi commis peu de délits, relativement bénins, mais durant une plus longue période de temps;

— les jeunes ayant manifesté une délinquance intermittente moyenne (38 % de l'échantillon), qui ont commis des délits relativement bénins eux aussi, mais ces délits avaient tendance à devenir plus fréquents avec le temps;

— les jeunes ayant manifesté une délinquance récurrente tenace (19 % de l'échantillon), qui ont commis des délits plus graves et de façon persistante au cours de l'adolescence, à une fréquence moyenne ou élevée;

— enfin, les jeunes n'ayant jamais commis de délits (3 % de l'échan-tillon).

2. Marcel Fréchette et Marc Leblanc, *Délinquances et délinquants*, Chicoutimi, Gaëtan Morin, 1987, 384 p. Voir aussi Patricia Hanigan, *La jeunesse en difficulté : Comprendre pour mieux intervenir*, Presses de l'Université du Québec, 1990, 323 p.

Les types de délinquants judiciarisés

Les délinquants judiciarisés ont déjà été traduits devant les tribunaux. L'échantillon ayant fait l'objet de l'étude de Fréchette et Leblanc regroupait environ 400 sujets qui ont raconté l'histoire de leur délinquance depuis leur premier délit. Ils ont relaté leur cheminement social et effectué des tests psychologiques. Les chercheurs les ont de nouveau rencontrés deux ans après la première entrevue, puis huit ans plus tard, jusqu'à ce que les sujets aient atteint l'âge de 25 ans environ. Les chercheurs ont ainsi pu définir quatre types de délinquants : les délinquants sporadiques, les délinquants explosifs, les délinquants persistants intermédiaires et les délinquants persistants graves.

Les délinquants sporadiques

Les délinquants sporadiques (20 % de l'échantillon) ont commis des délits pendant la première moitié de leur adolescence, mais ne présentent pas de réels problèmes de délinquance persistante. Ce sont les tests psychologiques qui ont révélé chez eux une problématique de déficience en ce qui concerne l'image de soi et les capacités interpersonnelles : ils ont une perception négative d'eux-mêmes et ont tendance à favoriser les modèles déviants plutôt que les modèles socialisés.

Les délinquants explosifs

Les délinquants explosifs (12 % de l'échantillon) commettent périodiquement des actes de gravité moyenne (vol à l'étalage, vol simple, vandalisme) et sont portés à récidiver. Leurs problèmes scolaires sont prononcés et ils ont de la difficulté à adopter les valeurs de l'école; ils aimeraient décrocher mais ne le font pas nécessairement.

Ces délinquants sont malhabiles dans leurs relations interpersonnelles et ont peu d'affinités tant avec les figures déviantes qu'avec les personnes socialisées. Enfin, ils se distinguent par plusieurs formes d'ambivalence : face à l'école, face à la famille, face aux groupes de pairs socialisés ou déviants; on peut dire qu'ils ont un problème d'identité.

Les délinquants persistants intermédiaires

Les délinquants persistants intermédiaires (30 % de l'échantillon) sont ceux dont la conduite délinquante se répète tout le long de l'adolescence, bien que le nombre de délits qu'ils commettent ne dépasse généralement pas la vingtaine. Leur comportement scolaire et leur inadaptation aux valeurs de la société sont plus manifestes que chez les délinquants explosifs. Toutefois, sur le plan psychologique, ils présentent moins de déficiences dans leurs capacités interpersonnelles, puisqu'ils sont capables d'établir des liens avec d'autres jeunes déviants. Enfin, ils ont une image de soi négative, sont hostiles et méfiants et ont de la difficulté à se voir selon le point de vue d'autrui.

Les délinquants persistants graves

Les **délinquants persistants graves** (38 % de l'échantillon) sont ceux qui ont commis plus d'une vingtaine de délits ou dont la délinquance est d'une gravité objective croissante, ou encore qui ont commis plus de 20 délits, parfois graves mais échelonnés sur une plus longue période de temps.

Ils déprécient les valeurs scolaires, manquent de motivation, se dissocient de leurs familles, présentent des carences psychologiques marquées, s'identifient aux figures antisociales, ont une image de soi fondée sur la destruction, la méfiance et l'hostilité, et sont mal à l'aise dans leurs relations interpersonnelles.

7.4 La dangerosité

Comme nous l'avons dit en début de chapitre, la dangerosité est à la probabilité qu'un individu commette un acte délictueux à l'avenir. Il s'agit donc de prédire un comportement futur à partir des caractéristiques de la personne et de son comportement passé et présent. L'analyse doit aboutir à la conclusion que la perpétration du délit est non seulement possible, car la possibilité de commettre un acte délictueux existe pour tout le monde, mais aussi vraisemblable et probable, c'est-à-dire que la probabilité que le délit soit perpétré l'emporte sur la probabilité contraire.

Comment décèle-t-on la dangerosité chez un individu ? Après avoir énoncé des critères précis, on détermine si le comportement de cet individu y correspond. Dans l'affirmative, on pourra conclure de façon vraisemblable à la perpétration ultérieure d'un délit. Quels sont ces critères et quelle en est la validité ? Nous tenterons d'apporter une réponse à ces questions.

Les critères de dangerosité

Dans la documentation traditionnelle, on a énoncé deux critères principaux de dangerosité : la capacité criminelle et la capacité d'adaptation.

R. Garofalo, l'un des principaux auteurs de l'École positiviste, a donné le nom de *témibilité* à la **capacité criminelle**.

> La **témibilité** signifie « *la perversité constante et agissante du délinquant et la quantité de mal qu'on peut redouter de sa part*[3] ».

---

3. Garofalo, cité dans Pierre Bouzat et Jean Pinatel, *Traité de droit pénal et de criminologie*, vol. 3, *Criminologie*, 2e édition, Paris, Dalloz, 1970, p. 501.

Cette capacité est en fait ce que Pinatel a nommé le **noyau de la personnalité criminelle**. On peut déterminer cette capacité criminelle à l'aide des indices psychologiques de la personnalité criminelle, soit l'égocentrisme, l'agressivité, la labilité et l'indifférence affective.

L'égocentrisme

Il est bien connu que l'être humain, à sa naissance, est totalement égocentrique. Le nourrisson ne perçoit le monde extérieur qu'en fonction de ses propres besoins : « La définition traditionnelle de l'**égocentrisme** l'assimile à la tendance de tout rapporter à soi-même [...]. Du point de vue affectif, le sujet, qui se considère le centre de l'univers, réagira à la frustration par la jalousie, l'envie, le dépit [...], les rages, les colères [...], le désespoir [...], la susceptibilité, la suffisance, l'autoritarisme [qui] donneront lieu à la dissimulation, à la fourberie, au despotisme et à la domination[4]. »

La tendance égocentrique de l'individu facilite la perpétration du délit, car le délinquant tentera ensuite de justifier son acte en affirmant qu'il est « encore plus honnête que ceux qui auront à le juger[5] ». Conséquemment, il adoptera une attitude critique et accusatrice envers les autres et acquerra le sentiment profond d'être victime d'une injustice.

L'agressivité

Dans le langage courant, on attribue quelquefois cette caractéristique à un individu qui a beaucoup d'audace, aborde les gens sans timidité, sait les entretenir et cherche à les convaincre d'un quelconque point de vue ou à leur vendre quelque chose. Il s'agit cependant d'un abus de langage que nous éviterons ici. Dans le contexte criminologique, l'**agressivité** est une réaction violente, verbale ou physique, à un événement, à une parole ou à un geste. L'agressivité est une source de délinquance et, pour Pinatel, elle résulte d'une frustration, c'est-à-dire de l'impossibilité d'atteindre le but fixé : « Quand ils sont frustrés, les organismes vivants tendent à réagir psychologiquement par la colère et physiologiquement par une mobilisation généralisée destinée à préparer une attaque rapide conduite avec une énergie redoublée contre la barrière qui empêche la réalisation du but désiré[6]. »

Toutefois, relève J. Pinatel, l'agressivité ne déclenche pas toujours une agression contre autrui. Le sujet peut aussi trouver des moyens de l'aiguiller positivement ou, au contraire, de la retourner contre lui-même. Ainsi, lorsque l'adaptation positive à la frustration ne s'avère pas, le sujet, s'il

---

4. Etienne De Greff, cité dans Pierre Bouzat et Jean Pinatel, *op. cit.*, p. 589-590.
5. Etienne De Greef, *Introduction à la criminologie*, Bruxelles, Van den Plas, 1946, p. 126.
6. Pierre Bouzat et Jean Pinatel, *op. cit.*, p. 616.

retourne son agressivité contre lui-même, peut avoir des tendances au suicide ou à l'automutilation; s'il la dirige contre les autres, il peut alors commettre une agression physique (coups et blessures ou même homicide), sexuelle (attentats à la pudeur ou viols) ou verbale (injures ou calomnies).

La labilité

Le terme **labilité** a été retenu par Pinatel parce qu'il reflète parfaitement une des caractéristiques de la personnalité criminelle que les auteurs antérieurs avaient nommée autrement. Ainsi, Lombroso avait parlé de l'imprévoyance des délinquants, c'est-à-dire de leur incapacité d'évaluer les conséquences de leurs actes. Cette notion a cependant été fort contestée : c'est précisément parce que les plus grands criminels seraient, au contraire, très prévoyants qu'ils réussiraient à échapper à la justice. Une tendance plus récente propose des notions telles que l'impulsivité, l'instabilité et l'immaturité.

Selon Pinatel, la personnalité labile est plutôt celle qui est « soumise à des fluctuations tapageuses [et] qui, sans mesure et sans pénétrer profondément dans la situation, dépasse les bornes et réagit un jour d'une façon, le lendemain d'une autre[7] ».

Le labile serait donc d'humeur capricieuse, instable, extrêmement changeante et très influençable. Il ne serait pas freiné par la crainte du châtiment.

L'indifférence affective

L'**indifférence affective** est le quatrième indice psychologique de la personnalité criminelle : le sujet serait dépourvu de sentiments moraux, incapable de compatir ou de sympathiser avec autrui et, par conséquent, dominé par des sentiments d'égoïsme ou de froideur à l'égard de son prochain[8].

Ainsi, on peut conclure qu'un égocentrique ramènera tout à lui-même, se sentira facilement frustré et trouvera toutes sortes de justifications à son délit. Sa réaction à cette frustration sera d'autant plus violente qu'il sera agressif. Sa labilité le fera triompher de la crainte du châtiment tout en le soumettant aux caprices de son humeur. Son indifférence affective le portera enfin à prendre ses distances par rapport à la future victime, donc à commettre son délit.

---

7. Pierre Bouzat et Jean Pinatel, *op. cit.*, p. 604.
8. *Ibid.*, p. 619.

Passons à présent au second critère de dangerosité : la **capacité d'adaptation**. On évalue la capacité d'adaptation d'une personne selon ses aptitudes physiques, intellectuelles et sociales, et son dynamisme relativement aux besoins instinctuels (nutritifs, sexuels, etc.)[9].

L'évaluation de la dangerosité

L'évaluation de la dangerosité se fonde donc, selon Pinatel, sur la capacité criminelle et la capacité d'adaptation. On remarquera que ces deux composantes varient indépendamment l'une de l'autre. En effet, un sujet peut avoir « une capacité criminelle élevée, mais une adaptabilité satisfaisante; une capacité criminelle légère et une capacité d'adaptation réduite; une capacité criminelle légère et une capacité d'adaptation satisfaisante; une capacité criminelle grande et une capacité d'adaptation réduite[10] ».

Le tableau 7.1 indique comment on évalue la dangerosité au moyen de ces deux éléments.

Tableau 7.1   Évaluation de la dangerosité d'un individu.

CRITÈRES	A	B	C	D
Capacité criminelle	Élevée	Élevée	Limitée	Limitée
Capacité d'adaptation	Élevée	Limitée	Limitée	Élevée
Dangerosité	Variable selon le milieu	Forte	Moyenne	Faible

On peut tirer de ce tableau les conclusions suivantes :

- La combinaison A pourrait constituer la forme de dangerosité la plus grave, car l'individu ayant une forte capacité criminelle et une capacité d'adaptation élevée sera capable de camoufler facilement ses délits et, par conséquent, de récidiver sans être inquiété par la justice. Il pourrait s'adapter au milieu criminel et s'enraciner dans la délinquance ou au contraire s'intégrer à un milieu pleinement socialisé et en adopter les valeurs.
- La combinaison B présente une forme grave de dangerosité, mais l'individu sera plus facilement repérable car sa capacité d'adaptation est limitée : il dissimule mal ses délits et s'adapte mal aux valeurs sociales.
- La combinaison C est celle de la population habituelle des prisons. On y retrouve des délinquants ayant commis des actes de gravité moyenne

---

9. *Ibid.*, p. 528.
10. *Ibid.*, p. 501.

qui récidivent dès qu'ils sont libérés et qui sont relativement marginalisés tant en milieu carcéral qu'au sein de la collectivité.

• La combinaison D représente la forme la plus légère de dangerosité, qui est celle des délinquants occasionnels et passionnels.

Les théories concernant les typologies et la dangerosité, dont nous venons de brosser un tableau sommaire, servent de base à l'élaboration de différents indicateurs et méthodes permettant d'évaluer les risques de récidive.

Aussi, la revue *Criminologie* a-t-elle consacré un numéro, en 2001, à cette notion de « risque » dans la gestion pénale. On y trouve différents articles qui traitent des prévisions de récidive, des instruments d'évaluation et de la dangerosité[11].

Dans l'un de ces textes, Gilles Côté fait une synthèse des facteurs prévisionnels de récidive énoncés par divers auteurs américains, dont voici un exemple tiré du guide d'évaluation du risque de violence écrit par Quinsey et ses collaborateurs. Ce guide, qu'on appelle le VRAG (*Violence Risk Appraisal Guide)*, comporte douze critères : « psychopathie, inadaptation scolaire à l'élémentaire, trouble de la personnalité, âge au moment du délit, séparation de l'un ou l'autre de ses parents (à l'exception de la mort) avant 16 ans, manquement antérieur à une libération conditionnelle, antécédents de délits violents, absence de mariage, schizophrénie, degré de gravité des blessures infligées à une victime (délit actuel), antécédents d'abus d'alcool, perpétration du délit actuel contre une femme[12] ».

Par ailleurs, Jean Proulx et Patrick Lussier, de l'Institut Philippe-Pinel de Montréal, ont choisi d'utiliser des échelles actuarielles — c'est-à-dire de techniques fondées sur des méthodes statistiques pour le calcul des probabilités — pour évaluer les risques de récidive chez les agresseurs sexuels. Deux types de variables y sont proposés : les facteurs statiques et les facteurs dynamiques. Selon ces auteurs, les facteurs statiques sont les antécédents judiciaires, notamment d'éventuels délits sexuels, ainsi que l'âge et d'autres caractéristiques stables; tandis que les facteurs dynamiques englobent notamment les préférences et les préoccupations d'ordre sexuel, les troubles de la personnalité, les distorsions cognitives, l'état émotif et la proximité de la victime[13].

---

11. Pierre Landreville et Germain Trottier (sous la direction de), *Criminologie*, vol. 34, n° 1, Montréal, Les Presses de l'Université de Montréal, 2001, 177 pages.

12. Vernon L. Quinsey *et al.*, *Violent Offender Appraising and Managing Risk*, Washington (D.C.), American Psychological Association, cités par Gilles Côté, « Les instruments d'évaluation du risque de comportements violents : mise en perspective critique », dans *Criminologie, op. cit.*, p. 33.

13. Jean Proulx et Patrick Lussier, « La prédiction de la récidive chez les agresseurs sexuels », dans *Criminologie, op. cit.*, p. 12.

Utilité des typologies et du diagnostic de dangerosité

Dans une étude effectuée en 1982, J. Poupart, J. Dozois et M. Lalonde[14] ont tenté de faire une synthèse des critiques formulées à l'endroit des diagnostics et des pronostics de dangerosité que rendent les profession-nels. Les travaux de recherche qu'ils ont analysés ont révélé, par exemple, qu'un suivi de trois ans effectué auprès des délinquants sexuels permet d'infirmer un diagnostic sur deux et qu'un suivi de cinq ans permet d'en infirmer deux sur trois. Pour expliquer ces échecs, ils avancent notam-ment les raisons suivantes :

- L'évaluation de la dangerosité repose sur les traits de personnalité, alors que ces traits sont insuffisants pour que soit connu, expliqué et prédit le comportement.

- Les instruments dont disposent les cliniciens, notamment les tests psy-chologiques, sont insuffisants pour évaluer la dangerosité.

- Les cliniciens, à quelques exceptions près, ne peuvent pas vérifier la validité de leur pronostic, la plupart des individus jugés dangereux étant internés ou incarcérés.

- Plusieurs facteurs liés au clinicien lui-même ou aux contingences de la situation peuvent influer sur le diagnostic.

Or, en 2002, plusieurs de ces arguments ne semblent plus valables. En effet, les méthodes statistiques et actuarielles sont de plus en plus précises et, comme nous l'avons vu, comportent à la fois des éléments statiques et des éléments dynamiques qui vont au delà des traits de personnalité. Par ailleurs, l'imposition de peines à purger dans la collectivité permet de confirmer ou d'infirmer les diagnostics et les pronostics en observant le comportement de l'individu qui se trouve en liberté surveillée, et les outils utilisés, à l'exception des diagnostics posés en entrevue clinique, laissent peu de place à l'interprétation puisqu'ils sont établis en fonction de résul-tats précis pour chaque indicateur.

Toutefois, ce qui vaut pour les cliniciens ne s'applique pas dans le cas des autres intervenants qui doivent fonder leur décision sur leurs observa-tions. Celles-ci s'appuieront alors sur les différents indicateurs mention-nés plus haut.

Ainsi, la nature et la gravité du délit sont des indicateurs dont se serviront les policiers pour décider d'effectuer ou non une arrestation. Ceux-ci tiendront compte aussi de ce qu'ils connaissent des antécédents du

---

14. Jean Poupart, Jean Dozois et Michèle Lalonde, « L'expertise de la dangerosité », dans *Criminologie*, vol. 15, n° 2, Montréal, Les Presses de l'Université de Montréal, 1982, p. 7-25.

contrevenant, de son attitude, agressive ou non, lors de son arrestation, de son âge, de la compassion ou de l'indifférence qu'il témoignera à l'égard de la victime.

Le juge se fiera, pour sa part, aux arguments que lui présenteront les policiers et les avocats avant d'accorder ou non un cautionnement au prévenu. Il demandera à des professionnels et notamment à des criminologues, qui agissent comme agents de probation, de lui remettre un rapport présentenciel ou prédécisionnel avant le prononcé de la sentence. Ce rapport l'aidera à déterminer la sanction à imposer à la personne reconnue coupable. Des procédures sont également prévues pour que la victime soit consultée au sujet du préjudice subi, afin que la décision judiciaire soit mieux éclairée.

L'intervenant en délinquance administrera différents tests, effectuera des entrevues avec le délinquant et procédera à des enquêtes communautaires pour déterminer le profil de l'accusé et évaluer ses risques de récidive, et, s'il est condamné à une peine d'emprisonnement, ses risques d'évasion et de désorganisation ou de comportement inadéquat à l'intérieur des murs.

Pour les intervenants du système correctionnel, les typologies favoriseront l'élaboration de meilleurs plans d'intervention et de traitement, la mise au point des programmes de formation et de resocialisation, la répartition adéquate des délinquants dans les divers établissements de détention, bref, toutes les décisions pertinentes visant à protéger la société et à aider le contrevenant à s'orienter vers la réinsertion sociale.

Ce sont les méthodes de diagnostic qui permettront l'atteinte de ces objectifs. En effet, bien qu'elles aient fait l'objet de critiques, ces méthodes n'en demeurent pas moins des outils indispensables aux intervenants. La recherche scientifique se poursuit et, comme dans tous les domaines, les outils facilitant les diagnostics et les pronostics ne cesseront d'évoluer.

En bref _____

Les typologies criminelles et la dangerosité sont deux critères qui aideront les praticiens du système de justice pénale, qu'il s'agisse de policiers, de juristes, de criminologues ou d'autres professionnels, à mieux définir leur intervention et à prendre les décisions les plus pertinentes au sujet des contrevenants auxquels ils sont confrontés.

Nous avons défini trois typologies. La première est celle de Ferri, qui parle de criminel-né, de criminel aliéné mental, de criminel passionnel, de criminel d'habitude et de criminel d'occasion. Selon cette typologie, il faut traiter les délinquants, lorsque c'est possible, ou les « mettre hors d'état de nuire », lorsque aucun traitement n'est approprié.

La seconde est celle de Clinard et Quinney, qui fondent leur analyse sur quatre variables : le passé criminel de l'individu, l'appui du groupe, les rapports avec le comportement légitime et la réaction sociale face au comportement délictueux. À l'aide de ces variables, ils décrivent les types suivants : les auteurs de crimes violents contre la personne, les auteurs de crimes occasionnels contre la propriété, les criminels occupationnels, les délinquants politiques, les délinquants contre l'ordre public, les criminels conventionnels, les membres du crime organisé et les criminels professionnels.

Enfin, la troisième, la typologie de Fréchette et Leblanc répartit les jeunes contrevenants en deux grandes catégories : les délinquants qui n'ont jamais eu de démêlés avec la justice et les délinquants judiciarisés. La première catégorie regroupe les jeunes dont la délinquance est occasionnelle, ceux dont la délinquance est intermittente et légère, ceux dont la délinquance est intermittente et moyenne et ceux dont la délinquance est récurrente et tenace. La seconde catégorie englobe les délinquants sporadiques, les délinquants explosifs, les délinquants persistants intermédiaires et les délinquants persistants graves.

Nous avons ensuite défini la dangerosité : c'est la probabilité qu'un individu commette un acte délictueux à l'avenir. Selon Pinatel, le degré de dangerosité est fonction de deux variables : la témibilité, ou capacité criminelle, et l'adaptabilité. Les indicateurs de la première sont l'égocentrisme, l'agressivité, la labilité et l'indifférence affective. Quant à la seconde, l'adaptabilité, elle désigne la capacité de l'individu à s'adapter à son milieu. En nous inspirant de cette théorie, nous avons proposé une formule pour déterminer la dangerosité.

D'autres critères, évoqués récemment par différents auteurs, ont aussi été présentés. Ils reposent sur des calculs statistiques permettant d'établir les risques de récidive.

Le chapitre s'achève sur un examen rapide des domaines dans lesquels les différents intervenants du système de justice pénale peuvent recourir aux typologies et aux notions de dangerosité et de risque.

Questions et exercices

1. À quoi servent les typologies criminelles ? Donnez des exemples de leur utilité pour les policiers et les intervenants du système correctionnel. Peuvent-elles servir à déterminer le genre d'encadrement dont fera l'objet un délinquant qui purge sa peine dans la collectivité ? Justifiez votre réponse.

2. La typologie de Ferri peut-elle être encore d'actualité ? En analysant l'information diffusée par les médias, offrez des exemples qui illustrent chacun de ces types et indiquez les mesures prises dans chaque cas.

3. Donnez des exemples concrets pour chacun des types définis par Clinard et Quinney.

4. En vous inspirant de ce que vous avez appris sur le chiffre noir de la criminalité (*revoir le chapitre 3*), faites un commentaire au sujet de ces catégories de délinquants qui « n'ont jamais eu de démêlés avec la justice » définies par Fréchette et Leblanc.

5. Faites une entrevue avec un intervenant en milieu correctionnel afin de connaître son avis sur les différents critères permettant de poser un diagnostic de dangerosité.

Quatrième partie

La lutte contre le crime _____

Dans les deux derniers chapitres de cet ouvrage, nous décrirons ce que fait la société pour se défendre contre la criminalité sous toutes ses formes, soit en tentant de la prévenir, soit en intervenant à l'égard des contrevenants.

Prévenir le crime signifie empêcher le passage à l'acte ou rendre son exécution la plus difficile possible, avec pour résultat que les citoyens seront mieux protégés et que l'État aura moins à investir dans sa répression. Si la prévention fait partie intégrante de la mission confiée à la police, elle nécessite également la collaboration des citoyens et des organismes communautaires.

La société devra cependant intervenir auprès des contrevenants sur lesquels les mesures préventives n'ont pas eu l'effet escompté. Cette intervention peut se traduire par l'imposition d'une peine au délinquant, qui l'exclut ou non de la collectivité, par la déjudiciarisation ou par l'individualisation des mesures prises à son égard pour faciliter sa réinsertion sociale.

Chapitre 8

La prévention de la criminalité _____

En criminologie, le vieil adage « *Mieux vaut prévenir que guérir* » s'impose. C'est d'ailleurs pour mettre au point des moyens efficaces de prévention du crime qu'on en étudie les causes. En outre, la prévention ne relève pas seulement de l'État ou de la police, mais aussi des organismes communautaires ou sociaux et des citoyens eux-mêmes.

Nous verrons d'abord quel est le rôle de la prévention dans un système de justice; nous décrirons ensuite les différentes catégories de prévention de la criminalité; enfin, nous examinerons le rôle des organisations policières en matière de prévention, plus particulièrement avec l'approche par la résolution de problèmes.

8.1 La prévention : définitions et objectifs

La prévention et l'intervention sont interdépendantes : plus la prévention est efficace, moins l'intervention s'avère nécessaire.

La prévention est à l'intervention ce que les mesures sanitaires et l'immunisation sont à la santé publique : tout comme l'échec des mesures sanitaires peut entraîner la propagation de maladies contagieuses, l'absence ou la faiblesse des mesures préventives peut favoriser la multiplication de conduites criminelles qui nécessiteront une intervention beaucoup plus rigoureuse du système judiciaire. Toute société a donc intérêt à consacrer des ressources humaines et financières à des programmes de prévention, sous peine d'avoir à réparer les torts que la criminalité inflige aux victimes et à la société. Une telle approche ne semble cependant pas faire l'unanimité, car les budgets accordés au système correctionnel (prisons, pénitenciers) demeurent de loin supérieurs à ceux destinés à la prévention.

En effet, la lutte contre la criminalité a surtout revêtu, jusqu'ici, un caractère répressif : arrestation, condamnation, incarcération et réhabilitation des contrevenants. Selon Statistique Canada (1994-1995), les coûts liés au système judiciaire (police, tribunaux et services correctionnels) au pays s'élèvent à près de 10 milliards de dollars par année. Ils ne reflètent toutefois qu'une partie de tous les coûts associés à la criminalité. Compte tenu des coûts personnels et matériels et des pertes de revenu qu'engendre la criminalité, le coût annuel total de cette dernière pourrait atteindre les 46 milliards de dollars, sans compter le coût de la criminalité d'affaires et de l'évasion fiscale.

Au-delà de ces coûts, la criminalité a aussi une incidence sur la vie de milliers de personnes qui souffrent des séquelles d'un crime, qui éprouvent un vif sentiment d'insécurité, surtout en milieu urbain, ou dont la qualité de vie est compromise. La prévention de la criminalité constitue donc une priorité.

Mais qu'entend-on par « prévention » ? Selon *Le Petit Robert*, la prévention désigne « l'ensemble des mesures préventives contre certains risques ». Qu'en est-il alors de la **prévention de la criminalité** ? Martine Fourcaudot et Lionel Prévost proposent la définition suivante : « La prévention de la criminalité est une forme d'intervention qui consiste à prendre des mesures pour empêcher ou diminuer les risques de perpétration d'infractions criminelles ou pour en limiter les conséquences éventuelles[1]. » Plus brièvement, la prévention peut aussi renvoyer à l'ensemble des efforts que déploie la société pour rétablir ou renforcer son contrôle.

Ces différentes définitions indiquent des objectifs communs et reliés les uns aux autres :

— empêcher la perpétration d'un crime;
— empêcher l'apparition d'une motivation criminelle;
— faciliter la canalisation des objectifs individuels vers des voies légitimes ou acceptables pour la société;
— empêcher les occasions susceptibles de provoquer le passage à l'acte.

8.2 La prévention de la criminalité : classification et orientations

Plusieurs classifications des types de prévention, qu'elle soit individuelle ou collective, ont été proposées par différents auteurs. Celle que nous retiendrons établit deux grandes orientations dans la prévention de la criminalité : la prévention situationnelle (ou prévention par l'aménagement du milieu) et la prévention sociale.

---

1. Martine Fourcaudot et Lionel Prévost, *Prévention de la criminalité et relations communautaires*, Mont-Royal, Modulo Éditeur, 1991, p. 3.

La prévention situationnelle ou prévention par l'aménagement du milieu

La participation des citoyens à la prévention est cruciale. Par crainte de la criminalité qu'ils observent dans leur quartier ou leur ville, certains citoyens sont susceptibles d'avoir un réflexe de survie en s'isolant ou en modifiant leurs habitudes de vie. Grâce à la **prévention situationnelle**, par contre, on peut inciter ces victimes potentielles à prendre des mesures qui les rendent moins vulnérables aux délits visant leur personne ou leurs biens. Par exemple, elles pourraient beaucoup mieux se protéger et défendre leurs biens en participant avec d'autres citoyens à un programme de surveillance de quartier en collaboration avec la police locale.

Les principes de l'approche situationnelle

Selon le criminologue Maurice Cusson, la prévention situationnelle « sert à désigner les mesures non pénales ayant pour but d'empêcher le passage à l'acte en modifiant les circonstances particulières dans lesquelles des délits semblables sont commis ou pourraient l'être[2] ».

Cette approche repose sur le principe selon lequel un délinquant ne passera pas à l'acte s'il estime que les gains à tirer de son délit sont trop faibles par rapport à l'effort exigé ou aux risques encourus. Ainsi, pour être efficace, la prévention doit faire diminuer les occasions de passage à l'acte, en réduire les bénéfices et accroître les risques pour les contrevenants. La notion de **situation précriminelle** nous aidera à mieux saisir ce concept : elle désigne les circonstances extérieures qui, selon Cusson, « précèdent et entourent la perprétation du délit en le rendant plus ou moins réalisable, plus ou moins avantageux et plus ou moins risqué[3] ». Dans cette optique, le délinquant décidera, selon son évaluation de la situation, de commettre un délit ou d'y renoncer. Par exemple, le marquage des pièces d'une automobile rend la cible moins attrayante et amène le voleur à choisir un véhicule non marqué.

Les programmes de surveillance de quartier

Les programmes de surveillance de quartier ou de voisins vigilants ont pour objectif de réduire la criminalité contre les biens dans un quartier ou une municipalité. Ils invitent les citoyens à identifier leurs biens par burinage afin d'en faciliter l'identification à la suite d'un vol et de les rendre moins attrayants pour les voleurs, à apposer des autocollants qui indiquent leur participation au programme et à signaler à la police tout comportement

---

2. Maurice Cusson, *La Criminologie*, Paris, Hachette, coll. Les Fondamentaux, 1998, p. 128.
3. *Ibid.*, p. 130.

suspect ou inhabituel dans leur milieu de vie. Pour sa part, la police informe régulièrement les représentants des citoyens au sujet de l'évolution de la criminalité dans leur quartier, afin qu'ils puissent mieux se défendre.

Plusieurs chercheurs en criminologie, comme Cusson, Clarke et Felson[4], ont établi un lien entre l'occasion de commettre un délit et l'intention criminelle. Ils considèrent qu'un comportement criminel résulte davantage d'un geste impulsif que d'une longue planification. Il semble en effet exister un lien direct entre l'incidence de la criminalité et le nombre d'occasions favorables au passage à l'acte que perçoit l'individu. Dans un geste impulsif, ce dernier repère d'abord une cible mal protégée à cause d'un mauvais éclairage, de l'isolement du lieu ou de la difficulté qu'aura la victime à demander de l'aide. Puisqu'une occasion favorable se présente, il décide de passer à l'acte. Ainsi, la plupart des vols par effraction et des délits commis sur la rue sont occasionnels et spontanés, et ne sont pas l'œuvre de criminels spécialisés. Les tenants de cette approche prétendent que la prévention de la criminalité par l'aménagement du milieu donnerait de meilleurs résultats que les mesures préventives d'ordre social. En effet, si la cible devient trop ardue ou trop risquée à atteindre, le criminel en cherchera une autre et privilégiera un lieu où le passage à l'acte sera facilité. De telles constatations justifient l'intérêt qu'on devrait accorder à l'aménagement du milieu en vue d'une prévention efficace, d'autant plus qu'il existe indéniablement un lien étroit entre le comportement humain et le milieu de vie.

Les méthodes de la prévention situationnelle

Comment la prévention situationnelle s'organise-t-elle ? Les deux méthodes principales qu'elle utilise sont l'**espace défendable** et le **renforcement des cibles**.

L'espace défendable

La méthode de l'espace défendable préconise une réorganisation physique du quartier qui favorise l'identification du citoyen avec son milieu de vie et qui stimule ainsi son sens des responsabilités et son sentiment d'appartenance. Les citoyens qui se préoccupent davantage de ce qui se passe sur leur « territoire » sont plus aptes à identifier des situations potentiellement criminogènes et à intervenir s'il y a lieu. De plus, en avivant la conscience collective, on réintroduit un contrôle social et l'on exerce une importante

---

4. Maurice Cusson, *La criminologie, op. cit.*, p. 130; Ronald Clarke, « Situational Crime Prevention », dans M. Tonry, D. P. Farrington (sous la direction de), *Building a Safer Society. Crime and Justice: A Review of Research*, vol. 19, Chicago, University of Chicago Press, 1995.

force de **dissuasion** à l'endroit du délinquant potentiel. Parmi les techniques utilisées à cette fin, signalons le regroupement des unités d'habitation pour faciliter les rapports entre voisins, la délimitation de frontières (murs, clôtures, jardins) indiquant clairement que les lieux appartiennent aux résidants d'un immeuble, l'aménagement des fenêtres et de l'éclairage pour faciliter la surveillance et la mise en œuvre des programmes de surveillance de quartier.

Le renforcement des cibles

La méthode du **renforcement des cibles** vise à protéger la cible d'un délinquant potentiel à l'aide de barrières physiques érigées entre lui et cette cible. Ces barrières se composent de ressources humaines (agents de sécurité, patrouilles de citoyens) et d'équipements matériels (serrures, systèmes d'alarme, grillages aux fenêtres, caméras de surveillance, etc.). En rendant la cible plus difficile à atteindre, on minimise l'apparition d'occasions favorables et, conséquemment, on diminue le nombre des crimes dits impulsifs.

L'exemple de Tandem permettra de mieux comprendre l'approche préventive par l'aménagement du milieu. Mis sur pied à Montréal en 1982, Tandem est un programme de prévention de la criminalité qui a pour objectif d'accentuer le sentiment de sécurité des citoyens. En collaboration avec les intervenants locaux, les policiers et les citoyens, Tandem Montréal contribue à résoudre les différents problèmes de sécurité qu'affrontent les citadins, que ce soit à domicile, dans les lieux publics ou dans la rue. Tandem offre aux citoyens des conseils sur la sécurité à domicile (éclairage adéquat, portes et fenêtres sécuritaires, systèmes d'alarme) et préconise l'entraide entre voisins au moyen d'un programme de surveillance de quartier. Dans les lieux publics, Tandem recommande notamment de ne fréquenter que les endroits achalandés et de ne pas exhiber le contenu de son portefeuille dans les établissements commerciaux. Il suggère également aux usagères des transports en commun de se prévaloir, le soir, du service « Entre deux arrêts » qu'offre la Société de transport de Montréal (service qui permet de descendre sur demande à des endroits autres que les arrêts prévus).

Tandem est présent dans tous les quartiers de Montréal où des intervenants sont accessibles, en personne ou par l'intermédiaire d'un bulletin d'information, pour les citoyens éprouvant des problèmes d'insécurité, particulièrement les jeunes, les aînés et les femmes. L'exemple de Tandem Montréal démontre que la prévention situationnelle de la criminalité est une approche intéressante en la matière. Cependant, il ne faut pas s'attendre à des résultats rapides. Ce type de prévention demeure un investissement à long terme qui exige une bonne planification et une participation active des citoyens. De plus, il faut être conscient que, face à une cible bien protégée, les criminels déplaceront leur attention vers une autre qui ne l'est pas ou adopteront de nouvelles tactiques.

La prévention sociale

Contrairement aux mesures médico-psychologiques qui privilégient le diagnostic et le traitement de la personnalité délinquante, la **prévention sociale** de la criminalité vise à améliorer les conditions de vie dans un milieu donné afin d'influer directement sur le comportement délinquant. Il faut donc agir sur la société et pas seulement sur le contrevenant. La criminalité existe parce que la société qualifie de crime un acte qu'elle ne tolère pas. L'étude des sources de la conduite délinquante et de ses causes, liées à la structure et à l'organisation de la société, permet la mise en œuvre de mesures préventives efficaces. Cette approche, dite sociologique, est plus récente que l'approche individuelle, dite médico-psychologique.

Avant de voir en détail les méthodes de la prévention sociale, rappelons les facteurs criminogènes socioculturels décrits au chapitre 5 : le système économique associe le succès au gain financier; tous les efforts de l'individu sont orientés vers la réussite matérielle qui définit son statut; les moyens de communication de masse, parmi d'autres facteurs, poussent chaque individu à consommer toujours davantage, et c'est ainsi que se crée la société de consommation.

Or, certains membres de la société n'ont pas accès aux biens que leur propose ce système économique, alors que d'autres l'ont. Il apparaît donc entre ces deux groupes une disparité qui peut engendrer une situation sociale tendue. La prévention sociale est un moyen d'examiner le problème selon une approche globale du milieu social. La lutte contre le chômage et pour le plein-emploi, l'établissement d'un système de revenu garanti, l'adoption d'une politique stimulante de lutte contre la pauvreté et d'allocations sociales ne sont que quelques-unes des méthodes de prévention possibles. Ainsi, par la prévention sociale, on tente de changer la structure sociale partiellement responsable de l'inadéquation de certains de ses membres, plutôt que de rendre le comportement individuel conforme à celui de la majorité. C'est le principe de base de la prévention sociale.

▨ **EXEMPLE**   Comme il ne peut pas subvenir à ses besoins et ne bénéficie d'aucune marge de crédit, un individu utilise un faux chèque pour payer ses dettes. ▨

Pour éviter ce genre de pratique, l'approche préventive privilégie l'établissement d'un système de revenu minimum pour tous plutôt que l'adoption de mesures punitives comme une sanction judiciaire sévère, car il est probable que l'individu en question récidivera. Il faut attaquer le mal à sa racine.

Il est important de retenir que le traitement individuel en institution, aussi efficace soit-il, n'a que peu d'effet si la société n'adopte pas des mesures de prévention. Le taux de récidive relevé dans les établissements pénitentiaires (environ 80 %) est assez éloquent à cet égard.

Nous avons décrit au chapitre 5 l'incidence que les relations parents–enfants pouvaient avoir sur l'apprentissage des valeurs non criminelles. L'attitude des parents et leur habileté à réagir à des comportements inacceptables jouent un rôle déterminant dans la prévention de la délinquance. Nous avons aussi fait le lien entre l'inadaptation familiale ou scolaire et l'appartenance ultérieure à un groupe de pairs délinquants. La prévention sociale devra donc s'exercer dans tous ces secteurs à la fois. À ce sujet, le Conseil national de la prévention du crime du Canada (1994-1997) avait, en 1997, identifié des facteurs à risque chez les enfants et les adolescents qui nécessitaient l'adoption de mesures préventives :
— la pauvreté;
— des conditions de vie inadéquates;
— l'inconsistance de l'encadrement parental;
— les abus physiques et sexuels;
— la monoparentalité;
— les difficultés à l'école;
— la présence de pairs délinquants;
— un milieu de vie où l'alcool et les drogues sont présents.

Successeur du Conseil national depuis 1998, le Centre national de la prévention du crime propose une approche préventive de la criminalité misant sur le développement social et favorisant la concertation entre les différents partenaires locaux.

En somme, l'approche sociale de la prévention s'attaque aux facteurs tant individuels que collectifs qui peuvent conduire certains individus à outrepasser la loi et d'autres à en devenir les victimes. L'objectif est d'améliorer la qualité de vie des individus, des familles et des collectivités (vie de famille, études, emploi, logement, loisirs). Par la prévention sociale, on désire avant tout sensibiliser la collectivité à l'échelle locale, car c'est elle qui est la plus apte à définir les besoins, les problèmes et les solutions les plus appropriées.

Voici quelques programmes de mobilisation des collectivités qui existent au Québec.

• *Collecte d'armes blanches en milieu scolaire* vise à sensibiliser les jeunes et à contrer la violence dans les écoles secondaires de Montréal. À partir des armes blanches collectées, on crée des œuvres d'art qui sont ensuite données aux écoles.

• *Accent-talents* s'adresse à des mères détenues ou ex-détenues et à leurs enfants âgés de 4 à 18 ans. On incite ces enfants à développer leurs talents artistiques et sportifs et l'on invite les mères à appuyer les efforts de leurs enfants. De plus, par des dîners-causeries, on sensibilise les mères à la prévention du crime et l'on tente de renforcer leurs compétences parentales et de les orienter vers la résolution des conflits.

- *Alternative suspension : une vision évolutive de l'école* offre des activités structurées à des élèves montréalais suspendus temporairement par leur école : ateliers de résolution de problèmes, écoute active, discussions de groupe sur la toxicomanie, aide pour les devoirs, etc.

- *Ateliers dans les écoles* invite un policier et un travailleur de milieu à se rendre dans cinq écoles primaires d'un quartier de Montréal où l'on trouve prostitution et trafic de drogues, afin de sensibiliser les élèves au problème de la toxicomanie. Les enfants sont ensuite invités, entre autres activités, à faire partie d'une ligue d'improvisation sur la vie dans leur quartier.

- *Agir ensemble* propose aux personnes âgées qui fréquentent les centres communautaires et les clubs de l'âge d'or des rencontres d'information et des discussions sur la violence et la victimisation.

Il importe de souligner deux aspects essentiels de la prévention sociale. On doit d'abord s'efforcer de répondre aux besoins immédiats de la population (dépannage). On aide ensuite la collectivité à se prendre en main et à résoudre elle-même ses problèmes avec l'aide de personnes-ressources. Ce type d'interventions correspond à une prévention à long terme. Par exemple, on aidera les résidants d'un quartier défavorisé à créer une coopérative d'habitation pour se prémunir contre la hausse du coût du logement.

8.3 Le rôle de la police

La présence de policiers sur un territoire peut exercer un effet dissuasif sur certains comportements criminels. En 1969, lors d'une grève des policiers à Montréal, on a noté une augmentation substantielle des crimes commis spontanément. La présence policière facilite donc, en partie, la prévention de la criminalité. Ainsi, comme nous l'avons vu au chapitre 3, New York a connu une baisse importante de l'ensemble de la criminalité depuis qu'on y a instauré une politique dite de tolérance zéro pour les crimes mineurs, et neutralisé du même coup le terreau fertile où se propageaient les crimes majeurs. La répression n'est cependant pas la seule façon de combattre la criminalité.

Les lois de police décrivent la mission confiée aux différents services de police, que ce soit la Gendarmerie royale, la Sûreté du Québec ou les services policiers municipaux. Cette mission comprend la protection des personnes et des biens, le maintien de l'ordre et de la sécurité publique, mais aussi la prévention du crime. La prévention fait donc partie intégrante de leur mission, tout autant que la répression du crime. L'approche préventive en matière d'action policière s'exerce par la présence régulière de patrouilleurs dans un quartier, selon le principe de la police communautaire, qui prend l'appellation de police de quartier à Montréal et de police de proximité à la Sûreté du Québec, comme nous le verrons plus loin. Par exemple, un service de police aura tout intérêt à discuter avec les organisateurs d'une manifestation avant son déroulement, plutôt que d'avoir à intervenir pendant l'événement; il s'agit là d'une autre dimension de la prévention. Celle-ci peut prendre plusieurs formes : police communautaire, police de quartier ou police de proximité, programmes socio-préventifs mis de l'avant en collaboration avec des organismes communautaires, stratégie d'intervention préconisant l'approche par la résolution de problèmes, etc.

La police communautaire

L'interaction que les policiers établissent avec les citoyens d'un quartier ou d'une ville leur assure une plus grande visibilité et leur permet de mieux comprendre les préoccupations de ces citoyens et d'intervenir ensuite avec plus d'efficacité. La patrouille à pied ou à vélo favorise davantage l'atteinte de cet objectif que la patrouille motorisée habituelle.

Les services de police doivent être très attentifs aux besoins qu'expriment les différents groupes sociaux d'un quartier ou d'une ville, s'ils veulent s'adapter aux problématiques et aux priorités correspondant à la réalité socioculturelle de ces groupes. Cette approche communautaire de la police prend des formes qui diffèrent selon les services de police, mais qui reposent sur les mêmes principes. Nous décrirons la police de quartier du Service de police de la ville de Montréal (SPVM) et la police de proximité de la Sûreté du Québec.

Service de police de la ville de Montréal

Depuis 1998, le SPVM applique le modèle de la police de quartier pour répondre aux attentes des citoyens d'une manière qui soit conforme à la nouvelle philosophie policière. Ce modèle a pour objectif de rapprocher davantage les policiers et les citoyens de Montréal afin de réduire la criminalité et d'accentuer le sentiment de sécurité, en partenariat avec les organismes communautaires et socioculturels des différents quartiers.

Les cinq composantes de ce modèle sont :

- **La résolution de problèmes** Il s'agit pour les policiers de procéder à l'identification et à l'analyse des causes des problèmes à l'origine de leur intervention et de trouver des solutions durables en collaboration avec les citoyens.

- **La responsabilité géographique** Le territoire de l'île de Montréal est couvert par 49 postes de quartier sous la direction d'un commandant. Chaque poste est autonome et veut susciter chez les policiers un sentiment d'appartenance à leur quartier et un plus grand rapprochement avec les citoyens.

- **L'approche-service** Elle permet d'offrir des services policiers de qualité afin de répondre aux besoins exprimés par les citoyens et d'améliorer ainsi le climat de confiance.

- **Le partenariat** Les policiers ne peuvent œuvrer isolément. Ils ont besoin de la participation des groupes communautaires afin de trouver des solutions aux problèmes du quartier qui soient conformes à ses particularités.

- **La valorisation du personnel** Les policiers se voient confier plus de responsabilités et accorder en même temps une plus grande autonomie.

Voyons de plus près la quatrième composante du modèle que nous venons de présenter : le partenariat entre la police et la collectivité. Chaque poste de quartier a été doté d'un Comité aviseur des partenaires (CAP). Ce comité a pour mission de rapprocher la police de la collectivité locale en privilégiant la médiation dans les conflits et une action concertée s'inscrivant dans l'approche par résolution de problèmes liés à la criminalité dans un quartier.

Les CAP ont un double objectif : prendre connaissance des préoccupations des citoyens quant à leur qualité de vie et tenter de résoudre, en collaboration, les problèmes qui leur sont soumis grâce à un plan d'action local. Les membres d'un CAP, au nombre de 8 à 12, font partie d'organismes communautaires ou socioculturels représentatifs du profil socio-économique du quartier.

Police de proximité de la Sûreté du Québec

À la Sûreté du Québec, l'approche communautaire prend l'appellation de police de proximité, semblable dans ses principes et ses pratiques à la police de quartier de la ville de Montréal. La police de proximité, comme son nom l'indique, cherche à se rapprocher de la population afin de créer un milieu de vie plus sûr, en collaboration avec divers organismes communautaires, les services sociaux et les municipalités. Chaque poste de police devient donc le moteur des interventions préventives dans la collectivité pour assurer la sécurité des personnes et la protection de leurs biens.

Pour atteindre cet objectif, la Sûreté du Québec préconise l'instauration d'un partenariat entre la police, les citoyens et les organismes communautaires. La création de comités locaux de sécurité publique dans chaque municipalité permet de sonder les attentes des citoyens et de cerner les problèmes auxquels ils sont confrontés. Ces comités sont les pendants des Comités aviseurs des partenaires (CAP) du SPVM. Tout comme à Montréal, l'approche par la résolution de problèmes est privilégiée.

Les programmes socio-préventifs

Souvent établis en partenariat avec des organismes communautaires, de nombreux programmes de prévention ont été mis en œuvre par les services policiers partout au Québec pour s'attaquer à des problématiques particulières. À titre d'exemples, voici quelques-uns des programmes de prévention proposés par la Sûreté du Québec :

- **C'est toi qui comptes**, en collaboration avec Sport Québec, vise à sensibiliser les jeunes sportifs aux méfaits de l'usage de drogues censées améliorer leurs performances.
- **Les équipiers**, destiné aux jeunes âgés de 12 à 17 ans, a pour objectif de rapprocher les jeunes et les policiers en démystifiant le rôle des policiers et en incitant les jeunes à être actifs au sein de leur collectivité.
- **OP-6** est axé sur le burinage des biens des entreprises. Un numéro d'identification personnalisé est apposé sur les biens pour faciliter les enquêtes en cas de vol.
- **Cool pour vrai** veut aider les jeunes âgés de 12 à 17 ans à désamorcer des conflits et à prévenir la victimisation. Une trousse d'information décrit certaines problématiques : la violence, les méfaits, la consommation de drogues et d'alcool. Cette trousse privilégie l'approche par la résolution de problèmes et offre des exemples pratiques d'intervention et des fascicules sur les problématiques visées. On y fait aussi la promotion du service d'écoute téléphonique « Jeunesse, j'écoute ».
- **Vieillir en liberté en toute sûreté**, destiné aux personnes du troisième âge, a pour objectif de sensibiliser ces dernières aux situations à risque criminel et de leur donner les moyens d'y faire face. Il propose une vidéocassette et deux guides comprenant des fiches-conseils.
- **Bon voisin, bon œil** est un programme de protection du voisinage contre le vol par effraction. Il a pour but d'amener les citoyens à contribuer à leur propre protection en burinant leurs objets de valeur ou en participant à des comités de vigilance formés de voisins.

L'approche par la résolution de problèmes

Toutes les études réalisées sur les interventions des policiers-patrouilleurs démontrent qu'au moins les trois quarts de ces interventions sont à caractère social plutôt que criminel : apaisement des conflits entre voisins, aide à apporter à des personnes âgées en difficulté, recherche de personnes disparues, etc. C'est ainsi que l'approche par la résolution de problèmes a été mise en œuvre. Il s'agit d'une stratégie d'intervention basée sur la recherche de solutions à long terme aux problèmes qui touchent les citoyens. Résoudre un problème préoccupant pour des citoyens, c'est aussi prévenir la criminalité. En effet, si le problème est résolu, la situation qui a abouti à la demande d'intervention se résorbera et ne nécessitera plus la présence policière.

Dans son ouvrage *Résolution de problèmes en milieu policier*, Lionel Prévost suggère d'utiliser cette approche lorsque « la paix et l'ordre publics sont menacés, que les gens et leurs biens sont en danger, que des infractions et des crimes sont commis ou que l'on est appelé à intervenir pour régler des problèmes sociaux[5] ». Prévost propose une procédure de résolution des problèmes en cinq étapes.

1. Assurer sa sécurité et celle des autres : lors de toute intervention, la sécurité des citoyens et des intervenants policiers est prioritaire. Les policiers doivent donc évaluer rapidement le degré de dangerosité d'une situation.

2. Identifier le problème : le policier doit cerner rapidement le problème afin d'y adapter son intervention. Un problème mal identifié peut entraîner une intervention inadéquate, voire abusive.

3. Rechercher les données, les analyser et choisir l'intervention : on doit veiller à amasser toutes les données possibles, puis les analyser, fixer des objectifs d'intervention et proposer des éléments de solution.

4. Intervenir : selon la situation, l'intervention peut être répressive ou préventive. L'objectif à atteindre consiste à résoudre de façon novatrice et durable le problème à l'origine de l'intervention.

5. Évaluer l'intervention et assurer un suivi : le policier doit s'assurer que la solution apportée au problème a un caractère définitif.

L'exemple qui suit permettra de mieux saisir l'utilité de cette approche et de comprendre l'importance du partenariat entre le service de police et la collectivité, à la suite de l'identification d'un problème préoccupant pour les citoyens.

Dans le quartier Ahuntsic à Montréal, des établissements commerciaux et résidentiels étaient régulièrement couverts de graffitis. Ce problème fut porté à l'attention du Comité aviseur des partenaires (CAP) du poste de quartier, qui a chargé un sous-comité de proposer une solution (approche par la résolution de problèmes). Les deux postes de quartier d'Ahuntsic, en collaboration avec divers intervenants du milieu, ont mis sur pied un programme de prévention et d'action comportant les étapes suivantes :

— répertorier les graffitis du quartier (identifier le problème);

— sensibiliser les citoyens et les commerçants du quartier au problème et les mobiliser;

---

5. Lionel Prévost, *Résolution de problèmes en milieu policier*, Mont-Royal, Modulo Éditeur, 1999, p. 21.

— organiser des corvées de nettoyage en collaboration avec les autorités municipales;

— permettre aux jeunes du quartier d'orner de graffitis les aires autorisées préalablement définies;

— lancer à l'intention des jeunes des écoles primaires et secondaires du quartier une campagne de prévention portant sur le respect de la propriété.

Pourquoi la police participe-t-elle à une démarche semblable ? Faire un graffiti est un méfait, une infraction criminelle [art. 430 (1) a]. Deux des rôles de la police sont justement de protéger les biens et la propriété et de prévenir les infractions. La répression n'est pas toujours la meilleure réponse à un tel problème et la prévention demeure une solution de rechange qui doit être envisagée sérieusement. Un quartier où se propagent les graffitis risque de se détériorer rapidement, et les citoyens peuvent éprouver un sentiment d'insécurité ou se désintéresser de la qualité de vie de leur milieu si l'on n'intervient pas. Comme nous l'avons vu au chapitre 3, il est en effet avéré que plus un quartier se détériore et est laissé à l'abandon, plus les éléments indésirables sont nombreux à s'y installer et à chasser par le fait même les honnêtes citoyens.

Les résultats obtenus dans le quartier Ahuntsic ont été très encourageants, puisque près de 80 % des graffitis répertoriés ont été éliminés.

L'approche par la résolution de problèmes peut prendre plusieurs formes. Ainsi, dans un autre poste de quartier de Montréal, on a apporté une solution différente au problème des graffitis : la stratégie de la « tache verte ». Avec le consentement écrit du propriétaire, on recouvre les graffitis de peinture verte afin de les altérer et de dissuader ainsi les graffiteurs. Cette opération est, selon certains experts, plus efficace que le nettoyage qui ne fait que remettre des espaces nettoyés aux mains de graffiteurs qui recommencent continuellement leurs méfaits. Les taches vertes sont laissées sur les graffitis pendant un an, puis on procède au nettoyage.

Il faut cependant être conscient que, peu importe la méthode employée, la vigilance des citoyens et des policiers est essentielle si l'on veut que le problème visé soit réglé de façon définitive. De plus, un problème visé et réglé dans un quartier donné risque de se déplacer dans les quartiers non surveillés. Il faut donc envisager une approche plus globale pour l'ensemble du territoire de la ville de Montréal.

En bref

La prévention situationnelle incite les victimes potentielles à prendre des mesures qui les rendent moins vulnérables à la criminalité et qui amènent alors le délinquant à juger que la situation précriminelle est trop risquée ou pas assez rentable pour qu'il passe à l'acte. La méthode de l'espace défendable préconise la réorganisation physique du milieu de vie en stimulant le sentiment d'appartenance des citoyens pour qu'ils puissent mieux se défendre contre la criminalité, alors que la méthode du renforcement des cibles vise à empêcher le délinquant potentiel d'atteindre sa cible en érigeant des barrières physiques entre elle et lui.

La prévention sociale agit directement sur les comportements délinquants en améliorant les conditions de vie dans un milieu, d'abord en répondant aux besoins immédiats des citoyens en difficulté, puis en les aidant à plus long terme à se prendre en mains et à résoudre collectivement leurs problèmes.

La prévention du crime fait partie intégrante de la mission des services de police. L'approche communautaire en prévention du crime (police de quartier ou de proximité) vise à accentuer l'interaction entre les citoyens et le service de police local en améliorant la visibilité des policiers et leur compréhension des préoccupations des citoyens, afin qu'ils interviennent plus efficacement.

L'approche par la résolution de problèmes est une stratégie d'intervention en vertu de laquelle les intervenants policiers recherchent des solutions durables aux problèmes liés à la criminalité dans un quartier ou une municipalité.

Questions et exercices

1. Décrivez un programme de surveillance de quartier. Quel est le rôle des policiers ? Quelle place les citoyens y occupent-ils ? Quelle incidence ce programme a-t-il sur la criminalité dans le quartier ? Ce programme est-il applicable ailleurs ?

2. Faites une entrevue avec un(e) policier(ère). Comment voit-il(elle) son rôle de prévention de la criminalité ? Que pense-t-il(elle) du lien entre la police et les organismes communautaires ? Entre la police et les citoyens ?

3. Décrivez un programme de mobilisation des collectivités en prévention sociale. Quels en sont les objectifs ? Qui tente-t-on de mobiliser ? Comment procédera-t-on ?

4. Faites un recensement des programmes socio-préventifs mis en œuvre par le service de police de votre quartier ou de votre municipalité. De quelle nature sont-ils ? Quelle population visent-ils ? Comment s'assure-t-on de la participation des citoyens ?

5. En suivant les cinq étapes de la résolution de problèmes, décrivez concrètement une situation dans laquelle les policiers ont utilisé cette approche.

Chapitre 9

L'intervention à l'égard des contrevenants _____

Nous avons choisi, dans ce chapitre, d'utiliser le terme *contrevenants* puisque les propos que nous y tiendrons concernent les personnes qui commettent un acte enfreignant une loi pénale, sans égard à la gravité de cet acte. Cela inclut donc les jeunes et les moins jeunes, les grands criminels et les petits délinquants.

L'intervention à l'égard des contrevenants revêt de nombreuses formes, que nous répartirons en deux grandes catégories.

La première catégorie est celle de l'**approche juridico-pénale** et elle comporte notamment :

— l'arrivée de la police sur les lieux du crime, le relevé des indices et des preuves, les entrevues avec les victimes et les témoins, les arrestations, les interrogatoires, etc.;

— l'entrée en scène des procureurs de la poursuite, qui auront à apprécier la preuve accumulée, à décider s'il y a lieu de porter la cause devant les tribunaux et à la défendre devant les instances judiciaires;

— la procédure en cour : avocats, juge (et peut-être jury), témoins, victimes, accusés, experts et autres acteurs examineront la cause, après quoi il sera décidé de l'acquittement ou de la culpabilité de l'accusé et, le cas échéant, de sa condamnation;

— la prise en charge par le système correctionnel : détention, probation, et milieu de garde fermé pour les adolescents.

Dans le domaine de la délinquance des jeunes, certaines procédures intermédiaires peuvent s'appliquer. On trouvera notamment la possibilité pour les policiers d'exercer un pouvoir discrétionnaire accru, l'examen des cas, pour appréciation, par les directions compétentes en matière de jeunesse et leur prise de décisions éventuelle quant aux mesures autres que le renvoi au tribunal. Le scénario ci-dessus représente toutefois, de façon générale, celui qui consiste à réprimer la délinquance.

La seconde catégorie regroupe les interventions faites selon l'**approche communautaire**. C'est celle qui prévoit, même pour la population adulte depuis quelques années, des procédures et des méthodes se substituant aux interventions traditionnelles. On parle alors de sanctions communautaires, de mesures de rechange, de déjudiciarisation, de dépénalisation ou de justice alternative ou réparatrice. Nous décrirons successivement, dans le présent chapitre, les principales notions liées à ces deux approches.

9.1 L'approche juridico-pénale

Il s'agit de la mise en branle du système de justice pénale, dont la porte d'entrée est, de façon générale, la police. Son intervention peut être de deux types : proactive ou réactive.

L'**action proactive** signifie que l'intervention policière s'effectue sans qu'un citoyen ou une victime y fasse appel. Ainsi, la présence des policiers dans la collectivité, l'analyse criminologique des situations criminogènes ou victimogènes, les techniques de résolution de problèmes appliquées selon les conclusions de cette analyse, les conseils prodigués aux citoyens pour se prémunir contre le crime, les projets destinés à aider des personnes ou des groupes dits à risque et la création de sections spécialisées en matière d'intervention-jeunesse sont autant de mesures actives préventives. Depuis plusieurs années déjà, les corps policiers privilégient cette approche. Mais la police peut aussi être proactive dans le domaine de la répression de la criminalité. L'infiltration d'agents dans le milieu criminel et les enquêtes entreprises à l'initiative des escouades spécialisées afin de dépister les activités criminelles en sont quelques exemples.

L'**action réactive** constitue cependant un pourcentage important du travail des policiers, puisqu'ils doivent répondre aux appels des citoyens, consigner leurs plaintes, réagir à leurs demandes et, selon la nature des fonctions qu'ils exercent au sein de leur service, effectuer tous les travaux relatifs à l'élaboration de la preuve, à la collaboration avec les procureurs de la poursuite, à la préparation et à la prestation de leur témoignage en cour.

Les principaux acteurs du système judiciaire poursuivront alors le travail. Dans notre système, que l'on appelle accusatoire ou contradictoire — par opposition à un système inquisitoire —, il incombe à la poursuite de faire la preuve, hors de tout doute raisonnable, de la culpabilité de l'accusé, et ce dernier peut garder un mutisme complet dès son arrestation et tout le long des procédures. Dans un système inquisitoire, l'accusé pourrait être contraint à témoigner et son silence serait alors considéré comme un indice de sa culpabilité. En fait, dans notre système, le juge ne peut se prononcer que sur la base des preuves que les parties lui soumettent durant le procès, alors que, dans l'autre système, le juge prend sa décision en vertu de son « intime conviction ».

Enfin, s'il y a condamnation, c'est le système correctionnel qui entre en jeu avec l'une ou l'autre de ses composantes : perception des amendes, surveillance des probationnaires, travaux communautaires, intervention en milieu carcéral, surveillance des libérés sous condition. Nous reviendrons un peu plus loin dans ce chapitre sur la nature des sanctions prévues.

Précisons, une fois de plus, que les lois traitant de la délinquance des adolescents suivent à peu de chose près la même orientation. La philosophie de base y est cependant différente : la resocialisation d'un jeune étant considérée comme plus probable que celle d'un adulte, des intervenants spécialisés entreront en jeu, les sentences seront moins sévères, les mesures de rechange plus nombreuses et le pouvoir discrétionnaire des policiers, des juges et des autres décideurs sera plus étendu.

Dans la première partie du chapitre, nous verrons quels sont les objectifs de la sanction pénale et donnerons quelques exemples des formes qu'elle peut revêtir.

Les objectifs de la sanction pénale

En nous inspirant de différents travaux qui ont traité des objectifs de la sanction pénale, notamment ceux de Pierre Landreville, de la Commission de réforme du droit et, plus récemment, de la Commission canadienne sur la détermination de la peine, nous parlerons, dans ce qui suit, de la rétribution, de l'intimidation générale ou exemplarité, de la dissuasion, du rétablissement d'un certain équilibre de la justice, de la rééducation ou de la réinsertion sociale du contrevenant et de la protection de la société.

La rétribution

La **rétribution** est une manière de châtier l'individu qui a commis un délit. On dit couramment : « Il doit payer sa dette envers la société. » Conçue de cette façon, la punition doit être proportionnelle à la gravité de l'infraction qui y donne lieu. L'exemple le plus caractéristique est celui de la loi du talion : « Œil pour œil, dent pour dent ». C'est un peu en s'inspirant de ce principe que certains pays, y compris plus des deux tiers des États aux États-Unis, appliquent encore la peine de mort pour châtier l'individu reconnu coupable d'un meurtre qualifié. C'est aussi dans cette optique que le premier *Code pénal* français, en 1791, avait établi ce qu'on appelait le **tarif légal**, c'est-à-dire une peine fixe et rigide infligée à l'auteur de tout type d'infractions, quelles que fussent ses caractéristiques personnelles ou matérielles.

L'intimidation générale ou exemplarité

Le second objectif de la sanction pénale est l'**exemplarité**. On entend souvent les procureurs de la poursuite réclamer une sanction exemplaire. En fait, un grand nombre de personnes seraient davantage portées à commettre un délit si elles n'encouraient pas une sanction quelconque. Seule une infime minorité d'individus seraient guidés par des principes moraux supérieurs qui les empêcheraient de commettre des infractions. Pour une autre minorité de personnes, la sévérité de la sanction n'a aucune importance : elles passeront quand même à l'acte. Par contre, chez l'ensemble des citoyens, le risque du châtiment est déterminant et peut freiner le passage à l'acte ou au contraire le favoriser. C'est ainsi qu'on peut attribuer à la sanction ce pouvoir d'intimidation générale.

Pour que ce pouvoir soit efficace, il faudrait que la sanction soit particulièrement sévère. Au Moyen Âge, la cruauté des sanctions n'avait rien de surprenant, mais qu'il existe encore de nos jours des pays où l'on tranche la main droite de tout individu reconnu coupable de vol paraît excessif. Beccaria disait que ce n'est pas tant la sévérité du châtiment que sa certitude qui réduit la criminalité, ce dont plusieurs études ont d'ailleurs fait état. Qu'il nous suffise de mentionner ici celle qu'a effectuée E. Abdel-Fattah, qui démontre que la peine capitale ne peut pas avoir d'effet intimidant sur un meurtrier potentiel. Fattah a en effet observé que, dans les pays où la peine de mort a été abolie, il n'y a pas eu d'augmentation du nombre de meurtres et que, à l'inverse, là où elle a été rétablie, le taux d'homicides n'a pas baissé[1].

La dissuasion

Quand on parle de **dissuasion**, on entend une action faite afin qu'un individu renonce à commettre un délit. La dissuasion est le contraire de la persuasion, c'est-à-dire qu'elle a pour objectif de convaincre quelqu'un de ne pas faire quelque chose. Alors que l'**intimidation générale** vise, par le châtiment, à prévenir la criminalité dans une société, la dissuasion s'adresse aux délinquants qui ont commis un premier délit et qui sont susceptibles de récidiver.

Pour que l'objectif soit atteint, la peine devrait être sévère. Cependant, lorsqu'il s'agit de dissuader un récidiviste, on peut également ajouter un certain effort de rééducation ou de correction. Ainsi, en plus de châtier un individu pour le délit qu'il a commis, une peine à caractère dissuasif devrait comporter des éléments permettant à cet individu de réintégrer la société et de vivre selon les normes qui la régissent.

---

1. Ezzat A.-Fattah, *Une étude de l'effet intimidant de la peine de mort à partir de la situation canadienne*, Ottawa, Solliciteur général du Canada, 1972, 222 p.

Le rétablissement de la justice

La sanction a aussi pour objectif de rétablir la justice qu'a provisoirement rompue l'accomplissement du délit. En effet, quand un délit est commis, il y a un auteur et une victime; l'auteur du délit a porté préjudice à la victime. Ainsi, l'équilibre de la justice est rompu puisque la victime est privée d'un droit dont l'auteur du délit s'est emparé illicitement. Dans cette perspective, la sanction aurait donc pour objectif le rétablissement de cet équilibre, de cette justice. On sait combien la volonté de rétablir la justice a donné lieu autrefois à des châtiments cruels. On sait aussi dans quelle mesure, à l'époque de la justice privée, cette volonté provoquait d'interminables vendettas. Dans certains pays en voie de développement et même entre gangs criminalisés ou au sein du crime organisé en Amérique du Nord, cette sorte de justice privée existe encore et l'on assiste parfois à des règlements de compte qui peuvent aller jusqu'à l'extermination de certaines familles. Bien des victimes innocentes sont aussi touchées par ces guerres de gangs : un coup de feu mal dirigé, une voiture piégée qui explose au passage de monsieur Tout-le-monde, une erreur sur la personne, etc.

Par contre, dans notre système pénal, le rétablissement de la justice ne peut avoir une fonction vindicative, mais bien compensatoire. Aussi prend-il la forme d'un dédommagement versé à la victime ou d'une réparation du préjudice qu'elle a subi.

La rééducation ou la resocialisation

L'objectif essentiel de la peine, selon les courants de pensée s'inspirant du modèle médical, est celui de la **resocialisation** du délinquant. On ne sanctionne ni pour rétribuer, ni pour venger, ni pour intimider, ni pour dissuader. On impose à un délinquant une mesure susceptible de l'aider à se replacer socialement afin que, à l'expiration de sa peine, il puisse se réintégrer normalement à la collectivité. Malheureusement, même un tel objectif a ses détracteurs : le modèle médical s'avère un échec. L'argument fondamental qu'ont soulevé les critiques de cette approche est le suivant : on ne peut pas resocialiser un individu malgré lui. Si le délinquant ne veut pas suivre un traitement, il est inutile de le lui imposer. C'est pourquoi on a même suggéré que, dans les maisons de détention, les programmes de rééducation soient suivis sur une base volontaire.

La protection du public

La protection du public contre toute récidive d'un contrevenant figure aussi parmi les objectifs de la sanction pénale. En effet, certaines personnes présentent des risques importants de commettre des actes criminels et de menacer ainsi la sécurité d'autrui. Les positivistes, dont nous avons exposé les principes précédemment (*revoir le chapitre 2*), préconisaient la

« mise hors d'état de nuire » des délinquants considérés comme dangereux. Aujourd'hui, des scientifiques ont établi de nombreux critères pour jauger de tels risques : nous en avons discuté au chapitre 7. L'emprisonnement, le traitement et la rééducation figurent parmi les mesures relativement propices à l'atteinte de cet objectif.

Ce sont là quelques éléments de réflexion. En réalité, il semble que chacun de ces objectifs revêt une certaine importance dans le rôle dévolu à la sanction. La resocialisation devrait demeurer l'objectif primordial, au même titre que la protection de la société contre un individu dangereux. Mais, si l'on veut réellement atteindre ce double but, il faut, d'une part, humaniser le traitement pénal et, d'autre part, individualiser les mesures prévues, c'est-à-dire les adapter aux besoins du délinquant auquel elles sont imposées.

La nature des sanctions pénales

Avant d'amorcer l'étude des programmes de traitement et des modalités d'individualisation des sanctions pénales et extrapénales, nous passerons en revue les diverses peines généralement prévues dans les codes criminels. Ces peines sont de nature variée : corporelles, privatives de liberté, restrictives de liberté et pécuniaires. Bien d'autres classifications ont été proposées par les auteurs, mais nous avons retenu celle qui suit pour des raisons pratiques.

Les peines corporelles

*Les **peines corporelles** sont celles qui touchent l'individu dans son intégrité physique : la peine de mort, la flagellation, l'amputation sont des peines corporelles.*

La peine corporelle est la plus ancienne forme de châtiment que l'on puisse retracer dans l'histoire : la loi mosaïque, qu'on appelle aussi la loi du talion, stipulait que toute personne qui avait commis une infraction causant un préjudice corporel à un individu devait à son tour subir le même préjudice. Nous avons également vu qu'au Moyen Âge les criminels étaient soumis à toutes sortes de tortures : l'amputation de certains membres, la lapidation, la peine de mort et tous les raffinements conçus pour l'exécution de cette dernière comme l'écartèlement ou le supplice du feu.

Dans notre propre *Code criminel*, deux peines corporelles ont subsisté jusqu'aux années 1970 : la peine de mort et la peine du fouet. Nul besoin d'évoquer ici le débat qu'a suscité l'abolition de la peine de mort. Soulignons cependant qu'une fraction importante de notre société demeure en faveur de cette peine et qu'au Canada ce n'est qu'en la troquant contre un emprisonnement ferme de 25 ans qu'on a réussi à faire adopter, en 1976, la loi sur son abolition. Dans d'autres pays, les châtiments corporels demeurent en vigueur.

Les peines privatives de liberté

*Les **peines privatives de liberté** sont des peines qui imposent à une personne un mode et un cadre de vie qui lui enlèvent la possibilité de faire des choix. L'emprisonnement est la peine privative de liberté la plus courante; par cette peine, le condamné se fait imposer des contraintes dans le temps et dans l'espace.*

À ses débuts, l'emprisonnement a constitué une grande amélioration par rapport aux châtiments qui prévalaient. On disait alors que, plutôt que de châtier le délinquant dans son corps ou dans son droit à la vie, on pouvait l'incarcérer pour qu'il puisse profiter d'une période de réflexion, de recueillement et de silence, et ainsi avoir l'occasion de s'amender; par la suite, il pourrait retourner vivre dans la société de façon normale. La peine conservait cependant un caractère infamant, dégradant. Qu'on se souvienne des voleurs marqués au fer rouge ou des forçats et des bagnards traînant des boulets aux pieds. La stigmatisation sociale du prisonnier, même après sa libération, demeure chose courante encore de nos jours. En effet, un ex-détenu se voit souvent rejeté par sa famille et ses proches, et risque de perdre ses amis, d'avoir de la difficulté à se trouver un emploi et de faire constamment l'objet de soupçons quant à son comportement.

Les peines d'emprisonnement au Canada sont relativement plus fréquentes que dans d'autres pays occidentaux, à l'exception des États-Unis, qui détiennent le record. Le Québec, pour sa part, a un taux d'incarcération inférieur à la moyenne canadienne, comme le montre le tableau 9.1.

Tableau 9.1 Taux d'incarcération par 100 000 habitants dans quelques pays occidentaux et provinces canadiennes, en 1997.

Pays	Taux par 100 000 habitants	Province	Taux par 100 000 habitants
États-Unis	649	Terre-Neuve	57
Canada	129	Île-du-Prince-Édouard	67
Angleterre et pays de Galles	120	Nouvelle-Écosse	94
Allemagne	90	Nouveau-Brunswick	152
France	90	Ontario	99
Pays-Bas	87	Manitoba	139
Italie	86	Saskatchewan	188
Belgique	82	Alberta	133
Suède	59	Colombie-Britannique	112
		Québec	95

Source : d'après des renseignements recueillis dans le site Internet du ministère de la Sécurité publique du Québec : http://www.msp.gouv.qc.ca

Ces peines privatives de liberté sont généralement expiées dans les prisons provinciales, où sont détenues les personnes condamnées à moins de deux ans d'emprisonnement, et dans les pénitenciers fédéraux, où sont détenues les personnes condamnées à deux ans ou plus d'emprisonnement. Quant aux adolescents, ils sont gardés dans des milieux fermés ou des centres jeunesse sécuritaires. Mais ces milieux, au Québec, relèvent plutôt des services sociaux que des services correctionnels ou de la sécurité publique.

La détention tend cependant à être une mesure de rééducation, de réhabilitation et de protection de la société plutôt qu'une mesure de châtiment et de rétribution.

Les peines restrictives de liberté

Les **peines restrictives de liberté** diminuent la possibilité, pour le condamné, d'utiliser sa liberté d'action.

Ainsi, une personne bénéficiant d'une libération conditionnelle peut se voir imposer une **assignation à résidence**, qui l'oblige à demeurer dans une maison de transition où les règlements sont stricts et où il faut, par exemple, respecter un couvre-feu. Un contrevenant, tout en vivant au sein de la collectivité, peut aussi être tenu de ne pas fréquenter des débits de boissons ou certaines personnes ayant eu des démêlés avec la justice. Il en va de même pour un individu en probation ou en liberté conditionnelle qui pourrait devoir se présenter régulièrement à un agent compétent et se soumettre à diverses autres mesures.

Ces restrictions à la liberté sont souvent assorties d'interventions de la part de ces agents en cas de bris de condition. À la limite, ces derniers pourraient faire appel aux policiers pour arrêter le contrevenant qui n'a pas respecté ses engagements ou le faire comparaître en cour pour qu'une sanction privative de liberté lui soit appliquée.

Les peines pécuniaires

Les **peines pécuniaires** sont celles qui sont infligées à une personne reconnue coupable d'un délit et qui touchent son patrimoine, c'est-à-dire ses biens.

L'amende est une peine pécuniaire : le condamné doit payer au trésor public une somme déterminée par la sentence que prononce le juge.

La confiscation est une autre forme de peine pécuniaire. Un individu peut se faire confisquer un bien malhonnêtement acquis. La saisie des montants d'argent, des drogues, des armes et d'autres biens appartenant au crime organisé ou aux motards criminels en est un exemple. Les peines pécuniaires offrent l'avantage d'être, cela va sans dire, beaucoup moins coûteuses pour l'État que les peines d'emprisonnement. À l'heure actuelle, on estime qu'un individu détenu dans un pénitencier fédéral coûte à l'État, donc aux contribuables, plus de 150 $ par jour de détention[2], alors que celui qui paie une amende enrichit le trésor public.

Si l'on envisage cette peine d'un point de vue moins matérialiste, on peut dire qu'elle évite à des délinquants primaires, c'est-à-dire à des personnes qui ont commis un premier délit, les problèmes éventuels qui découleraient de leur contact avec les autres délinquants. En effet, l'incarcération amène un délinquant primaire à entrer en relation avec des criminels plus enracinés et plus endurcis que lui, et quelquefois, à la suite d'une infraction plutôt légère, cette incarcération peut marquer le début d'une carrière criminelle par contamination.

Les mesures de sûreté

Un des fondements du droit pénal canadien, comme de celui de nombreux pays démocratiques, est la responsabilité morale individuelle. En vertu de ce principe, tout individu qui ne peut être tenu responsable de ses actes ne peut non plus être l'objet d'une sanction pénale. La notion de responsabilité évoquée ici comporte en fait deux éléments : la conscience, qu'on appelle aussi le discernement, c'est-à-dire la capacité qu'a l'individu de saisir la nature et la portée morale de ses actes; et sa volonté d'enfreindre la loi, c'est-à-dire d'accomplir un acte illégal, ou sa simple négligence qui entraîne un préjudice pour autrui.

Ainsi, un aliéné mental ne peut pas être tenu criminellement responsable de ses actes, ce qui ne l'empêche pas d'être souvent dangereux pour la société. Si, en raison de ses problèmes mentaux, il a déjà commis un délit, il se pourrait fort bien qu'il récidive. Or, l'application stricte du principe de la responsabilité entraînerait son acquittement, après quoi il serait libéré et laissé à lui-même dans la société. La question qui se pose est alors la suivante : Quelle attitude doit-on adopter à l'égard d'un aliéné mental qui représente un danger pour la société ? Les mesures de sûreté y apportent la réponse.

En effet, les **mesures de sûreté** peuvent comporter une certaine privation ou restriction de liberté. Leur objectif premier n'est pas de punir l'individu, mais de le mettre dans une situation qui, d'une part, lui permettra d'obtenir un traitement adéquat et, d'autre part, assurera la protection de la société contre ses actes nuisibles.

Contrairement à une peine d'emprisonnement, une mesure de sûreté qui se traduit par l'internement d'un individu pour fins de traitement ne peut

---

2. Comptes publics du Canada, Service correctionnel du Canada, 1998-1999.

pas être limitée à une période déterminée. Un juge condamne un délinquant responsable de ses actes à une peine d'emprisonnement de trois, quatre, cinq ou dix ans. Un individu dangereux mais irresponsable ne peut pas être condamné à une peine temporelle fixe; en fait, il ne peut pas être condamné du tout. Il est confié à une autorité médicale qui entreprendra son traitement et qui, par conséquent, a plein pouvoir de le libérer au moment qu'elle jugera opportun.

Les mesures de sûreté ne sont pas seulement curatives, elles ne se limitent pas aux traitements comportant ou non une certaine forme d'internement. Il en existe d'autres qui frappent, par exemple, les biens de l'individu : la confiscation de produits dangereux, d'armes ayant servi à commettre un délit ou de stupéfiants est ainsi une mesure de sûreté qui vise à écarter un certain danger qui peut menacer la collectivité.

9.2 L'approche communautaire

Depuis la fin des années 1970, les gouvernements favorisent un plus grand engagement de la collectivité pour tout ce qui concerne la prise en charge des personnes ayant des difficultés d'adaptation. Les jeunes handicapés qui ont la capacité de s'intégrer au système scolaire régulier sont admis dans les écoles publiques, et les personnes atteintes d'une maladie mentale qui ne sont pas dangereuses pour elles-mêmes, pour leur entourage ou pour la collectivité sont désinstitutionnalisées et prises en charge par les aidants naturels. Il en va de même pour la délinquance.

L'approche communautaire en cette matière relève d'abord, il va sans dire, des corps policiers : la prévention du crime, l'analyse criminologique, la résolution de problèmes et l'exercice d'un certain pouvoir discrétionnaire font partie de cette approche.

Quant aux procureurs de la poursuite, il est aussi concevable qu'ils décident parfois de ne pas entamer de procédures judiciaires. Ainsi, un adolescent qui a commis un délit peut fort bien être déféré aux personnes compétentes en matière de services sociaux pour qu'elles prennent des mesures non judiciaires visant à responsabiliser ou à assurer sa protection et sa rééducation.

En ce qui concerne les tribunaux et les mesures sentencielles, trois considérations majeures ont présidé à la remise en question de l'emprisonnement à titre de peine souvent privilégiée par les procureurs de la poursuite et les magistrats.

- L'emprisonnement a fait la preuve de son incapacité à resocialiser les contrevenants; de nombreux auteurs disent même qu'il contribue, au contraire, à enraciner des délinquants primaires dans la criminalité.

- L'emprisonnement stigmatise inutilement le délinquant et devient donc un facteur d'exclusion sociale.
- L'emprisonnement est une mesure coûteuse.

C'est pourquoi, depuis la fin des années 1970, certaines commissions d'enquête, comme la Commission de réforme du droit et la Commission sur la détermination de la peine (Commission Archambault, 1987), se sont penchées sur la mise au point de mesures de rechange à l'incarcération.

La législation leur a ensuite emboîté le pas et les tribunaux disposent maintenant d'une vaste gamme de mesures, énoncées dans le *Code criminel*, qui leur permettent de donner au contrevenant l'occasion de purger sa peine dans la collectivité.

Ainsi, un contrevenant peut bénéficier d'une absolution inconditionnelle, d'une mesure probatoire, de la possibilité d'effectuer des travaux communautaires à titre de mesure judiciaire ou de substitut à une amende, d'un sursis à son emprisonnement, d'un encadrement en milieu ouvert, d'une libération conditionnelle pour remplacer une partie de sa peine d'emprisonnement, ou de la possibilité de dédommager sa victime pour prendre conscience du tort qu'il a pu lui causer et le réparer. Voici quelques détails concernant ces mesures.

L'absolution inconditionnelle

On peut assimiler l'**absolution inconditionnelle** au concept de *dépénalisation*, en ce sens que, même si un verdict de culpabilité a été prononcé contre lui, un individu ne subit aucune condamnation. Puisqu'on considère alors qu'il n'a commis aucune infraction, il n'héritera pas d'un dossier judiciaire.

Il existe également une forme d'absolution accompagnée d'une mise en probation du contrevenant. Dans ce cas, si ce dernier commet un délit pendant la période de probation, il pourra écoper d'une peine pour l'infraction originale en plus de la nouvelle sanction qui lui sera imposée pour son second délit.

Les mesures probatoires

Les **mesures probatoires** permettent à un contrevenant de demeurer au sein de la collectivité, à certaines conditions, tout en purgeant sa peine.

L'**ordonnance de probation** est émise par un juge à la suite d'un plaidoyer ou d'un verdict de culpabilité. Le probationnaire s'engage alors par écrit à respecter les lois et à se soumettre à certaines conditions imposées par la loi et à d'autres, de nature facultative, imposées par le juge, et ce pendant une période déterminée.

Le non-respect de l'une de ces conditions constitue une infraction pouvant amener le juge à prononcer une nouvelle sentence ou encore à prolonger ou à modifier l'ordonnance de probation.

Parmi les conditions généralement imposées au probationnaire, figure l'obligation de se soumettre à la surveillance d'un agent de probation. Dès la première rencontre, celui-ci doit expliquer au probationnaire la nature de l'ordonnance de probation avec surveillance et l'informer des obligations qui y sont rattachées et de ses droits dans l'application de cette ordonnance.

L'agent de probation a également pour fonction d'aider le probationnaire, de l'informer, de le conseiller et de l'appuyer dans ses démarches en vue de sa resocialisation. De plus, il est responsable de l'application juridique de l'ordonnance de probation. S'il constate un manquement à une obligation ou si le contrevenant commet une nouvelle infraction, l'agent de probation en informe alors le substitut du procureur général.

Les travaux communautaires comme mesure sententielle

L'ordonnance de **travaux communautaires** est une peine imposée par le juge à un individu qui a été reconnu coupable d'une infraction. La durée de ces travaux peut varier de 20 à 180 heures. Ce type de sentences permet ainsi au contrevenant qui ne représente pas un danger pour la société d'éviter l'emprisonnement en effectuant divers travaux pour le compte d'un organisme communautaire. Ces travaux doivent être exécutés sous la supervision d'un agent de probation, auquel le juge aura préalablement demandé de rédiger un rapport établissant l'admissibilité du contrevenant aux travaux communautaires.

Lorsqu'il accepte de faire des travaux communautaires, le contrevenant s'engage formellement à les réaliser dans le délai prescrit et selon les modalités convenues avec l'agent de probation et le répondant de l'organisme communautaire.

Le non-respect de l'une des obligations peut constituer une infraction pouvant amener le tribunal à imposer une nouvelle sentence ou encore une prolongation ou une modification de l'ordonnance de travaux communautaires. Le contrevenant est alors susceptible d'être incarcéré.

Les travaux compensatoires à défaut de paiement d'amende

Le programme de **travaux compensatoires** est une mesure juridique qui remplace l'incarcération. Le contrevenant est alors appelé à exécuter gratuitement un certain nombre d'heures de travail au profit d'organismes

Tableau 9.2 Exemple de la détermination de l'équivalence entre le montant des sommes dues et la durée des travaux compensatoires.

Partie des sommes dues ($)	Valeur d'une heure de travail compensatoire ($)
entre 1 et 500	10
entre 501 et 5 000	20
entre 5 001 et 10 000	40
entre 10 001 et 15 000	60
entre 15 001 et 20 000	80
etc.	100, 120, 140, 160, etc.

Source : Ministère de la Sécurité publique du Québec, http://www.msp.gouv.qc.ca

communautaires. Ce programme s'adresse aux personnes incapables d'acquitter l'amende infligée pour une infraction au *Code criminel* ou à toute autre loi fédérale (depuis le 1er avril 1999, dans certaines régions) ou encore à une loi ou à un règlement provincial ou municipal.

Le percepteur des amendes est tenu d'orienter le contrevenant financièrement démuni vers un organisme chargé d'appliquer le programme de travaux compensatoires dans sa région. Le contrevenant qui accepte cette offre s'engage par écrit à être disponible et à effectuer le nombre d'heures de travail requis, qui est proportionnel au montant de l'amende, auquel on ajoute les frais accumulés. Ce nombre d'heures est déterminé à partir d'une table d'équivalence établie par la loi, dont le tableau 9.2 donne un exemple.

À la fin des travaux, le contrevenant obtient un jugement de libération confirmant que son amende a été acquittée. S'il n'acquitte pas l'amende imposée et refuse l'offre d'effectuer des travaux compensatoires, il fera l'objet d'un mandat d'emprisonnement et sera incarcéré. Dans tous les cas, le contrevenant qui refuse ladite offre ne peut plus revenir sur sa décision et devra purger la peine de détention imposée.

L'emprisonnement avec sursis

Lorsque le juge considère qu'une personne est coupable d'une infraction pour laquelle la loi ne prévoit aucune peine minimale, il peut lui accorder un sursis à l'application de sa sentence d'emprisonnement à condition qu'elle ne représente pas un danger pour la collectivité.

Le sursis s'accompagne toujours d'une mesure de surveillance, en plus des autres conditions obligatoires énoncées dans l'ordonnance de probation. Des conditions facultatives peuvent aussi être imposées par le juge.

Si la personne bénéficiant d'un sursis manque à l'une de ces conditions, le juge peut ordonner qu'elle soit ramenée devant lui et suspendre le sursis ou tout simplement y mettre fin, ce qui entraîne l'incarcération du contrevenant.

Les programmes d'encadrement en milieu ouvert

Les programmes québécois d'encadrement en milieu ouvert sont destinés aux personnes incarcérées qui ont purgé le sixième de leur peine d'emprisonnement, qui satisfont aux critères de l'absence temporaire et du programme, et qui font preuve d'une bonne capacité d'évolution et de prise en charge.

Ces programmes offrent aux contrevenants un moyen d'entreprendre leur réinsertion sociale avec l'aide et l'encadrement d'un intervenant, de maintenir ou de rétablir les liens avec leur famille, de régler les problèmes associés à leur comportement délinquant, de s'engager dans des activités utiles à la collectivité et d'assumer leurs responsabilités à la suite de leur délit.

Il y a trois types de programmes : le premier comporte un suivi intensif, le second représente une solution de rechange aux courtes peines d'emprisonnement et le troisième est un programme d'absence temporaire s'appliquant lorsque la peine infligée est de moins de 30 jours.

Lors de la sélection des candidats à ces programmes et à toutes les étapes du processus, les intervenants ont pour principales préoccupations la réinsertion sociale de l'individu, sa prise en charge responsable et la protection de la société.

La libération conditionnelle

La libération conditionnelle est une mesure d'application de la sentence d'emprisonnement. Elle permet à la personne incarcérée de poursuivre sa détention au sein de la collectivité à certaines conditions. Son but est d'assurer la sécurité du public tout en favorisant la réinsertion sociale de la personne incarcérée. Une personne incarcérée devient admissible à diverses formes de libération conditionnelle après avoir purgé le sixième ou le tiers de sa peine, selon les cas. Après les deux tiers de la peine, un détenu est libéré d'office, à moins de circonstances exceptionnelles justifiant le maintien de son incarcération.

Toute personne détenue pour une période de six mois ou plus dans un établissement de détention du Québec, ou pour deux ans ou plus dans les pénitenciers fédéraux, y est admissible. Ce sont la Commission québécoise des libérations conditionnelles (CQLC) et la Commission nationale des libérations conditionnelles (CNLC) qui ont respectivement la compétence de décider de libérer ou non un contrevenant qui y est admissible ou, le cas échéant, de révoquer sa libération. Cette révocation est prononcée à la suite d'un bris de condition.

La libération conditionnelle est assortie d'une surveillance exercée, à l'échelle provinciale, par les agents de probation relevant de la Direction de l'évaluation et des services en milieu ouvert et, à l'échelle fédérale, par les agents de libération conditionnelle relevant du Service correctionnel du Canada. Cette surveillance durera jusqu'à la fin de la sentence imposée par le juge. Les surveillants ont le pouvoir de suspendre la libération conditionnelle en cas de bris de condition.

Les mesures de redressement des torts

Depuis les années 1970, des mouvements de défense des victimes se sont dessinés dans de nombreux pays. Ils ont pris de plus en plus d'ampleur au cours des 20 dernières années et ont donné lieu à l'adoption de lois pour l'indemnisation des victimes d'actes criminels. Suivant les recommandations du rapport d'une commission d'enquête nationale sur la détermination de la peine (Commission Archambault, 1987), on a ajouté au *Code criminel* des mesures permettant d'amener le contrevenant à dédommager sa victime ou à contribuer à un fonds spécial d'aide aux victimes d'actes délictueux. Il s'agit respectivement :

— du **dédommagement** imposé par le juge dans une ordonnance qui s'ajoute à toute autre condamnation et qui consiste à lui enjoindre de dédommager la victime pour toute perte matérielle ou blessure corporelle ayant résulté du délit;

— de la **suramende compensatoire** qui consiste en un montant d'argent accompagnant tout type de peine et qui s'élève soit à 15 % de l'amende infligée, soit à 50 $ pour une infraction sommaire ou à 100 $ pour un acte criminel.

9.3 La déjudiciarisation et la justice alternative

Nous parlerons dans ce qui suit des types de mesures qui visent à résoudre les problèmes de délinquence en dehors des cours de justice : la déjudiciarisation et la justice alternative.

La déjudiciarisation

Le terme **déjudiciarisation** a été utilisé notamment par la Commission de réforme du droit et par les chercheurs du ministère du Solliciteur général du Canada, dans les années 1970.

> La **déjudiciarisation** est la résolution de problèmes de délinquance en dehors du circuit judiciaire ou par la prescription de modalités d'intervention autres que les méthodes traditionnelles, plus précisément par des mesures de rechange à l'incarcération.

La déjudiciarisation peut se faire sur différents plans.

- **Sur le plan communautaire** La victime résout, par des moyens administratifs ou civils ou tout simplement à l'amiable, la question du préjudice qu'elle a subi à cause du délit, et elle renonce à porter plainte.

- **Sur le plan policier** Le policier choisit de régler à l'amiable un délit mineur en utilisant son pouvoir discrétionnaire.

  On ne peut nier que, pour certains délinquants, le passage dans l'appareil judiciaire soit nécessaire ou même utile. Il faut cependant souligner que, dans bien des cas, une erreur peut être passagère et que l'individu qui l'a commise peut s'amender si on lui en laisse la possibilité; inversement, il peut s'enraciner dans le crime s'il comparaît devant la justice et subit une première condamnation.

- **Sur le plan de la poursuite** Un procureur chargé d'enquêter sur une cause afin d'en établir la preuve peut aussi, par exemple, décider qu'il vaut mieux tenter de résoudre la cause par des moyens civils ou administratifs que de recourir aux organes de la justice pénale.

De nombreuses expériences de déjudiciarisation ont été entreprises, tant auprès de contrevenants adultes que pour la délinquance des adolescents. Elles ont abouti, après de longs débats, à l'inclusion de différentes mesures en ce sens dans les législations, notamment dans la *Loi sur les jeunes contrevenants* de 1984 et dans la *Loi sur le système pénal pour adolescents* qui doit entrer en vigueur en avril 2003.

La justice alternative

La **justice alternative,** dont nous avons déjà parlé au chapitre 2, consiste en une intervention purement communautaire, dans laquelle la notion de *crime* est remplacée par celle de *situation problématique ou conflictuelle*; l'intervention s'effectue par le truchement d'organismes communautaires qui tentent des solutions visant à :

— redresser les torts infligés à la victime;

— responsabiliser l'auteur de l'acte à l'origine de la situation;

— proposer des moyens informels d'indemniser ou de dédommager la victime;

— conclure des ententes à cette fin.

Cette approche s'inspire autant des modèles d'intervention autochtones que des principes prônés par les abolitionnistes. Elle a pour objectif principal d'éviter la stigmatisation résultant de la comparution devant le système de justice pénale et de favoriser, sur la base du principe du « redressement de la situation », la résolution des conflits qu'a engendrés un comportement nuisible à autrui.

Toutefois, en ce qui concerne le choix de la mesure la plus appropriée, qu'il s'agisse d'une sanction ou d'une mesure de rechange, la notion d'individualisation avancée par l'École de défense sociale nous propose des avenues qu'il est important d'examiner.

9.4 L'individualisation des mesures

Prônée depuis près de 50 ans par l'École de défense sociale nouvelle, dont nous avons parlé au chapitre 2, l'individualisation des mesures à prendre à l'égard des contrevenants revêt maintenant une grande importance. En effet, en vertu du *Code criminel* et d'autres lois connexes, les intervenants judiciaires, correctionnels et sociaux disposent désormais d'un large éventail de sanctions pénales et de mesures communautaires (sursis, probation, dédommagement de la victime, déjudiciarisation et justice alternative ou réparatrice) ainsi que de modalités de plus en plus détaillées pour la gestion desdites mesures.

Nos codes comportent donc déjà une individualisation que l'on appelle législative, mais aussi une individualisation judiciaire et une individualisation correctionnelle ou pénitentiaire qui trouvent leur prolongement dans l'individualisation de l'approche qu'adoptent les intervenants socio-communautaires. L'individualisation peut donc se situer sur trois plans : législatif, judiciaire et pénitentiaire.

L'individualisation législative

En 1791, le premier *Code pénal* français a défini ce qu'on appelait le tarif légal. Ce code était d'une rigidité telle que le juge n'avait aucune latitude et devait appliquer les sanctions prévues pour chaque infraction. L'individualisation législative se situe exactement à l'opposé de cette approche : la législation prévoit un minimum et un maximum pour chaque peine, une gamme étendue de mesures pénales et extrapénales, ainsi que des possibilités de déjudiciarisation, ce qui permet d'adopter, dans chaque cas, l'attitude qui correspond le mieux aux besoins de traitement, de réinsertion sociale et de réhabilitation, tout en respectant l'obligation de protéger la collectivité.

L'individualisation judiciaire

Lorsqu'une législation offre une gamme étendue d'options, le juge dispose d'un pouvoir discrétionnaire appréciable. Cependant, sa formation, souvent principalement juridique, et la nature de ses fonctions ne lui permettent pas toujours de bien connaître le contrevenant qui comparaît devant lui : il ne possède souvent pas d'information sur ses antécédents personnels et familiaux, ni sur ses conditions de vie, ni sur ses problèmes, etc. Pour en savoir davantage sur le contrevenant, il doit consulter les professionnels qui ont en main les données pouvant éclairer sa décision. Aussi, l'individualisation judiciaire peut prendre deux formes : le rapport présentenciel et la césure du procès.

Notons que, dans le système pénal canadien, la première de ces deux formes est institutionnalisée, tandis que la deuxième l'est beaucoup moins.

Le rapport présentenciel

Le **rapport présentenciel** est un avis que le juge demande à un agent de probation au sujet d'un contrevenant adulte reconnu coupable d'une infraction criminelle ou pénale.

Le rapport présentenciel permet au juge d'obtenir des renseignements qui lui seront utiles pour déterminer la peine la plus appropriée pour le contrevenant. Il contient notamment des renseignements sur :

— le contrevenant, sa personnalité, son caractère, son enfance, ses anté-cédents judiciaires s'il y a lieu;

— son milieu de vie, sa famille, ses amis, son travail, ses loisirs, sa situa-tion économique et sociale;

— les circonstances de l'infraction;

— toute autre question évoquée par le tribunal.

Il contient également une évaluation de la capacité et de la motivation du contrevenant à adopter un comportement adéquat dans la société.

Le rapport que les professionnels psychosociaux et les criminologues ré-digent à la demande d'un juge de la Chambre de la jeunesse prend alors le nom de **rapport prédécisionnel**.

La césure du procès

La **césure du procès** est une division du procès pénal en deux phases distinctes.

La première phase, qui se déroule devant le juge, a pour but le prononcé d'un verdict de culpabilité ou de non-culpabilité et assure le respect de tous les droits que possède un accusé : le droit à une défense pleine et entière, le droit à la présomption d'innocence et au bénéfice du doute.

Quant à la seconde phase, elle relève de la compétence d'une équipe multidisciplinaire de professionnels psychosociaux chargés d'évaluer le cas, de poser un diagnostic, de faire un pronostic et de déterminer les mesures de traitement appropriées.

La césure du procès n'a pas d'application dans notre droit, bien qu'une commission d'enquête québécoise sur l'administration de la justice, la Commission Prévost, l'ait proposée en 1967, en s'inspirant des idées prônées par l'École de défense sociale nouvelle. Des juristes ont toutefois estimé qu'elle pouvait porter préjudice à la suprématie de la décision judiciaire.

L'individualisation correctionnelle ou pénitentiaire

Que le contrevenant soit condamné à une peine d'incarcération ou à une sanction dite communautaire, il doit être traité en fonction de ses besoins et des impératifs de protection de la société. La sanction ainsi que son application devront être établies suivant ces critères. Aussi, dans les établissements carcéraux comme dans la collectivité, les intervenants utilisent des méthodes d'évaluation et de suivi leur permettant d'adapter leur intervention au cas qui leur est confié et à son évolution.

Les moyens mis en œuvre dans la collectivité sont la surveillance, l'observation, la communication et l'utilisation de divers autres outils d'évaluation, tant pour les jeunes délinquants que pour les délinquants adultes.

En institution, les évaluations sont aussi très élaborées. Par exemple, le Service correctionnel du Canada dispose au Québec d'un centre régional de réception où est détenue, pendant plusieurs semaines dans un milieu à sécurité maximale, toute personne qui vient d'être condamnée à une peine d'emprisonnement de deux ans ou plus. On y effectue une évaluation initiale sous la supervision de criminologues, de psychologues, de médecins, d'orienteurs et d'agents correctionnels afin de déterminer :

— la dangerosité de la personne condamnée, selon le risque de récidive;
— les risques d'évasion et de suicide;
— la capacité d'adaptation à la vie en établissement et à la population carcérale;
— la problématique et les besoins de traitement et de rééducation;
— les aptitudes intellectuelles, cognitives, etc.

Le tout sert à déterminer l'établissement où le condamné purgera sa peine, le niveau de sécurité auquel il sera soumis ainsi que le plan d'intervention, dénommé *plan correctionnel*.

Précisons que l'individualisation correctionnelle ou pénitentiaire est un processus continu, puisque les détenus changent durant la période d'application de leur peine et que l'intervention doit constamment s'adapter à cette évolution.

Qu'en est-il sur le plan communautaire ? Les intervenants communautaires sont aussi appelés à individualiser leur approche à l'égard des contrevenants. Chacun de ces intervenants se voit attribuer un certain nombre de cas à gérer. L'évaluation périodique des progrès et l'adaptation des mesures constituent l'essentiel de leurs tâches. Ils disposent aussi de l'autorité et du pouvoir discrétionnaire leur permettant d'exercer adéquatement leurs fonctions. C'est ainsi, par exemple, qu'ils peuvent décider de la suspension d'un ex-détenu en libération conditionnelle, lever cette suspension, réduire la fréquence des entrevues avec un probationnaire s'ils jugent qu'il se comporte convenablement au sein de la collectivité, effectuer des enquêtes sur les fréquentations et les allées et venues des contrevenants qu'ils supervisent et même, comme nous l'avons déjà mentionné, faire appel aux policiers pour arrêter un contrevenant qui risque de récidiver ou qui ne respecte pas ses engagements.

Disons, pour terminer, que les décisions prises par les Commissions de libérations conditionnelles ont souvent été critiquées par les médias et le public, voire par les policiers. Ceux-ci estiment qu'un individu devrait purger toute sa peine en prison, que les responsables n'appliquent pas des critères valables dans l'évaluation du risque et que les intervenants psychosociaux font souvent preuve de laxisme dans la surveillance. En contrepartie, les études de suivi qu'ont effectuées des universitaires et des services correctionnels démontrent que, dans la majorité des cas, cette mesure a été appliquée avec succès. Toutefois, certains pays, pour garantir une certaine légalité à ces mesures, ont affecté un juge à l'application des peines. C'est à lui que les recommandations des intervenants seraient soumises et sa décision s'inspirerait aussi de l'esprit de la justice et du droit du public à être valablement protégé.

La seule application que nous connaissons, dans notre système, d'une procédure qui s'apparenterait à une participation des magistrats à la gestion de la peine est celle de la révision judiciaire, qui permet à un meurtrier, condamné à une peine d'emprisonnement de 25 ans sans possibilité de libération conditionnelle, de demander à être déféré au juge et au jury, après 15 ans, pour obtenir l'autorisation de comparaître devant la Commission nationale des libérations conditionnelles afin qu'elle examine la possibilité de le libérer. Si l'autorisation est obtenue, ladite commission recouvre alors tout son pouvoir discrétionnaire.

En bref

L'intervention à l'égard des contrevenants peut se faire selon trois approches : l'approche juridico-pénale, l'approche communautaire et l'approche réparatrice.

Dans le modèle juridico-pénal, ce sont les organes traditionnels du système de justice pénale qui interviennent : la police, les tribunaux et le système correctionnel. Les mesures prises à l'égard des contrevenants sont qualifiées de pénales et visent un certain nombre d'objectifs : la rétribution, c'est-à-dire la punition; l'intimidation générale ou l'exemplarité, c'est-à-dire l'avertissement à la population que tout crime est réprimé; la dissuasion, qui consiste à convaincre le délinquant de ne plus recommencer; le rétablissement de la justice, cette justice dont l'équilibre a été rompu par l'agression du criminel contre la propriété ou la personne d'autrui, et la protection du public, par la mise hors d'état de nuire du contrevenant, au moyen de son emprisonnement, par exemple. Toutefois, sous l'influence de nouveaux concepts criminologiques, le système de justice pénale a adopté un autre objectif, celui de la resocialisation par la rééducation de manière à inciter l'individu qui a commis des infractions à adopter un comportement adéquat dans la collectivité.

Quant aux sanctions, elles comprennent les peines corporelles, comme le fouet, la peine de mort et l'amputation; les peines privatives de liberté, comme l'emprisonnement; les peines restrictives de liberté, comme l'assignation à résidence, la probation et la libération conditionnelle; les peines pécuniaires, comme l'amende ou la confiscation des biens; et enfin les mesures de sûreté, qui visent tout simplement à assurer la protection du public et le traitement des personnes dangereuses, mais non responsables de leurs actes.

L'approche communautaire est celle qui tente d'amener le délinquant à devenir un citoyen respectueux des lois sans l'exclure de la collectivité. Les mesures préconisées sont généralement décidées et administrées par le système de justice traditionnel (tribunaux, système correctionnel), mais le contrevenant conserve une liberté relative : il en va ainsi de l'absolution inconditionnelle, qui pardonne en quelque sorte au contrevenant puisqu'il est alors réputé n'avoir jamais commis de délit et qu'il n'aura même pas de dossier judiciaire; des mesures probatoires, qui donnent au contrevenant la possibilité de modifier son comportement pendant qu'il est sous surveillance; des travaux communautaires ou compensatoires, qui sont des travaux bénévoles effectués auprès d'organismes à but non lucratif; de l'emprisonnement avec sursis, des programmes d'encadrement en milieu ouvert et de la libération conditionnelle, qui permettent à l'individu de purger une partie ou la totalité de sa peine d'emprisonnement dans la collectivité; et enfin des mesures de redressement ou d'indemnisation des victimes.

Enfin, la déjudiciarisation ou justice réparatrice constitue un autre modèle en vertu duquel le crime est considéré comme une situation conflictuelle ou problématique qui doit être résolue hors de l'enceinte des tribunaux, grâce à la participation de l'auteur de l'acte, de sa victime et de la collectivité.

Le droit pénal a grandement évolué au cours des années : afin de mieux répondre aux besoins de resocialisation du contrevenant, on préconise des interventions de plus en plus individualisées et l'on abandonne l'aspect purement répressif de la sanction. Ainsi, on parle d'individualisation législative, car les lois prévoient une large gamme de sanctions possibles; d'individualisation judiciaire, qui donne au juge un grand pouvoir discrétionnaire et lui adjoint des professionnels psychosociaux dont le rapport présententiel lui servira à étayer sa décision; et d'individualisation correctionnelle ou pénitentiaire, basée sur l'évaluation de chaque cas et sur l'application de programmes de resocialisation appropriés à chaque personne incarcérée ou soumise à la surveillance.

Questions et exercices _____

1. Les divers intervenants, les victimes, le public et les médias ont des opinions très différentes au sujet des objectifs que devrait viser la sanction pénale. Articles dans les journaux, nouvelles judiciaires, reportages et éditoriaux reflètent ces opinions. Faites-en une étude en vous reportant aux notions expliquées dans ce chapitre.

2. Avantages et inconvénients de l'emprisonnement : voici un thème qui a suscité beaucoup de controverse. En vous reportant aux chapitres 2, 6 et 7, qui exposent respectivement les principes des écoles de pensée en matière pénale, le portrait de la délinquance et les caractéristiques des criminels, donnez des exemples illustrant les types de délits et de délinquants qui devraient être passibles d'une peine d'emprisonnement. Justifiez votre position.

3. Faites une étude des conditions d'application de chacune des sanctions communautaires décrites dans ce chapitre ainsi que des délits et des délinquants pour lesquels chaque sanction serait appropriée. Donnez votre opinion sur les avantages et les inconvénients que comporte chaque sanction et sur les objectifs pratiques qu'elle pourrait permettre d'atteindre.

4. Quelle est, selon vous, la pertinence de la déjudiciarisation ? Est-elle plus appropriée dans les cas de délinquance juvénile que dans les cas de délinquance adulte ? Faites une recherche sur différents projets de déjudiciarisation.

5. Faites une entrevue avec des intervenants correctionnels à propos de la nature et des objectifs de leurs interventions. Traitez, par exemple, du rôle qui incombe aux agents de probation ou de libération conditionnelle, aux intervenants en détention, etc.

Glossaire

Absolution inconditionnelle (dépénalisation) : Mesure de rechange à l'incarcération qui stipule qu'un individu ne subit aucune condamnation même si un verdict de culpabilité a été prononcé contre lui.

Acte criminel : Selon le *Code criminel*, crime grave pour lequel la poursuite se fait par voie de mise en accusation.

Action proactive : Dans l'approche juridico-pénale, intervention policière qui s'effectue sans qu'un citoyen ou une victime y fasse appel.

Action réactive : Dans l'approche juridico-pénale, intervention policière qui s'effectue à la suite d'appels de citoyens.

Agressivité : Réaction violente, verbale ou physique, à un événement, à une parole ou à un geste; elle constitue l'une des quatre composantes du noyau de la personnalité criminelle.

Aménagement du milieu : Voir *Prévention situationnelle*.

Amendement du coupable : Principe basé sur la notion morale d'expiation, selon laquelle le coupable doit réparer sa faute en subissant une punition.

Analogie : Procédure qui consistait, historiquement, à punir un acte uniquement parce qu'il ressemblait à un autre déjà classé comme crime.

Analyse de contenu : Procédé par lequel on examine attentivement des documents pour en dégager les grandes lignes et les détails, les ordonner, les classifier et en tirer une description de l'institution ou du phénomène qui fait l'objet de la recherche.

Analyse stratégique : Recherche qui propose d'atteindre des objectifs en matière de résolution de problèmes grâce à la compréhension de ces problèmes, d'une part, et à l'élaboration de moyens d'action d'autre part.

Anomie : Faiblesse ou absence du contrôle que la société exerce sur ses membres et dont le résultat est la criminalité.

Approche communautaire : Catégorie d'intervention à l'égard des contrevenants qui prévoit des procédures et des méthodes se substituant aux interventions traditionnelles.

Approche juridico-pénale : Catégorie d'intervention dans laquelle les organes traditionnels du système de justice pénale interviennent : la police, les tribunaux et le système correctionnel.

Approche radicale : Perspective critique de la recherche en criminologie qui prône le rejet du système ou l'abolition de certaines de ses structures.

Approche réformiste : Perspective critique de la recherche en criminologie qui suggère des modifications et des améliorations au système existant.

Arbitraire : Pouvoir que s'arrogeait le roi ou le chef pour proclamer, selon sa volonté, qu'un acte permis devenait illégal ou pour infliger des sanctions aux contrevenants.

Assignation à résidence : Fait de demeurer dans une maison de transition où les règlements sont stricts et où il faut, par exemple, respecter un couvre-feu.

Association différentielle : Théorie fondamentale en criminologie, proposée par Sutherland, expliquant les processus sociologiques et culturels par lesquels un individu devient criminel.

Atavisme : Réapparition accidentelle de traits ancestraux qui avaient disparu au cours de l'évolution.

Cambriolage : Action de pénétrer illégalement dans la propriété ou le commerce d'autrui pour y voler des objets ou de l'argent.

Capacité criminelle : Perversité constante et agissante du délinquant, et quantité de mal qu'on peut redouter de sa part. C'est le noyau de la personnalité criminelle (voir *Témibilité*).

Capacité d'adaptation : Ensemble des caractéristiques de la personnalité qui peuvent être développées de manière positive lorsque les conditions du milieu de vie de l'individu sont susceptibles de l'amener à fonctionner conformément aux normes sociales.

Cartel : Entente entre entreprises en vue de la défense des prix par la limitation de la production et de la concurrence.

Césure du procès : Coupure du procès pénal en deux phases distinctes : appréciation de la preuve et choix des mesures.

Chiffre noir : Voir *Criminalité cachée*.

Composition : Voir *Indemnité*.

Conciliation : Procédure permettant de régler à l'amiable des conflits entre l'auteur d'un délit et sa victime, en présence d'intervenants sociaux.

Conformiste : Type d'individu qui accepte les buts de la société et utilise des moyens légitimes pour les atteindre (théorie de Robert K. Merton).

Contrefaçon : Altération, modification ou imitation de quelque chose dans l'intention de tromper.

Contrôle social (théorie du) : Théorie proposée par l'École classique qui consiste à déterminer la réaction de l'État face à la criminalité, à classer ensuite les actes qualifiés de crimes et à poser les assises sociales du droit criminel.

Cracker (ou pirate informatique) : Criminel informatique qui exploite des failles dans la procédure d'accès d'un système informatique et en attaque l'intégrité en dérobant, altérant ou détruisant de l'information afin d'en tirer des avantages personnels.

Crime : Acte antiéthique et antisocial grave, généralement interdit par la loi, et résultant de processus complexes d'ordres sociologique, psychologique et souvent biologique (Ellenberger).

Crime économique : Acte commis en vue d'obtenir des biens, de l'argent, un profit, un bénifice ou un privilège, sans utilisation de violence ou de menace et grâce à une ruse, à une fraude, à une supercherie ou à un abus de pouvoir ou de confiance.

Crime organisé : Conspiration continue, dissimulée et à caractère permanent d'un groupe d'individus, en vue de tirer profit du crime sous plusieurs de ses formes, ainsi que des lacunes des lois.

Criminalité apparente : Portion de la criminalité réelle qui est rapportée ou découverte par la police et qui figure dans les statistiques officielles.

Criminalité cachée (chiffre noir) : Portion de la criminalité qui n'a été ni rapportée ni découverte et qui ne peut être inventoriée que par divers types de sondages menés auprès des citoyens.

Criminalité à col blanc : Infractions commises par des personnes n'ayant généralement pas eu de démêlés avec la justice et jouissant d'un niveau de vie élevé grâce à leurs activités professionnelles.

Criminalité réelle : Somme théorique de la criminalité apparente et du « chiffre noir ».

Criminel aliéné mental : Type de criminel pour qui tout contact avec la réalité est rompu, ses crimes répondant à ses fantasmes, à ses hallucinations et à ses délires.

Criminel d'habitude : Criminel enraciné dans le crime et qui, dans une certaine mesure, en a fait un mode de vie. On l'appelle aussi « professionnel » ou « multirécidiviste ».

Criminel d'occasion : Individu qui n'est pas foncièrement criminel, mais qui n'a pas la capacité de résister lorsque l'occasion de commettre un délit se présente.

Criminel-né : Individu qui, selon Cesare Lombroso, se distingue par des marques d'atavisme ou des signes de dégénérescence qui le font ressembler à l'homme primitif.

Criminel occupationnel : Personne qui, selon la typologie de Clinard et Quinney, a une profession et accepte les valeurs sociales dans leur ensemble, mais qui prend quelquefois l'initiative de violer la loi en se donnant des motifs de le faire qui sont acceptables à ses yeux (voir *Criminalité à col blanc*).

Criminel passionnel : Personne dont l'émotivité particulièrement aiguë la pousse à commettre un crime; lorsque cette émotivité atteint son paroxysme, on l'appelle passion.

Criminel professionnel : Criminel qui, selon la typologie de Clinard et Quinney, a généralement atteint le sommet de sa carrière; il s'est spécialisé dans un type de crime et en a fait son mode de vie et son gagne-pain.

Criminel traditionnel : Criminel qui, selon la typologie de Clinard et Quinney, se caractérise par son appartenance à un milieu généralement défavorisé, une scolarisation relativement faible et une délinquance précoce.

Criminologie : Science qui étudie le phénomène criminel, les causes de l'accomplissement du crime ainsi que les moyens d'en réduire l'ampleur, de réagir à l'égard des contrevenants et de comprendre la victimisation et ses conséquences.

Cruauté : Caractère d'un châtiment dont l'ampleur est démesurée par rapport à la gravité de la faute.

Culpabilité par association : Châtiment imposé à des personnes innocentes uniquement à cause de leur lien avec le coupable.

Culture : Ensemble des modèles qui déterminent les rôles que jouent les individus dans la société et qui donnent une signification ou un sens à ces rôles.

Cybercriminalité (ou criminalité technologique) : Type de crime à connotation économique tirant profit de la technologie de pointe en informatique et d'Internet.

Dangerosité : Probabilité qu'un individu donné commette un acte délictueux à l'avenir. p. 30

Décriminalisation : Fait de rendre non criminel un acte antérieurement prohibé par le *Code criminel*.

Dédommagement : Mesure imposée par un juge qui s'ajoute à toute autre condamnation et qui consiste à enjoindre le contrevenant de dédommager la victime pour toute perte matérielle ou blessure corporelle ayant résulté du délit.

Déjudiciarisation : Résolution de problèmes de délinquance en dehors du circuit judiciaire ou par la prescription de modalités d'intervention autres que les méthodes traditionnelles, plus précisément par des mesures de rechange à l'incarcération.

Délinquant contre l'ordre public : Délinquant qui, selon la typologie de Clinard et Quinney, a généralement une idée assez confuse de lui-même; ses gestes ne faisant pas de victime autre que sa propre personne, il ne se considère pas comme un criminel.

Délinquant politique : Individu qui, selon la typologie de Clinard et Quinney, viole la loi pour provoquer les changements sociaux qu'il juge nécessaires pour l'évolution de son pays.

Délinquant primaire : Individu qui en est à sa première infraction et dont la personnalité n'est pas vraiment celle d'un criminel.

Délit contre la personne : Crime portant atteinte à l'intégrité physique ou morale d'un être humain.

Délit contre la propriété : Crime qui constitue une atteinte au droit de propriété.

Délit contre l'État : Crime portant atteinte aux institutions d'une société.

Délit de droit commun : Délit dont la finalité n'est ni idéologique ni politique, contrairement au délit politique.

Délit mixte : Selon le *Code criminel*, crime pour lequel la Couronne a le choix du mode d'accusation, soit par mise en accusation ou par déclaration sommaire de culpabilité.

Délit politique : Acte prohibé par les législations et dont le but est de porter atteinte, par des moyens violents, au système ou à l'organisation politique de l'État.

Délit positif : Délit qui se définit en vertu d'une loi particulière et qui varie selon les pays et les époques (Raffaele Garofalo).

Délit privé : Crime pour lequel la vengeance privée était autrefois tolérée.

Délit public : Crime pour lequel l'État intervient en imposant une peine au coupable après l'avoir jugé.

Délit sans victime : Type de crime se caractérisant par le fait que les citoyens dans leur ensemble ne sont pas lésés directement et que les contrevenants agissent en comprenant parfaitement bien les conséquences juridiques de leur acte.

Déviance : Comportement qui s'écarte des normes qu'adopte une collectivité ou une société quelconque.

Discrimination raciale : Facteur explicatif des différences statistiques entre la criminalité des Noirs et celle des Blancs.

Dissuasion : Fait de décourager, chez un individu ou une collectivité, la propension au délit ou la tentation d'en commettre.

Écologie de la délinquance : Étude de la répartition de la criminalité dans l'espace et de ses liens avec les conditions socioéconomiques représentatives d'un milieu particulier.

Écrémage : Technique utilisée par des fraudeurs qui consiste à saisir illégalement, à l'aide d'un lecteur dissimulé, les données électroniques de cartes de débit ou de crédit et à les transférer par la suite sur des cartes contrefaites.

Égocentrisme : Tendance à tout rapporter à soi-même; elle constitue l'une des quatre composantes du noyau de la personnalité criminelle.

Entrevue : Technique permettant d'effectuer diverses études en criminologie, notamment au moyen d'un questionnaire structuré ou selon des modalités ouvertes.

Escroquerie : Délit qui consiste à soutirer des biens ou de l'argent par des moyens frauduleux.

Espace défendable : Méthode de prévention par l'aménagement du milieu caractérisée par la réorganisation physique du quartier, visant à favoriser l'identification du citoyen avec son milieu de vie et à stimuler ainsi son sens des responsabilités.

Étiologie criminelle : Étude des causes du crime couramment appelées *facteurs criminogènes*.

Étude de cas : Analyse des facteurs criminogènes tirés des dossiers de délinquants.

Exemplarité : Moyen d'intimidation exercé sur d'éventuels criminels, qui consiste à démontrer la rigueur du châtiment encouru après la perpétration d'un délit.

Facteurs acquis ou transitoires : Caractéristiques d'un individu associées à des problèmes de santé mentale, à l'alcoolisme et aux autres toxicomanies ainsi qu'à l'âge.

Facteurs criminogènes : Causes individuelles et sociales du crime.

Facteurs innés : Caractéristiques d'un individu associées à sa constitution physique et à ses traits anthropologiques.

Facteurs sociaux criminogènes : Facteurs relatifs au milieu de vie et qui influent sur le comportement criminel.

Hacker : Passionné d'informatique qui, par plaisir, par défi, par désir d'être reconnu, pénètre dans des systèmes informatiques sans l'aide de manuels techniques.

Indemnité : Compensation pécuniaire ou matérielle que le criminel doit verser à la victime ou à sa famille et qui vise, entre autres, à restreindre la vengeance privée.

Indifférence affective : État caractérisé par l'absence de réaction affective; le sujet serait dépourvu de sentiments moraux, il serait incapable de compatir ou de sympathiser avec autrui et, par conséquent, serait dominé par l'égoïsme ou la froideur à l'égard du prochain; c'est l'un des quatre éléments du noyau de la personnalité criminelle.

Individualisation : Classification des criminels plutôt que des crimes visant à assurer une meilleure protection à la société; la peine correspond à la personnalité de chaque criminel.

Inégalité : Caractéristique d'un système judiciaire dans lequel l'application des lois et des peines varie selon la classe sociale ou la fortune du criminel ou de la victime.

Infraction sommaire : Selon le *Code criminel*, crime de gravité moindre pour lequel la poursuite se fait sur déclaration sommaire de culpabilité.

Innovateur : Type d'individu qui accepte les buts de la société, mais qui utilise des moyens illégaux pour y parvenir (théorie de Merton).

Intimidation générale : Fait de prévenir la criminalité dans une société par la menace d'un châtiment.

Justice alternative : Intervention purement communautaire, dans laquelle la notion de crime est remplacée par celle de situation problématique ou conflicturelle.

Justice publique : Système de justice où l'État intervient pour réglementer les relations entre individus et sanctionner, par une peine, les actes interdits.

Kleptomanie : Trouble de comportement caractérisé par un besoin irrésistible de s'approprier le bien d'autrui.

Labilité : Caractéristique de la personnalité capricieuse, instable, extrêmement changeante, très influençable, et qui ne craint pas le châtiment; elle constitue l'un des quatre éléments du noyau de la personnalité criminelle.

Légalité des délits et des peines : Obligation d'inscrire dans un code les crimes ainsi que les peines qui leur sont rattachées.

Libre arbitre : Principe selon lequel chaque humain est un être raisonnable et est libre de choisir entre le « bien » et le « mal ». Chacun est, par conséquent, responsable de ses actes et doit en assumer les conséquences.

Loi du talion : Règle qui exige de punir une offense par une sanction proportionnelle à l'acte commis.

Marginalité : Fait de vivre délibérément et régulièrement en dehors des normes sociales, sans nécessairement poser des gestes délictueux.

Masochisme : Déviation sexuelle qui consiste en un désir de souffrir pour éprouver un plaisir sexuel.

Membres du crime organisé : Personnes qui forment une organisation assimilable à une entreprise s'efforçant de réaliser des gains économiques par des moyens illégaux.

Mesure de sûreté : Mesure qui a pour objectif de protéger la société contre un individu dangereux.

Mesure probatoire : Mesure destinée à traiter et à resocialiser, en dehors du contexte carcéral et punitif, un individu qui a commis un délit.

Non-rétroactivité des lois pénales : Interdiction de sanctionner un acte commis avant l'adoption d'une loi.

Noyau de la personnalité criminelle : Ensemble des indices psychologiques de la personnalité criminelle révélant la capacité criminelle : égocentrisme, agressivité, labilité, indifférence affective (J. Pinatel).

Observation : Méthode consistant à voir avec précision ce qui se produit et à le noter pour pouvoir en faire une description, une analyse et une critique.

Observation participante : Méthode d'observation non passive, qui implique que le chercheur partage le mode de vie et les tâches de la personne ou de l'institution qu'il observe.

Ordonnance de probation : Mesure de substitution à l'incarcération émise par un juge à la suite d'un plaidoyer ou d'un verdict de culpabilité, en vertu de laquelle le probationnaire s'engage par écrit à respecter les lois et à se soumettre à certaines conditions.

Passage à l'acte : Processus qui mène à l'accomplissement de l'acte délictueux. Le passage à l'acte est déterminé par la personnalité de l'individu, les situations dans lesquelles il se trouve et les différents processus psychologiques.

Pédophilie : Perversion sexuelle d'un adulte qui a un comportement ou des désirs érotiques à l'égard des enfants, quel que soit leur sexe.

Peines corporelles : Peines qui touchent l'individu dans son intégrité physique : la peine de mort, la flagellation, l'amputation sont des peines corporelles.

Peines pécuniaires : Peines qui sont infligées à une personne reconnue coupable d'un délit et qui touchent son patrimoine, c'est-à-dire ses biens.

Peines privatives de liberté : Type de peines qui tendent, par l'emprisonnement, à imposer à une personne un mode et un cadre de vie qui lui enlèvent la possibilité de faire des choix.

Peines restrictives de liberté : Peines diminuant, pour le condamné, la possibilité d'utiliser sa liberté d'action.

Pénologie : Partie de la criminologie qui étudie les peines, leur historique, leurs modalités d'exécution et leur efficacité. Elle comporte aussi, par extension, l'étude des mesures extrapénales prises à l'égard des délinquants.

Phrénologie : Étude du caractère et des facultés dominantes d'un individu d'après la forme du crâne.

Prévention de la criminalité : Tout effort que tente la société pour rétablir ou renforcer son contrôle et faire échec aux activités criminelles avant qu'elles n'aient lieu.

Prévention situationnelle (ou prévention par l'aménagement du milieu) : Type de prévention qui vise à diminuer le nombre de crimes en opposant des obstacles aux criminels en puissance ou en diminuant les occasions; rend le passage à l'acte plus difficile.

Prévention sociale : Étude des sources sociales de la conduite délinquante et de ses causes, ainsi que de la structure et de l'organisation de la société, visant l'adoption de mesures préventives efficaces.

Pyromanie : Trouble de comportement caractérisé par un besoin irrésistible de jouir de la vue du feu.

Racket : Ensemble d'activités qui se déploient avec le minimum de violence.

Rapport prédécisionnel : Évaluation du cas d'un jeune et appréciation des programmes et services à la disposition du tribunal susceptibles de répondre aux besoins du jeune.

Rapport présententiel : Document descriptif et analytique qui détermine la dangerosité et la capacité d'adaptation du délinquant; ce document est préparé par l'agent de probation responsable du délinquant et présenté au juge avant qu'il prononce sa sentence.

Rationalisation : Processus de la pensée par lequel on trouve une justification à un acte qu'on sait illégal.

Réaction sociale : Façon dont, au cours de l'histoire de l'humanité, les sociétés organisées ont réprimé des actes qui mettaient en péril leur survie.

Rebelle : Retraitiste actif qui rejette totalement la société traditionnelle et qui propose une solution de rechange : un nouveau système social (théorie de Merton).

Récidive : Action de commettre une autre infraction après une condamnation pour une infraction antérieure.

Régulation sociale : Théorie qui stipule que plus l'individu est attaché à son milieu (famille, école, pairs) plus il en respectera les règles et adhérera à ses valeurs.

Renforcement des cibles : Méthode de prévention par l'aménagement du milieu qui vise à protéger la cible d'un délinquant potentiel à l'aide de barrières physiques érigées entre lui et cette cible.

Resocialisation (ou rééducation) : Mesure imposée à un délinquant pour l'aider à se replacer socialement afin que, à l'expiration de sa sentence, il puisse se réintégrer normalement à la collectivité.

Retraitiste : Type d'individu qui rejette les moyens et les buts de la société et qui s'en retire (théorie de Merton).

Rétribution : Manière de châtier l'individu qui a commis un délit; la punition doit être proportionnelle à la gravité de l'infraction.

Ritualiste : Type d'individu qui se conforme aux règles de la société, mais qui en modifie quelques objectifs selon les moyens dont il dispose (théorie de Merton).

Sadisme : Déviation sexuelle se traduisant par un désir d'humilier, de blesser, de faire mal ou même de détruire les autres dans le but d'éprouver un plaisir sexuel.

Science éclectique : Science qui, comme la criminologie, emprunte à d'autres sciences les thèses les plus conciliables avec son champ d'intérêt.

Seuil de pauvreté : Point de rupture, relatif à la collectivité où vit l'individu, où se produit, par manque de ressources, une exclusion sociale.

Situation précriminelle : Circonstances extérieures qui précèdent et entourent la perpétration d'un délit, en le rendant plus ou moins réalisable, avantageux ou risqué.

Socialisation : Processus qui permet l'intégration de l'individu à un groupe, notamment sa famille, et qui induit une modification de son comportement.

Société unidimensionnelle : Selon Herbert Marcuse, oppression de l'homme et perte de tout pouvoir de décision dans la production effrénée et sans contrôle.

Sociologie du droit : Science humaine qui a pour objectif d'analyser les conditions du développement des lois pénales pour qu'elles correspondent aux besoins sociaux.

Statistiques correctionnelles : Statistiques qui ont trait aux mesures carcérales et aux mesures de substitution.

Statistiques judiciaires : Statistiques relatives aux comparutions ainsi qu'aux verdicts et aux condamnations prononcés par les tribunaux.

Statistiques policières : Statistiques qui reflètent notamment la criminalité apparente, les taux de solution et les arrestations.

Suivi : Étude visant à suivre l'évolution de sujets délinquants, dont on a choisi un échantillon, pendant une période définie, afin de déterminer les effets de certains modes d'intervention.

Suramende compensatoire : Montant d'argent accompagnant tout type de peine et versé à la victime par le contrevenant à titre de dédommagement.

Tarif légal : Peine fixe et rigide infligée à l'auteur de tout type d'infraction, quelles que soient ses caractéristiques personnelles ou matérielles.

Taux de criminalité : Rapport entre le nombre absolu de crimes commis dans une société et la population de cette société (habituellement établi par 100 000 habitants).

Taux de solution : Pourcentage des crimes connus des autorités qui ont donné lieu à l'arrestation d'un suspect et à l'accumulation de preuves suffisantes pour permettre une mise en accusation devant les tribunaux.

Témibilité : Terme utilisé par Garofalo pour décrire la capacité criminelle (voir *Capacité criminelle*).

Terrorisme : Usage illégal de la force ou de la violence contre des personnes ou des biens pour intimider un gouvernement, une entreprise ou une collectivité afin de lui faire adopter une nouvelle ligne de conduite politique ou sociale.

Théorie de la tension : Théorie d'Agnew selon laquelle l'incapacité de certains jeunes à se dépêtrer d'expériences négatives vécues à la maison ou à l'école devient une source de colère et de frustration.

Théorie des cercles concentriques : Théorie selon laquelle les taux de délinquance sont les plus élevés au centre de la ville et diminuent au fur et à mesure qu'on s'en éloigne.

Théorie des vitres brisées (ou théorie du délabrement) : Théorie de Coles et Kelling selon laquelle plus un quartier est délabré, plus la recrudescence de la criminalité est probable.

Théorie du contrôle social : Théorie proposée par l'École classique pour déterminer la réaction de l'État face à la criminalité, classer les actes qualifiés de crimes et poser les assises sociales du droit criminel.

Théorie du lien : Théorie de Hirschi selon laquelle la délinquance juvénile résulte de l'affaiblissement ou de la rupture des liens entre l'adolescent et la société.

Travaux communautaires : Mesure de substitution à l'emprisonnement qui consiste à condamner l'individu reconnu coupable à accomplir des travaux bénévoles au service de la communauté ou de certains organismes d'intérêt public.

Travaux compensatoires : Mesure ayant pour but d'éviter qu'une personne non solvable soit emprisonnée à défaut du paiement d'une amende.

Typologie : Classification des criminels, délinquants ou contrevenants en catégories, selon différents critères objectifs ou subjectifs, afin de pouvoir organiser, de façon rationnelle et efficace, l'intervention pénale et extrapénale à leur égard.

Utilitarisme moral : Théorie proposée par Bentham (école classique) qui stipule que la société doit dissuader le criminel en lui imposant une peine puisqu'il a, par son crime, amoindri le bonheur dans la société.

Valeur : Expression d'un jugement moral qui privilégie des normes ou des modèles de comportement.

Vengeance privée : Type de vengeance permise à un individu ou à son groupe, sans avoir recours à un système judiciaire.

Viol des consciences : Expression proposée par H. Marcuse, qui désigne la violence morale contribuant à créer des besoins chez les consommateurs pour les inciter à se procurer davantage de biens contre leur gré.

Vol à la tire : Vol commis dans des endroits publics, sans attirer l'attention de la victime et avec une habileté et une technique acquises avec l'expérience. On appelle communément *pickpocket* celui qui pratique cette activité.

Bibliographie ────────────────

AGNEW, Robert, « Foundation for a General Strain Theory of Crime and Delinquency », dans *Criminology*, vol. 30, n° 1, 1992.

ANCEL, M., *La défense sociale nouvelle*, Paris, Cujas, 1966, 392 p.

ANCEL, M., *L'individualisation des mesures prises à l'égard du délinquant*, Paris, Cujas, 1954, 464 p.

BECCARIA, C., *Des délits et des peines*, Paris, Éditions du Boucher, 2002, 146 p.

BENSIMON, Philippe, *Les faux en peinture*, Montréal, Éditions Cursus Universitaire, 2000, 382 p.

BERTRAND, Marie-Andrée, « Le caractère discriminatoire et unique de la justice pour mineurs », dans *Déviance et Société*, vol. 1, n° 2, 1978.

BERTRAND, Marie-Andrée, *La femme et le crime*, Montréal, L'Aurore, 1979, 224 p.

BOUZAT, P. et J. PINATEL, *Traité de droit pénal et de criminologie*, vol. 3, 2ᵉ éd., Paris, Dalloz, 1970, 660 p.

CARRINGTON, Peter J., *Facteurs ayant une incidence sur la déjudiciarisation par la police des affaires mettant en cause des jeunes contrevenants : analyse statistique*, Rapport établi à l'intention du Solliciteur général du Canada, Université de Waterloo, 1998.

Centre international de criminologie comparée, *La criminalité économique du Québec*, Montréal, Université de Montréal, 1977.

CLARKE, Ronald, « Situational Crime Prevention », dans M. Tonry et D.P. Farrington (sous la direction de), *Building a Safer Society, Crime and Justice: a Review of Research*, vol. 19, Chicago, University of Chicago Press, 1995.

CLINARD, Marshall B. et Richard QUINNEY, *Criminal Behaviour System: a Typology*, 2ᵉ éd., Cincinnati, Anderson Pub. Co., 1986, 274 p.

Conseil scolaire de l'île de Montréal, *Défavorisation des familles en milieu montréalais*, janvier 1999, 64 p.

CÔTÉ, Gilles, « Les instruments d'évaluation du risque de comportements violents : mise en perspective critique », dans *Criminologie*, vol. 34, n° 1, Montréal, Les Presses de l'Université de Montréal, 2001, p. 33.

CRANZ, R., « Les tares héréditaires (sur les Jukes) », dans *Revue de droit pénal et de criminologie*, 1913, p. 79-93.

CUSSON, Maurice, *Criminologie actuelle*, Paris, Presses universitaires de France, 1998, 254 p.

CUSSON, Maurice, *La criminologie*, coll. Les Fondamentaux, Paris, Hachette, 1998, 160 p.

CUSSON, Maurice, *Délinquants pourquoi ?*, Cahiers du Québec, coll. Droit et criminologie, Hurtubise HMH, 1981, 272 p.

DE GREEF, E., *Introduction à la criminologie*, Bruxelles, Van den Plas, 1946, 416 p.

DE GUISE, J. et G. PAQUETTE, « La violence à la télévision canadienne, 1993-1998 », dans *Cahiers-Média*, n° 9, Centre d'études sur les médias, Université Laval.

DÉPELTEAU, François, *La démarche d'une recherche en sciences humaines. De la question de départ à la communication des résultats*, coll. Méthodes des Sciences Humaines, Québec, Les Presses de l'Université Laval/De Boeck Université, 2000, 418 p.

DURKHEIM, Émile, *Les règles de la méthode sociologique*, 16e éd., Paris, PUF, 1967, 150 p.

DURKHEIM, Émile, *Le suicide. Étude sociologique*, Paris, PUF, 1960, 452 p.

ELLENBERGER, H. et M. DONGIER, « Criminologie », dans *Encyclopédie médico-chirurgicale. Psychiatrie*, n° 37760, A-30, décembre 1958.

FATTAH, Ezzat A., *Une étude de l'effet intimidant de la peine de mort à partir de la situation canadienne*, Ottawa, Solliciteur général du Canada, 1972, 222 p.

FERRI, Enrico, *Criminal Sociology*, New York, Appleton Co., 1896, 284 p.

FOUCAULT, M., *Surveiller et punir : naissance de la prison*, Paris, Gallimard, 1975, 318 p.

FOURCAUDOT, Martine et Lionel PRÉVOST, *Prévention de la criminalité et relations communautaires*, Mont-Royal, Modulo Éditeur, 1991, 220 p.

FRÉCHETTE, Marcel et Marc LEBLANC, *Délinquances et délinquants*, Chicoutimi, G. Morin, 1987, 384 p.

GASSIN, Raymond, *Criminologie*, 4ᵉ éd., Paris, Dalloz, 1998, 706 p.

GLUECK, Sheldon et Eleonore, *Unraveling Juvenile Delinquency*, Cambridge, Harvard University Press, 1950, 400 p.

GOTTMANN, Jean, *L'Amérique*, 4ᵉ éd., Paris, Hachette, 1963, 470 p.

HAMEL, S., C. FREDETTE, M.-F. BLAIS et J. BERTOT, *Jeunesse et gangs de rue, phase II*, Centres Jeunesse de Montréal, 1998.

HANIGAN, Patricia, *La jeunesse en difficulté : comprendre pour mieux intervenir*, Presses de l'Université du Québec, 1990, 324 p.

HIRSCHI, Travis, *Causes of Delinquency*, Berkeley University of California Press, 1969, 310 p.

HULSMAN, Louk et J. BERNAT DE CELIS, *Peines perdues*, Paris, Le Centurion, 1982, 182 p.

KELLING, George L. et Catherine M. COLES, *Fixing Broken Windows: Restoring Order and Reducing Crime in our Communities*, New York, Simon and Shuster, 1997, 320 p.

KUBIE, Lawrence S., « The Nature of the Nevrotic Process », dans *American Handbook of Psychiatry*, 2ᵉ éd., New York, Basic Books Inc., 1974.

LANDREVILLE, P. et G. TROTTIER (sous la direction de), *Criminologie*, vol. 34, n° 1, Montréal, Les Presses de l'Université de Montréal, 2001, 176 p.

LAROUCHE, Ginette, *Agir contre la violence : une option féministe à l'intervention auprès des femmes battues*, Lachine, Éditions de la Pleine Lune, 1987, 550 p.

MARTEL, D., *La peur du crime en milieu urbain dans l'ensemble de la population et chez les femmes*, Régie régionale de la santé et des services sociaux de Montréal-Centre, décembre 1999, 112 p.

MATHEWS, Frederick, *Les bandes de jeunes vues par leurs membres*, Solliciteur général du Canada, n° 1993-24, 1993, 126 p.

NORMANDEAU, André, « La discrimination raciale : la police, le tribunal, la prison », dans A. Normandeau et E. Douyon (sous la direction de), *Justice et communautés culturelles ?*, coll. Repère, Laval, Méridien, 1995.

PINATEL, J., *La criminologie*, Paris, Spes, 1960, 224 p.

POUPART, J., J. DAUZOIS et M. LALONDE, « L'expertise de la dangerosité », dans *Criminologie*, vol. 15, n° 2, Presses de l'Université de Montréal, 1982, p. 7-25.

PRÉVOST, Lionel, *Résolution de problèmes en milieu policier*, Mont-Royal, Modulo Éditeur, 1999, 200 p.

PROUX, J. et P. LUSSIER, « La prédiction de la récidive chez les agresseurs sexuels », dans *Criminologie*, vol. 34, n° 1, Montréal, Les Presses de l'Université de Montréal, 2001, p. 12.

Québec, Commission d'enquête sur l'administration de la justice en matière criminelle et pénale, *La société face au crime. Principes fondamentaux d'une nouvelle action sociale*, vol. 1, Québec, Éditeur officiel du Québec, 96 p.

Québec, Commission d'enquête sur le crime organisé, *Le crime organisé et le monde des affaires : rapport d'enquête sur le crime organisé et recommandations*, Québec, Éditeur officiel du Québec, 1977, 304 p.

RAMCHARAN, S., Willem DE LINT et Thomas FLEMING, *The Canadian Criminal Justice System*, Toronto, Prentice Hall, 2001, 294 p.

Régie régionale de la santé et des services sociaux de Montréal-Centre, *Prévenir, guérir, soigner, les défis d'une société vieillissante*, Rapport annuel, Direction de la santé publique, 1999, 76 p.

ROGERS, Karen, « La violence conjugale au Canada », dans Statistique Canada, *Tendances sociales canadiennes*, n° 11, automne 1994.

SCHMALLEGER, Frank et Rebecca VOLK, *Canadian Criminology Today*, Toronto, Prentice Hall, 2001, 432 p.

SEELIG, E., *Traité de criminologie*, Paris, PUF, 1956, 410 p.

SHOEMAKER, Donald J., *Theories of Delinquency*, 4e éd., New York, Oxford University Press, 2000, 294 p.

STERLING, Claire, *Pax mafiosa*, Paris, Robert Laffont, 1994, 310 p.

SUTHERLAND, E.H. et D.R. CRESSEY, *Principes de criminologie*, 6e éd., Paris, Cujas, 1966, 662 p.

SZABO, D. et E. A. FATTAH, « Criminologie », dans *Encyclopédie médico-chirurgicale*.

SZABO, D. et A. PARIZEAU, *Le traitement de la criminalité*, Montréal, Presses de l'Université de Montréal, 1977, 428 p.

SZABO, Denis et Marc LEBLANC (sous la direction de), *Traité de criminologie empirique*, Presses de l'Université de Montréal, 1994, 464 p.

TREMBLAY, Pierre et Lucie LÉONARD, « L'incidence et la direction des agressions interethniques à Montréal », dans A. Normandeau et E. Douyon (sous la direction de), *Justice et communautés culturelles ?*, coll. Repère, Laval, Méridien, 1995.

VANDERBERG, Susan A., John R. WEEKES et William A. MILLSON, « Early Substance Use and its Impact on Adult Offender Alcohol and Drug Problems », dans *Forum on Corrections Research*, vol. 7, n° 1, janvier 1995.

YAMARELLOS, E. et B. KELLENS, *Le crime et la criminologie*, Paris, Marabout Université, 1970, 256 p.

Index

AUTOCHTONES. p.65 67

 Recyclé
Contribue à l'utilisation responsable
des ressources forestières
www.fsc.org Cert no. SGS-COC-003153
© 1996 Forest Stewardship Council

Marquis imprimeur inc.

Québec, Canada
2009

Imprimé sur du papier Silva Enviro 100% postconsommation
traité sans chlore, accrédité Éco-Logo et fait à partir de biogaz.

certifié

procédé
sans
chlore

100 % post-
consommation

archives
permanentes

énergie
biogaz